章天亮

8/4/2022

中華文明史

上

章天亮 著

飛天大學出版社

作者自序

1787年，剛剛獨立不久的美國十三州代表聚集在費城舉行制憲會議。在此之前，人類社會從未出現過成文憲法。因此制憲既是在制定未來美國政治的框架和所需遵循的最高原則，也是在開創一個先例，即人類憑藉理性和善意，協商出解決未來利益紛爭的原則，並永為定例。

儘管願望是美好的，但具體操作時，各方卻多次因利益衝突而令會議陷入僵局。當然最簡單的做法就是拂袖而去，各州繼續各自為政，形成鬆散邦聯，如此就不會有今天的美國和美國的憲法了。正當大家感到氣憤和絕望時，本傑明·富蘭克林站了起來，向會議主席華盛頓將軍講了這樣一番話：「主席先生，我建議在我們休會之前提名和任命一位牧師，其職責是在我們每天開會之前，帶領我們向創世主禱告，因為他是天下萬國的王。我們懇請他來主持我們的會議，用天賜的智慧來啓迪我們，讓我們的心中充滿對真理和正義的愛，並保佑我們最後的成功*1」。

按照後來的衆議院議長戴頓將軍的回憶，富蘭克林的這番話讓華盛頓將軍及幾乎所有代表悚然動容，他們用欽佩的表情和沉默表達贊許。會議由是得以進行，並最終通過了憲法。

雖然憲法通過了，但美國能否維持在憲法之下的憲政，則是另外一個問題。國父亞當斯說「我們的憲法是為了有信仰和有道德的人制定的。如果人們失去信仰和道德，憲法將淪為一紙空文*2。」

回顧這段歷史，乃是為了說明，人類如果要創造文明，依靠個體的力量顯然是做不到的，而人類大面積的分工協作就涉及到社會的組織和管理。道德敗壞的人既無法自我管理，也不會與他人協作，因此文明只能靠有道德的人來創造。歷史上，當一個社會的道德敗壞時，我們看到的就是天災人禍、國家解體、朝代更迭，乃至文明的沒落和消亡。反過來講，如果中華文明能夠延續五千年，那麼其背後必然有一股強大的維繫道德的力量。因此，我絕不同意「中華沒有文明」或「中國歷史一團漆黑」的偏見。持有這種偏見的人也常常不會意識到，這是共產黨有意誤導的結果。

接下來的問題就是，誰擁有定義道德的權力和維繫道德的力量。答案只能是神。上帝在西奈山給摩西傳的十誡，就是道德上的誡命。而中國的倫理體系則來自於佛教、道教和儒家思想。

人活在世間必須處理好三種關係：第一是人與自然的關係，我們也可稱之為「物質文明」，這是個體生存的基本物質保障；第二是人與人的關係，也就是如何建立共同體，以及共同體內部及共同體之間應該遵循什麼樣的相處規則，我們也可以稱之為「政治文明」；第三是人與神的關係，這是維繫道德的唯一途徑，也是文明得以延續的前提和基礎，我們也可以稱之為「精神文明」。當人背離了神，人們就會淪為道德相對主義者，即無所謂是非善惡，就會把壞事當作好事。此時持有不同道德標準的人就失去了相互交流和達成可靠共識的基礎，社會也就崩裂了。

在物質、政治、精神這文明的三個層面中，唯物主義者傾向於物質決定意識，因此在講述文明史的過程中，會以物質文明為重點、甚至為中心，對政治文明的解釋也常常以物質文明為出發點，這是讓我讀目前各類的文明史書籍或文章時常感美中不足的地方。

事實上，信仰塑造了文明。就像我們無法否認天主教對歐洲文明的塑造，和基督教新教對美國文明的塑造一樣，我們也無法否認儒、釋、道對中華文明的塑造。這是理解中華文明的關鍵，因此本書用大量的篇幅探討了儒、釋、道信仰體系的精髓，包括對一些常見誤解的辨析。

時至今日，過去的信仰在各國都走向了衰落，人們傾向於用科學解決人和自然的關係，用法律解決人和人的關係，本質上來說這是啓蒙運動的餘殃，也就是人對自身理性的信仰，認為人可以憑著自身的理性解決一切問題，乃至發現宇宙的真理、生命的奧秘、征服自然甚至長生不老。這時文明的發展已經走上了歧途。人固然應當具備和弘揚理性，但必須是在信仰框架之下的理性。人需要保持對神的謙卑，需要維繫神給人規定的道德。當對神的信仰缺位時，文明必然行之不遠，社會的亂象也將接踵而至。事實上，我們已經看到其惡果正在顯現和蔓延。

因此這本書除了想探討中華文明的精髓和延續五千年的真正原因，另一個目的也是想藉著這些探討，找到在中共毀滅性地破壞中華文化之後，我們去復興中華文明的著力點。

《中華文明史》是根據我在飛天大學的授課講義整理而成的，共分為五大部分：第1至7講為中華文明概述；第8至18講為簡明中國史；第19至55講為中國的哲學史部分，著重討論了先秦的道家、儒家、兵家和法家思想，佛教傳入中國和發展的簡史，和中國哲學思想的流變；第56至64講為政治制度史部分；第65至72講為中國文學簡史。

受本人對於信仰的理解和體悟所限，也受個人知識體系的完備程度所限，書中乖謬舛誤之處在所難免，敬請讀者批評指正。一家之言，僅供參考。

章天亮

2022年4月19日於紐約飛天大學

*1 *"I will suggest, Mr. President, that propriety of nominating and appointing, before we separate, a chaplain to this Convention, whose duty it shall be uniformly to assemble with us, and introduce the business of each day by and address to the Creator of the universe, and the Governor of all nations, beseeching Him to preside in our council, enlighten our minds with a portion of heavenly wisdom, influence our hearts with a love of truth and justice, and crown our labors with complete and abundant success!" — Benjamin Franklin*

*2 *Our Constitution was made only for a moral and religious people. It is wholly inadequate to the government of any other. — John Adams*

目錄

第一部分

中華文明概述

第一講 ❖ 概述

Chapter. 1　Overview

觀眾朋友大家好，今天開始我們一起來學習《中華文明史》。這並不是一門通史課程，但是你必須對中國歷史有所了解，才能夠以此為基礎來談文明發展的不同側面。在我看來，中國的歷史教育，其實包括世界上其它國家的歷史教育，都存在著很多問題。而中國歷史教育的問題就尤為突出。

我把這些問題總結為四個方面：第一個方面就是用馬克思主義的歷史觀生搬硬套中國的歷史。馬克思主義講社會發展有五個階段，從原始社會到奴隸社會、到封建社會、到資本主義、再到社會主義社會。中共說我們現在是處於社會主義階段，將來還會發展到共產主義，也就是人類社會發展的最高階段了。

這種說法實際上是馬克思從歐洲歷史的發展過程中總結出來的。它跟中國的歷史發展是對不上的。簡單的講，比如說歐洲有一個時間相當長的封建社會，直到資本主義革命之前歐洲都是城邦林立的，有點像中國西周的那種封建狀態。但中共說中國從秦以後是封建社會，這就是用馬克思主義在生搬硬套了。其實中國從秦始皇統一中國以後實行的是中央集權，而沒有再施行西周的那種封建制度。所以你要拿馬思主義的五階段往中國歷史上套，是套不進去的。中國歷史研究首先從方法論上就是錯了，這是第一個問題。

第二個問題就是中國的歷史教育缺乏一種人文精神。我們都聽說過一句話，「滅人之國，必先去其史」(注：這句話來自龔自珍在《定庵續集》卷二《古史鉤沉二》，意思是如果要滅掉一個國家，應該先去掉它的歷史。「定庵」是龔自珍的號)。也就是說，一個國家之所以成為現在這個樣子，是有一個歷史的淵源和發展過程的。如果你把歷史抹掉之後，這個歷史中所承載的文化就沒有了。實際歷史在發展過程中，所發生的那些重大事件、那些著名人物的事跡、各種文學形式和文藝作品的出現、各種哲學思想的出現等等，都是在給人類奠定文化。

我經常講「民族」其實是一個文化的概念。有一些民族他們在世界上沒有自己的土地，沒有自己的國家，甚至是整個民族的人口都是流散在世界各地，而不是住在一起的。但是他們如果能夠保住自己的文化，那麼這個民族就會一直存在。非常典型的例子就是猶太民族。

猶太民族從耶穌上了十字架之後，經過了將近兩千年的大流散。在世界萬國之間被人嘲笑和欺侮，甚至在二戰期間被大量屠殺。但是由於他們保存了自己的信仰和文化，所以儘管他們沒有自己的土地和政府，猶太民族作為一個民族卻保存下來了。

那麼也有一些民族的人口還在，血緣的傳承還在，也居住在原來祖先的土地上，但由於喪失了自己的文化，該民族也就是名存實亡了。在中國，有一些民族曾經是很大的民族，像鮮卑、契丹、女真等民族。女真的一個部落建立了清朝，改族號為滿族。現在中國有很多人說自己是八旗的後裔，但其實他完全忘記了滿語應該怎麼講，滿文應該怎麼讀，也不再遵循滿族的風俗習慣。所以他們只不過是在血緣上屬於滿族，在文化上他們已經和漢人沒有什麼區別了。

所以歷史的整個發展過程，就是奠定一個民族的文化的重要過程。人在學習歷史的時候，就能夠從中提煉出這個民族的一些特質，和這個民族最珍視的價值觀。

比如說美國,2020年,我們看到美國有很多的騷亂、很多的街頭暴力,這些參與者他們在試圖做一件非常重要的事,那就是否定美國的歷史。甚至他們試圖毀滅美國開國先賢像華盛頓、傑弗遜等的雕像。他們試圖挑戰美國的憲法、重述或篡改美國的歷史。我們知道如果美國沒有了國父們所奠定的這些立國之本,包括猶太-基督信仰、法治的精神、對自由的珍視等等,那麼美國就將不再是美國。所以這些人在否定美國歷史的時候,其實是在動搖美國賴以存在的最重要的基石。

為什麼美國現在的年輕人中,有很大比例的人支持這些政治運動?就是因為他們對美國的歷史沒有基本的認識,對美國的文化沒有最基本的認識和熱愛。也就是說,由於歷史教育的失敗造成了這些人雖然生在美國,享受著美國的自由,但卻仇恨美國,仇恨歷史中所承載的那些傳統的價值觀。

在中國也是一樣,中國的歷史發展也是給人奠定了很豐富的文化,教給人很多很重要的價值觀,這是在歷史長河中沉澱下來的精華。

如果對比中國和美國的高等教育,你會看到一個現象。在美國的大學教育中有一個部分叫作General Education,也被翻譯成通識教育或者博雅教育,需要學習一些人文課程,包括哲學、藝術、歷史、文學等。但在中國的高等教育中就沒有這一塊內容。我當年上大學的時候,學的是理工科,這樣的專業在大學裡是不上語文課的,也不上歷史和哲學課程。我說是傳統的歷史和哲學,不是馬思主義的那一套《中國革命史》或者馬克思主義哲學。也就是說,在中國的大學教育體制裏,缺少了人文教育這一塊兒。

在英文中,這種人文教育叫作Humanity。在英語中Humanity還有一個意思,就是人類。這或許並不是一個巧合。也就是說,一個族群要經過Humanity的教育,他們所建立的社會才是一個人類的社會。如果你反對這種人文精神,那就是anti-humanity，其實也就是反人類。在中國、在美國，都有一些人是anti-humanity的。

我想說的就是，美國現在社會的各種亂象說明一定是美國年輕人所接受的人文教育出了問題，其中包括歷史教育。儘管美國的高中和大學裡面也教一些歷史，但是歷史中所承載的那種人文的精神卻沒有傳下來。中國和外國都一樣，歷史教育中缺乏一種人文精神。這是歷史教育的第二個問題。

第三個問題就是中國的歷史教育缺乏一種整體感。我們上中學的時候學歷史，課程安排是初中二年級學古代史，初三的時候學近代史，高中的時候學世界史。其實我們真正學的是歷史的一個一個的碎片。掌握了這些知識碎片並不能讓我們完整地把握中國歷史，所以中國的歷史教育是缺乏完整性的。

比如說歷史課上講秦始皇，可能只講了他做的一兩件事，這一章就算過去了。那麼他做這些事情的歷史背景是什麼，原因是什麼，為了達到什麼目的，又產生了怎樣的歷史影響？這個基本都不講。所以這就造成一個人在學校裏上完了這些歷史課以後，他在腦子裡邊並沒有一條主線能夠把這些歷史事件串起來，把整個歷史發展過程的來龍去脈講清楚。從歷史觀到具體研究歷史的方法論，我覺得都是非常欠缺的。

當然如果一個人足夠聰明，他能夠把中國歷史完整地學下來，并且能夠找到歷史中發展過程的主線，他就會形成一套自己的歷史觀。那時候他就會發現馬克思主義的歷史觀完全是誤入歧途。所以你會看到中國大陸有很多真正懂中國歷史的人，是不太相信共產黨講的那一套的。所以共產黨在設計歷史課內容的時候，就不能教你完整的歷史，而只告訴你一些符合它的史觀的碎片。這是中國歷史教育的第三個問題。

第四個問題就是歷史教育的時間太短。我在美國這邊給學生們上歷史課的時候跟他們開玩笑說:「你看,你們高中必須要學一年的美國歷史。美國一共才開國200多年,你們就要學一年的美國歷史。中國的歷史上下五千年,如果按照這種比例的話,你們應該上25年的中國歷史課才對。」

當然我們不可能把中國的歷史講得像美國歷史一樣細,但是中國中學裏用一年講中國古代史,實在是講不了什麼東西。這是我覺得中國歷史教育存在的第四個問題。

我們在這裏講的《中華文明史》雖然不是通史課程,但是我想盡量彌補中國歷史教育中的一些缺憾。由於歷史觀的錯誤,中國人用馬列主義的那一套階級鬥爭史觀來看待歷史,就使得中國人在學習歷史的時候容易得出一個結論——中國歷史就是階級壓迫和農民造反的歷史。整個歷史書就是一本農民造反集萃,象什麼陳勝吳廣、黃巾軍、黃巢、朱元璋、李自成造反等等。好像除了這個就沒別的了,其它那些輝煌的歷史文化講得非常非常少。

在大陸的歷史書中,很多很重要的事件一帶而過,像春秋戰國時期諸子的爭鳴,像漢代對中國國家意識形態的探索,像隋唐時期佛學的發展,包括像明代王陽明心學的出現等等。

我們今天想花一些時間給大家講一個問題,就是中國歷史教育給大家造成了一個錯覺——農民造反改朝換代;階級鬥爭推動了歷史發展。這是一個完全錯誤的結論。共產黨在宣傳的時候,因為它講鬥爭嘛,所以它總是把階級矛盾講得非常誇張,感覺好像是農民受到怎樣怎樣的壓迫。這件事情,我們被中共欺騙了幾十年。

如果我們真正看一看中國歷史的話,我們會發現,每一次改朝換代,其實都不是通過農民造反完成的,不是因為農民階級被壓迫的太嚴重,然後推翻了地主階級,然後就改朝換代了。這樣的事情一次都沒有發生過。我知道這聽起來

感覺好像是嘩眾取寵，那麼我們不妨從頭開始把中國的朝代更迭過程簡單地過一下。

我們知道中國第一個「家天下」的王朝是夏朝。其實當時中國的文化分成三個大的區域：一個區就是在現在的河南河北山西一帶，屬於中原地區，它是一種文化，我們稱之為華夏文化；然後在山東一帶則是另外一個民族，可以說是夷族，屬於另外一個文化圈；然後南方在湖北湖南一帶，屬於楚文化，那是又一個文化體系。實際上當時中國有這麼三大文化圈。在勞思光的《中國哲學史》中很詳細地談到了這個問題。

我們剛剛談到過，「民族」是一個文化的概念，所以不同民族之間文化不同，那麼它們之間也有軍事上的衝突。我們經常說夏商周三代，感覺好像都是中國人，都是華夏民族，其實不是這樣。他們占據的地理位置都不一樣。夏朝的地理範圍大概是在山西的南部，河南的北部，河北的南部和山東的西部。這個範圍生活的是華夏民族。

實際上夏朝的時候，華夏民族一直受到來自於東方，也就是山東一帶的東夷民族的威脅。如果我們去讀《史記》的《夏本紀》，會看到當夏開國之後不久，到太康做「夏后」的時候（這個「后」當時指的是「帝」，相當於夏朝的最高統治者），就發生了東夷的酋長后羿滅掉了夏族的事件。所以夏朝的歷史中間有一段是中斷的。也就是后羿佔據了夏這片土地。後來經過了幾十年，夏族的少康又把東夷部落給趕跑了，歷史上稱之為少康中興，就是重建了夏族對這個地區的統治。

最後夏朝的滅亡其實是來自於東方的另外一個民族，我們說它是商族也好，或者說它是夷族也好，商滅夏是一個民族滅亡了另外一個民族。它並不是我們想像中的由於奴隸主對奴隸的壓迫，奴隸受不了了改朝換代。不是這樣的。它是一國滅另外一國，並不是一個階級鬥爭造成的結果。

周滅商，也是一國滅另外一國的概念。商我們知道它是屬於東夷文化，那麼周的文化跟夏是相通的。當時商朝周邊有很多的小邦，商朝管它們叫做「多方」，相當於商的周圍很多的方向上有很多小的諸侯國。這些小諸侯國的領袖就叫作「方伯」。那麼周族的領袖就是西伯侯姬昌。後來周族變得越來越強大，與商之間也建立了通婚的關係。等到商紂王的軍隊遠征淮水的時候，也就是當時商朝的主力部隊都調到山東江蘇一代去打仗的時候，周族人就趁機滅亡了商族。大家都知道牧野之戰滅掉了商。所以周滅商也不是奴隸主壓迫奴隸的階級鬥爭造成了商的滅亡，而是一國滅另外一國，或者是一族滅另外一族。

再往下，就是秦滅周了，很顯然也是一國滅另外一國。在戰國末期，周的地盤已經很小了，然後被秦所滅。

有人就說秦的滅亡是亡於階級鬥爭吧，是亡於農民造反吧？感覺好像是陳勝吳廣造反造成了秦的滅亡，其實不是。

這裏我特別要強調一下，秦其實並不是亡於漢。我們雖然通常認為秦朝之後是漢朝，但其實秦漢之間還有一個非常短暫的朝代。這個朝代就是楚。所以其實滅秦的不是漢，而是楚。當時造反的陳勝吳廣都是楚人、劉邦項羽都是楚人、韓信是楚人，包括蕭何、曹參，灌嬰，樊噲、周勃等等其實都是楚人。這就是為什麼當時流傳著那麼一句話叫「楚雖三戶，亡秦必楚」，實際上秦是被楚滅掉的。

在戰國時期楚國是一個特別大的國家，它原來跟秦之間建立了通婚關係。秦滅楚之後楚人一直是不服氣的，所以楚人一直想造反。司馬遷應該跟我的看法一致，所以在《史記》裡，司馬遷是用「本紀」來記項羽。我們知道本紀都是記一個朝代或者是記帝王。但司馬遷是用本紀這種規格來記項羽的，也就是說在司馬遷的心目中，他實際上承認項羽作為一個開國者的地位的。

而且在《史記》中大家知道有「表」，就是講什麼時間發生什麼事。因為史記是紀傳體，所以有的時候在人物傳記中，事件發生的時間順序會比較模糊。那麼司馬遷就專門做了幾張表，把時間和事件對應起來。

那麼關於楚漢戰爭期間，包括陳勝吳廣造反期間，史記中列了一個專門的表，叫作「秦楚之際月表」，記錄每一個月發生什麼事情。他為什麼不叫「秦漢之際月表」呢？是因為司馬遷承認當時是有一個楚政權的。

我們感覺好像是陳勝吳廣造反滅亡了秦，但其實陳勝吳廣造反僅僅短短的經過了不到半年的時間就被撲滅了。秦二世元年（公元前209年）的七月，陳勝吳廣造反，到當年的11月、12月的時候，陳勝吳廣就全都死了。所以最後滅掉秦國的還是劉邦和項羽，他們都是楚人。

那麼再往下從中國歷史進入漢代之後，每一次王朝的滅亡幾乎都是權臣篡位的模式，或者是一國滅掉另外一國的模式，還有就是民族獨立的模式。我們幾乎看不到農民造反取得成功，然後改朝換代了。

我們中國人學歷史的時候都說是黃巾軍造反造成東漢的滅亡，其實黃巾軍造反很快就被撲滅了。真正漢朝的滅亡是因為曹操的兒子曹丕取代了漢朝。我們說曹丕篡漢也好，或者說代漢自立也好，這是一種權臣篡位的模式。因為當時曹丕是魏王，離皇帝是一步之遙，最後把皇帝一替代，東漢就結束了。

東漢結束後，就進入了三國時期。結束三國的是司馬炎，即司馬家族篡了魏國的國政。因為司馬炎也是屬於權臣，所以從三國到西晉也是屬於權臣篡位的模式。

西晉的滅亡是由於外族入侵，是一國滅掉另外一國，就像商滅了夏、周滅了商一樣。當時匈奴人劉淵建立了漢，然後他的兒子劉聰登基，派劉曜等人攻入了西晉的都城洛陽，歷史上稱之為「永嘉之亂」。不久以後西晉就滅亡了。所以西晉的滅亡是一國滅另外一國，它不是因為農民造反或階級鬥爭。

東晉滅亡也是權臣篡位的模式。當時東晉有一個大將軍叫劉裕，取代了東晉。東晉偏安江南的時候，中國北方是「五胡亂華」。五胡亂華那就是不同民族之間的爭戰了。匈奴、鮮卑、羯族、氐族、羌族、柔然等等，這些民族互相之間打來打去，所以當時北方的這些國家的政權更迭是一國滅另外一國，或者是大將篡位。

東晉十六國以後，中國歷史走到了南北朝時期。南方的宋齊梁陳的更迭，都是權臣篡位的模式，即蕭道成、蕭衍、陳霸先，分別建立了齊、梁、陳。北方則是北周滅北齊（一國滅另一國），然後北周被隋所取代（權臣篡位）。楊堅原本是北周的隨王，他把小皇帝給一廢，就建立了隋朝。

唐朝取代隋朝也是一樣。唐朝的開國皇帝李淵和隋煬帝是表兄弟的關係。他們有一個共同的外祖父，就是西魏的柱國大將軍獨孤信。隋朝末年，李淵任太原留守，他取代隋朝也是權臣篡位的模式。

唐朝也是一樣。咱們學歷史，感覺唐朝是滅亡于黃巢造反。其實黃巢並沒有建立一個統一的王朝，而只建立了一個流寇政權。黃巢是走到哪搶到哪，占領的土地非常非常的少。這個搶劫的流寇在長安呆了那麼兩三年，殺了很多人。但當時大唐昭宗皇帝還在，各地軍隊也是承認唐昭宗為皇帝的。唐朝真正的滅亡是因為朱溫篡唐。朱溫是一個節度使，這又是權臣篡位的模式。

然後你再看後面五代十國的那些更迭，基本上都是權臣篡位。再往下就是宋。趙匡胤也是一個權臣，殿前都檢點（相當於禁軍統領）。他取代了後周的小皇帝，建立了北宋。

北宋亡於金國入侵，南宋則亡於蒙古人入侵，這是一國滅一國的戰爭，也不是因為階級鬥爭。

然後再往下就是元朝的滅亡。有人說元朝滅亡可以說是農民造反取得了成功。你當然可以這樣理解，但我覺得不完全是這樣。因為元朝是蒙古人建立的政權，後來被朱元璋推翻。朱元璋雖然出身於農民，但他在1368年誓師北伐的時候，並不是以階級鬥爭來激勵將士、號召人民的跟從。他發布的奉天討元檄文，是帶著一種民族解放的色彩的。他當時北伐的口號是「驅逐胡虜，恢復中華，立綱陳紀，救濟斯民」。所以我們也不能說元朝的滅亡完全是階級鬥爭的結果。

再往下就是清朝滅掉明朝，那當然是一國滅另外一國。有人說當時不是李自成滅了明朝嗎？這就是農民造反嘛。但是李自成跟當時黃巢一樣，他並沒有佔據一個很大的地盤，他也只是攻了北京，接著馬上就發生了吳三桂投靠滿清，然後把李自成給趕走。其實當時中國的南方還有南明政權。所以說你也不能說是明朝亡於李自成，其實明朝是亡於清。

清朝的滅亡當然也不是農民造反。辛亥革命它也帶有一種民族獨立的色彩。孫中山借鑒了朱元璋的口號，他叫「驅除韃虜、恢復中華」，也是帶有一種民族自決的這種色彩。而且辛亥革命始於兵變，并不是農民造反。

剛才我們把中國歷史上改朝換代的這些事跟大家挨個兒念叨了一遍，是想說明什麼問題呢？就是我們在中國歷史教育中所得到那種印像，說階級矛盾如何尖銳從而造成了農民不堪壓迫、起而抗爭然後就改朝換代，是完全錯誤的。中國有一個專門研究土地問題的學者叫作秦暉，他是清華大學歷史系的教授。他曾經計算過中國古代土地分配的平均程度。他是用基尼係數的概念，通過一些能夠找到的最原始的數據來進行統計。他發現其實在中國傳統皇朝社會，當然他統計的可能是比較靠近近代，土地的分配其實是相當平均的。

按照他的算法當時中國土地分配的基尼系數，大概在0.4以下。我們知道0.4以下那就是相對來說比較平均的。而且我們要知道，你有很大的一塊兒土地，但你一個人是肯定種不完的，所以你肯定要雇人來種。也就是說你的土地雖然很大，但是你的收入其實並不是跟土地成正比，因為人家種你的地，你也得給人家糧食嘛。也就是說，收入分配的基尼係數跟土地分配的基尼係數相比來說會更小一點。所以當時中國的貧富差距其實並不是很大。貧富差距並不很大，那麼階級矛盾也就不可能像共產黨所形容的那麼尖銳。

今天我們就說了一下中國歷史教育的四個方面的問題，然後我們順便澄清了中共歷史教育中的一個最大的謊言，就是階級鬥爭是歷史發展的動力、改朝換代的原因。

那麼歷史發展是有一個主線的，這個主線在我們今後的講課當中會一點一點慢慢地揭示。

第二講 ❖ 史前文明的遺跡(上)

Chapter. 2 Traces of Prehistoric Civilizations(1)

上一次課我們澄清了中國歷史教學的几个问题。最主要的問題就是當前主流的歷史教學沒辦法跳出唯物主義的窠臼。之後我們又談了一下中共在歷史教育中給大家長期灌輸的一個錯誤概念，就是每次改朝換代都是由於農民造反、由於階級鬥爭引起的。其實就包括毛澤東雖然說是一個農民，那麼他奪取政權的過程也不完全是農民造反。毛澤東本人講得很清楚，「十月革命一聲炮響給我們送來了馬列主義」。實際上中共是第三國際的共產支部，拿的是蘇聯的錢和槍，用著蘇聯的顧問，才建立了這樣一個共產主義政權。所以這個是中國歷史教學中一個長期的誤區，我們需要澄清一下。

今天我想講另外一個問題，就是關於史前文明。有人可能說：這不是《中華文明史》課程嗎？好歹也得從中華進入文明之後開始講吧？但實際上我們人類的文明不只是一次，中華文明也不止一次。

當然進化論不這樣看。進化論認為人類文明只有一次，是猴子變成了人。但如果你要能看一看地球上所留下的一些歷史遺蹟，你也會懷疑人類的歷史其實不只一次。而且史前文明給我們留下了許多非常重要的信息。這就是我們為什麼要先講史前的文明。

我們現在所看到這些圖片就是一些史前文明的遺跡，都是一些巨石建築。這些巨石建築完全不是用現代的科技能構建起來的。現在的人想堆一個金字塔出來，你造一個試試？你用最先進的科技都造不出來。你說用現在的科技來建造這座南美古城普瑪彭古(Puma-Punku)，你連這些石頭都切不開。

埃及金字塔

普瑪彭古遺址

復活節島石像

我們拿這些圖片實際上是想告訴大家，這些遺跡第一、它是真實的，也是可驗證的，因為它不可偽造，我們現在的人都造不出來嘛。第二、正因為它用現代的科技也造不出來，所以我們不能不認為在本次文明之前，人類曾經出現過高度發達的文明，而且比我們現在更發達。那麼那些高度發達的文明為什麼就不見了呢？這也是我們想要在這個系列課程裡探討的一個問題。

我們知道，在研究歷史的時候，每一個人研究歷史的方法不一樣，目的也不一樣。象史前文明這樣的課題，就不在主流的歷史研究範圍之內，因為它不符合進化論的敘事，不符合中共的意識形態。

我順便講一下研究歷史的目的，因為這其實會決定你研究歷史的方法和角度。你如果是把歷史研究作為論證某種意識形態的證據，那麼你就會拋棄很多不符合這個意識形態的證據。這樣研究出來的東西當然就是片面，甚至具有欺騙性的。

共產黨國家其實是非常注重歷史研究的。我說的這個話可能很多人不同意。不是共產黨一直在否定歷史、破壞歷史嗎？對。所以它的歷史研究不是為了探求歷史的真貌，而是希望能夠在歷史中找到那些能夠證明它的歷史觀，或者是能夠為它政權的合法性進行辯護的史料。也就是說它在研究的時候，實際上對歷史是斷章取義的。我們可以舉兩個例子，大家可以看到中共對於歷史研究的重視。

第一個例子就是大家看到的這個人。他叫戚本禹。在中共發動文革之後，他是中央文革小組的成員之一，和江青、陳伯達、張春橋他們都是一起的，是文革時期非常重要的一個人物。他憑什麼得到了毛澤東的重視呢？就是因為他的一篇文章，就是這本小冊子——《為革命而研究歷史》。

還有一個例子就是大家知道中國文化大革命始於一個史學界的爭論，就是由後來四人幫成員之一的姚文元寫了一篇文章，名叫《評新編歷史劇海瑞罷官》。所以你看到中共的文革和歷史之間的關係掛得非常緊。它都是對歷史進行適應於馬克思的歷史唯物主義的解釋，為共產黨的執政進行辯護的。

當時姚文元辯論的對像是一位明史專家叫吳晗。其實吳晗也不是什麼好人，在反右的時候整章伯鈞、羅隆基也很賣力氣，包括北京城牆被徹底拆掉也是吳晗下的令，吳晗還提議發掘明十三陵。所以他表面上是個明史專家，實際上是歷史文化的破壞者。當然整他的姚文元也不是什麼好人。但是不管怎麼講，我想說中共對歷史研究是非常重視的，因為它能夠篡改和利用歷史為中共的執政合法性辯護。

我個人認為，真正的歷史研究可能有四個不同的目的。第一、有人研究歷史，是想研究歷史本來是什麼樣的，就是試圖通過考古發掘，對史料文獻的對比和分析等等，發掘出歷史的本來面目，這就相當於一種考據工作。

第二個目的就是研究歷史為什麼這樣。也就是研究到底是什麼原因造成了某件事的發生，或者說歷史上出現了這樣一個結果。

第三個目的，就是為了從歷史中提取一種智慧或者是一種精神。我們在上一節課中曾經提到過，美國的高等教育非常注重一種人文精神（Humanity）的承傳，那麼對於中國文化，其它任何一個民族文化也一樣，它的跨代傳播都有一個不可或缺的環節，就是通過歷史教育從歷史中提煉出一種民族的精神。

如果你研究歷史的時候只是研究了一些雞毛蒜皮的或者瑣碎的歷史史實的話（當然這也是一種研究，我也並不否定它），但是如果我們忽略了整個歷史大的演化過程和框架，並能以一個宏大的視角去整體把握它，那我們可能就錯過了歷史中最重要的東西。有人研究歷史是希望能夠像司馬遷一樣「究天人之際，通古今之變，成一家之言」，然後從歷史中提煉出一種能夠讓民族賡續承傳的精神,象岳飛的忠、諸葛亮的智、文天祥的正氣、范蠡的功成身退,還有儒釋道中的智慧等等。

上面這幾種研究目的都是比較常見的。那麼我還想提出另外一個不太常見的目的。

第四種目的是研究歷史這樣是為什麼。這麼說起來好像是有點抽象。咱們還是先把前面那三個目的再稍加解釋,這樣我們才能夠知道第四個目的到底是怎麼回事。

第一個目的說的是研究歷史的本來面目,我們可以稱之為「What」。這種研究其實在中國古代,特別是明代以前不太受重視。中國一直到了清代才出現樸學。樸學也稱為考據學,也就是去探究一些經典的本來意義是什麼,比如像戴震從訓詁音韻方面去探討儒家經典本來的意思。中國從清代之後,開始更加重視對歷史事實的研究。

第二個目的說的是有人研究的是歷史「為什麼會這樣」,我們可以稱之為「Why」。同一個歷史事件的發生,不同的人會給出不同的解釋。舉一個簡單的例子,比如說明朝到底為什麼滅亡,怎麼亡的?

有人是從經濟學的角度來解釋,比如專門研究食貨志,研究經濟、貨幣政策、稅收等等問題。那麼他們就說明朝滅亡是因為它的經濟崩潰了。因為明朝末年的時候出現了銀荒。我簡單解釋一下他們的思路。

萬曆年間張居正掌權,推行一條鞭法,就是以白銀作為稅收的貨幣,而那時正好是由於大航海之後,從南美洲開掘出的大量白銀運到了中國,同時日本也開掘出大量白銀運到中國。所以從嘉靖年間開始白銀大量地輸入中國,到明朝末年的時候,白銀就變成了一種主要的貨幣。結果到了明末,日本禁止出口白

銀，又由於荷蘭和英國的興起改變了全球貿易格局，所以使很多白銀也不再能夠從南美輸入中國。這就造成了明朝末年的財政枯竭。國家沒錢了嘛。但這時候還要不斷打仗，包括「萬曆三大征」等等。最後朝廷沒銀子，只好去壓榨百姓，百姓不堪重負就造反了。這就是從經濟學的角度來解釋明朝滅亡的原因。這也言之成理，也能夠自圓其說。

但有學者說：明朝滅亡不是因為白銀，而是因為當時的氣候不好。因為據學者考證，中國歷史上曾經出現過四次小冰河期。所謂小冰河期就是氣溫急劇下降。第一次小冰河期是從殷商末年到西周初年，發生了改朝換代的事。第二次是三國時期，從黃巾軍造反持續到西晉統一，那也是一個非常慘烈的戰亂年代。第三次小冰河期出現在唐朝末年和五代十國期間，引發了黃巢造反和後面五代十國的紛紛亂局，到北宋初年小冰河期才結束。第四次就是明末的這一次。所以每次發生小冰河期，氣溫急劇下降造成農業減產，老百姓沒飯吃，中原地區就陷入戰亂。所以有人說明朝滅亡是因為氣候的影響。當然這也說得通。

當然還有學者說，明朝滅亡是因為政治原因，比如皇帝怠政和黨爭。明朝皇帝怠政的程度在中國歷史上是非常罕見的。嘉靖皇帝有20年不上朝，萬曆皇帝更誇張，31年沒上朝；後來的天啟皇帝也怠政，大權旁落就到了魏忠賢手裡。

皇帝不管事兒到什麼程度呢？比如帝國運轉需要一批官員，你不想管事兒，但中央和地方官員還可以管事兒啊。但皇帝甚至不任命這些官員。萬曆三十四年，天下13處巡行御史缺了9個，各地的郡守缺了一半。當時內閣兩位成員給皇帝打報告說前段時間朝臣一塊兒開會，我們發現六部的尚書（相當於吏戶禮兵刑工這六個部的部長），現在只剩下戶部尚書趙世卿，剩下五個部都沒尚書。侍郎（副部長）缺的更多（見《明神宗顯皇帝實錄》第418卷）。再加上朝堂上的黨爭，東林黨和浙黨、楚黨、宣黨、閹黨等的鬥爭。還有礦稅之患、萬曆三大征、滿洲崛起等等。總而言之，是各種各樣的政治原因，包括崇禎皇帝本人的性格問題，疊加在一起，最後造成了明朝的滅亡。當然這個好像也說得通。每個人在解釋明朝滅亡原因的時候都能給出從他那個領域來講說得通的東西。

這就是我說的研究歷史的第二種目的——研究「為什麼會這樣」。為什麼研究這個呢？是因為想從歷史中汲取一些教訓。如果明朝是因為原因一、二、三、四滅亡的，那我們把這些事情避免了之後，以後的王朝是不是就可以不滅亡了呢？這就是以史為鑒嘛。非常典型的就是北宋司馬光的《資治通鑒》。他從公元前403年三家分晉開始，一直寫到趙匡胤登基，寫了1362年的歷史。他研究歷史的目的就是給皇帝提供一些治理國家的經驗。所以神宗皇帝給這套編年史起名叫《資治通鑒》，因為它對治理國家有著非常重要的借鑒作用。

第三種研究歷史的目的，是為了從歷史中提取一種精神。價值觀的跨代傳播是非常重要的，只有做到了這一點，文明才能夠延續。這種跨代傳播最依賴於教育，而歷史教育是其中一個不可或缺的環節。中國歷史上出現了很多非常偉大的人物，像老子、孔子、孫子等給我們留下了很多的智慧；還有一些人留下了一些讓我們至今仍然非常感動的忠義價值，比如像岳飛、文天祥等等。所以我們在學習歷史的時候，如果能夠學到這樣的價值並且一直能夠傳承下去的話，那就是民族賴以生存和繁衍的最重要保障。

中國古代的知識份子區分「亡國」和「亡天下」這兩個不同的概念。什麼叫作「亡國」呢？所謂亡國就是一個王朝的滅亡，改姓易號了，皇帝換人了。皇帝從姓劉的換成了姓曹的，從姓朱的換成了愛新覺羅氏，這就叫作「亡國」。一家一姓的王朝結束了，這叫亡國。這種亡國，知識分子通常來說不太在意。當然到明朝以後，知識份子比較注重氣節，所以有一些知識分子殉難。在明朝以前，很多知識分子抱著一種只要文化不衰亡，孔孟的道統還在，他們願意去教化新王朝的統治者，讓他們採用仁政來治國。

但「亡天下」是知識分子無法接受的。中國人講「天下興亡，匹夫有責」，沒有說「國家興亡，匹夫有責」。「國家興亡匹夫有責」的說法是一種誤傳，真正的原話是「天下興亡匹夫有責」。就是當一個社會的道德不行了，率獸食人、道德崩潰了，這就叫「亡天下」。而知識分子在這種情況下他們有義務站起來，把天下的道統承傳下去，能夠讓道德價值觀承傳下去。這個就是知識分子的責任。

所以有的人研究歷史，是為了從歷史中提煉出這樣的精神，像司馬遷就是這樣，要「究天人之際，通古今之變，成一家之言」，把這樣的智慧保留下來。

下面就說到我提出的研究歷史的第四個目的，研究歷史的演變是為了什麼，也可以說是「for what」。這個聽起來非常抽象，我舉一個日常生活中的例子。比如說咱們兩個人下圍棋，你落了一個子、我落了一個子。當你在考慮我落這個子的時候，你不會只往前去尋找我落子的原因，比如說我要把這塊棋做活，所以我必須得點這個子，這個解釋當然也合理。

但是真正的圍棋高手，他不僅考慮你為什麼下這個子，他更要考慮你下這個子是為什麼。也就是說當你下了這個子之後，要對整個棋局未來的發展起到什麼樣的戰略作用，甚至你接下來是為了在哪些地方落子。

有人說我聽懂了，你的意思是說，研究歷史不僅要解釋為什麼會發生這件事，更要研究這件事是為未來發生的事做什麼樣的鋪墊，是不是？是這樣的。那麼這裏就提出了一個非常重要的概念——就是歷史的發展其實是有安排的。

我們在讀《三國演義》的時候都知道書的結尾有一首詩，最後四句話說「紛紛世事無窮盡，天數茫茫不可逃，鼎足三分已成夢，後人憑弔空牢騷」。就是你感覺好像三分歸於一統，是龍爭虎鬥的結果。但其實三國歸一統是一個必然，不管是劉備、諸葛亮、姜維等等,大家怎麼去努力,但最後必然是歸於統一的。因為天數茫茫,已經定好了最後是西晉統一。

我們回過頭來看明朝的滅亡。有人說是政治原因,有人說是經濟原因,有人說是氣候變遷的原因,但可能還有一種解釋,就是明朝的滅亡是天意安排它這個時候必須亡。

在北宋有一個易學家叫邵雍。易學家就是研究周易的。邵雍留下了十首《梅花詩》,預言了北宋之後王朝興替的重大事件,當然文辭非常隱晦,畢竟天機不可泄露。等到事情發生之後,再解讀這些預言,那就很清楚。那麼其中提到明朝的時候講得很清楚。《梅花詩》中關於明朝是這樣寫的:「畢竟英雄起布衣,朱門不是舊黃畿,飛來燕子尋常事,開到李花春已非」。

第一句話「畢竟英雄起布衣」講的就是朱元璋是以布衣之身起事;「朱門不是舊黃畿」,是說老朱家已經不再是過去的那個樣子了;「飛來燕子尋常事」顯然就是指的燕王朱棣的靖難之役。最後說「開到李花春已非」,這個「李花」指的就是李自成,等到李自成出來的時候明朝也就完蛋了。這就是北宋時期邵康節對明朝的預言。

我們看到《明史》中其實也有這樣的記載。當時李自成曾經被朝廷的軍隊打得大敗,走投無路了。李自成的心情已經消沉到準備自殺了,但被他的義子給攔住了。李自成和大將劉宗敏一起散步,李自成就跟劉宗敏說:造反這個事其實是挺難成的。但曾經有人給我算過命,說我將來會做皇帝。要不然咱們再占卜一下。如果占卜的結果是該我當皇帝,那咱們就接著幹。如果占卜的結果不吉利,你就把我殺了,然後拿著我的人頭,到朝廷去請功,你們就可以散了。結果占卜的結果非常吉利。劉宗敏就決定跟著李自成幹了,李自成也沒死。

所以我想說明什麼呢?看起來李自成好像是很偶然地把明朝給結束了,但實際上他是有天命在身的。

當然有人就會提出一個問題:你怎麼知道這些預言詩,像梅花詩之類的不是後人偽造的呢?還有人可能會問:如果歷史是有安排的,那麼到底是誰安排的?如果歷史是有安排的話,那麼我們現在的文明是不是也有可能毀滅?就是過去如果有不同的文明毀滅的話,那麼我們這個文明是不是也有可能毀滅?還有的問題就是,神這麼安排歷史到底是為了什麼?

上面這些問題其實回答起來都相當費口舌、相當費時間。但是我覺得,如果我們要相信歷史是被安排的話,我們得首先相信有那麼一個比人類智慧更高的生命,安排了歷史。因為很顯然歷史不是你安排的、不是我安排的,不是我們人任何一個人安排的。那麼我們能不能夠找到安排歷史的那個生命呢?

也就是如果我們願意相信歷史是神安排的,那麼我們得首先相信有神。這就是我今天想講史前文化的目的,因為這些史前文化能夠告訴我們進化論是錯誤的,神創論才是更合理的對生命起源的解釋。

我們在這裏所談到的史前文化可以證明人類的文明不止一次,而且這些史前文化是不可偽造的,絕不是現代人的惡作劇。比如大家現在所看到的這些巨石建築,是不可能偽造的。我這裏說的每一個數據你都可以去驗證。

巨石建築很多。我們以後還會談到一些非常神秘的現象,包括月球等等。今天我們只講一個巨石建築,就是埃及的金字塔。

金字塔可以說無處不在。我們看非洲埃及有金字塔,其實在南美洲也有金字塔,還有人說在海底下也發現了金字塔。

金字塔確實非常神秘,讓我們感覺它存在著一種神秘的能量。瑪雅人也建，埃及人也建，包括美國一美元紙幣的背後也是金字塔，頂尖那兒放個眼睛看著你。

首先說一下金字塔的工藝。金字塔的工藝就決定了現代人無法仿製。它有230萬塊石頭，每塊重量從3噸到30噸不等。現代的人用起重機去把這樣的金字塔建起來做不到。金字塔的石頭和石頭之間結合得非常緊，連刀片都插不進去。現代人的技術根本達不到。有人說是古埃及人建造的，是埃及人的驕傲。但其實是不可能的。

按照希羅多德的說法，金字塔建了20年。這樣你等於平均每五分鐘要放一塊石頭，才能五年放完這230萬塊石頭。而且這個石頭怎麼能打磨到這樣的角度，正好能夠塞進去。如果按照當時埃及的人口來推算，以他們當時的勞動效率來算，建一個金字塔需要664年的時間。所以這不可能是沒有任何現代化重型機械的古埃及人能完成的。

金字塔底座的每邊邊長相等，230米稍微多一點，是一個正方形。它每邊的長度誤差不超過千分之五。現在人去建這樣的一個誤差範圍之內的建築，那也要非常精密的工藝才可以。

關於金字塔有一些神奇的數字。比如說金字塔的塔高是146.5米，如果把這個數字乘以10億，就是地球到太陽的距離。所以金字塔設計成這個高度是有原因的。你想你要保證這個高度，然後底邊這麼長，那麼你每條綫和每個面的角度必須非常精確才行。

金字塔的塔重是590萬噸，如果把塔重乘以10的15次方，就是地球的重量。所以你會看到它的塔高和塔重是算好的。

金字塔底座的每邊邊長是230，高度是146.5，你把這個底邊的周長，除以高度再除以2，得到的結果是3.14，也就是π。也就是當時在造金字塔的時候，埃及人（當然不是現在的埃及人）已經知道了π等於多少。

大家可以看這個圖，金字塔底邊邊長230米多一點，高度是146.5米，從勾股定理我們很容易能夠算出，斜面三角形的高度是186.36米。那麼這個塔面三角形的面積，是斜面三角形的高度再乘以底邊的邊長，再除以2。這個塔面三角形的面積，剛好等於金字塔高度的平方。

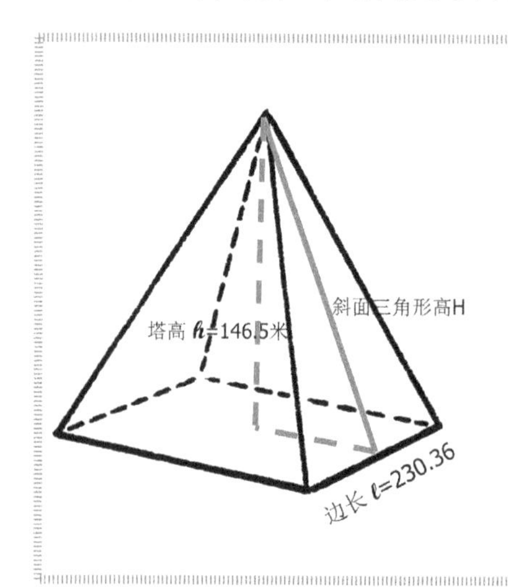

每边长度为 ℓ=230.36 米

高度 h=146.5 米

由勾股定理可知，斜面三角形的高 H 为

$$H = \sqrt{h^2 + \left(\frac{l}{2}\right)^2} = 186.36米$$

塔面三角形面积

$$S = \frac{1}{2} lH = 0.5 \times 186.36 \times 230.36$$

$$= 21464.9448米 = h^2$$

S 刚好是高度 h 的平方

如果說這些事都是巧合就太奇怪。一定是當時這個金字塔的設計師對天文地理做過測繪，對地球到太陽的距離，包括地球的重量、包括π等等做過深入研究。

金字塔的位置也特別神奇。這包括兩方面，一方面就是大家看這個圖（見25頁），金字塔正好處在這兩條線的交匯點上，這兩條線一條是經線一條是緯線。這條東西走向的緯線跨越大陸的長度最長。經過陸地最長的緯線和經過陸地最長這條經線的交匯點就是金字塔佇立的地方。所以設計師一定是對整個地球的地貌做過測繪，才選擇了這麼一個點。

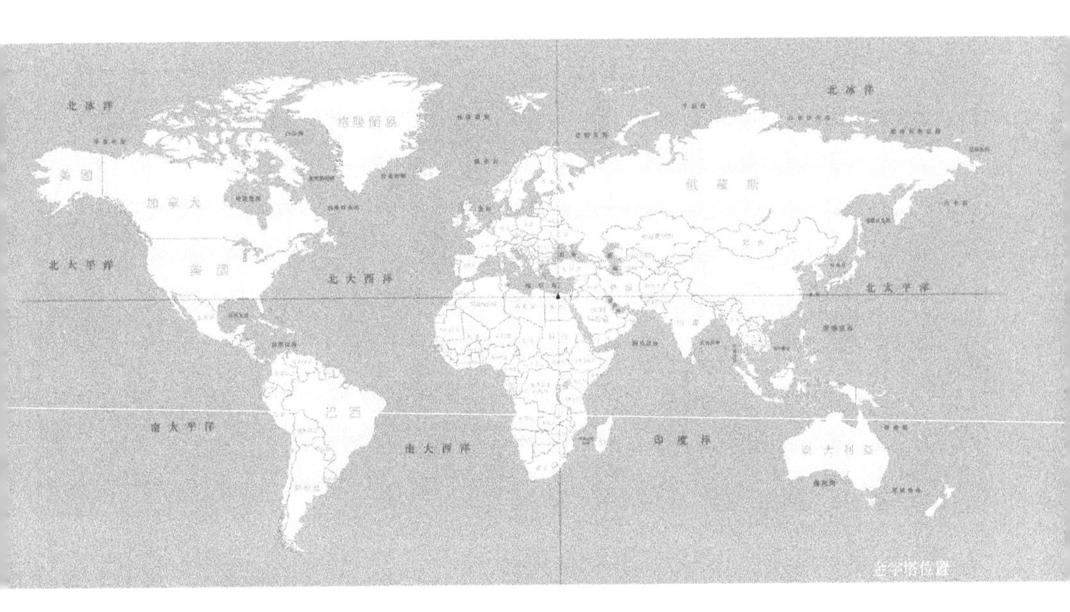

金字塔位置

金字塔的緯度你可以很容易就從Google Map上查到，是29.97。這個緯度乘以赤道到北極的距離，正好是光一秒鐘所走過的距離。所以金字塔的設計中包括了很多非常精密的數學計算，包括對一些物理現象的理解等。那麼這就提出一個問題，如果說古埃及在史前時期建造了金字塔，在一個刀耕火種的年代，他們怎麼可能有這麼高的技術，對這個宇宙的了解如此深刻？

關於金字塔的建造年代有一種說法是在17000年之前。為什麼這樣，咱們下一次再說。我想拿金字塔作為一個例子讓大家看一下。在史前這樣的巨石建築非常多。像複活節島上的巨人石像、南美洲的普瑪彭古遺址等等，都給我們留下了很多謎團。我們在下一節課中還想給大家提供更多關於史前文明的證據。

今天這堂課咱們就上到這了，感謝大家的收看，我們下次課再見。

第三講❖史前文明的遺跡(下)

Chapter. 3　Traces of Prehistoric Civilizations(2)

大家好，咱們今天接著講史前文明的一些遺跡。上堂課我們講到金字塔。埃及人說金字塔是建立於4500年前，當時花了10到20年的時間，但是我們幾乎可以肯定，4500年前的埃及人根本就沒有辦法測量地球到太陽的距離，也沒有辦法測繪出跨越地球陸地最長的經線和緯線的交匯點。所以它不可能是4500年前的埃及人建造的。

埃及人確實自己也建了一些小的金字塔。更準確地說，這些小金字塔其實是亂石堆，因為建築大金字塔的技術已經完全失傳了。這種技術失傳的現象在其它的巨石建築旁也能夠發現。

我們看這張圖(見28頁)，在土耳其有一個叫做哥貝克力山丘的地方，也有一些巨石建築。考古學家鑑定離我們現在大約有12000年甚至13000年的歷史。這些巨石最重的可以達到10噸，以大概5到10英尺的間隔形成一些完美的圓環。大家可以看這張圖，巨石埋在土裏的部分還雕刻著一些動物或其它圖像。比較蹊蹺的是這些巨石陣的工藝水平呈現著一種逐步下降的趨勢。按考古學家的說法，每隔一段時間當地人就會把這些巨石埋起來，然後在上面用一些更小的石頭建一些更小的圈。時間越靠近現在，工藝就變得越差，最後就沒法看了。

哥貝克力山丘

從這兩個案例，我們感覺到似乎在遠古時期存在著另一種人。他們是巨人，在建造了這些巨型建築之後就消失了。具體消失的原因我們並不清楚。後來的人只是在模仿。但是因為後來的人沒有那麼高的對宇宙的認識、也沒有掌握這麼高的工藝，所以建造的東西就越來越差。

我們再看一下這張圖。這是在南

普瑪彭古遺址

美玻利維亞和秘魯交界地方的一處遺址，叫普瑪彭古遺址。我們也可以看到很多巨石。這些巨石最重的能夠達到100噸。考古學家說這些建築建於公元六世紀，是在古印加帝國比較發達的時候建立的。但實際上當地人並不這樣認為。當地的土著們說這些巨石建築是建成於17000年之前。這個數據就跟我們剛才說的土耳其哥贝克力山丘上的石陣是13000年之前差不多。其實很多人說金字塔也是在17000年之前建的。那時地球上生活的是另外一種人種。

為什麼說金字塔也是17000年前建的呢？因為按照恆星運行的軌跡來推測，在17000年之前，在埃及的三座大金字塔上方正好是獵戶座的三個腰帶星，就是我們現在能夠看到的天上最亮的三顆恆星，形成一個像腰帶的樣子。而且金字塔的高度和獵戶座三顆星的亮度是成正比的。

普瑪彭古遺址有個非常奇怪的現象——這些岩石切割得非常平整。平整到什麼程度呢?我們現在的人修水泥牆也不會修得這麼平整。這些石頭不但尺寸非常巨大、切割非常完美,而且上面幾乎看不到任何切割的痕跡。

這種石頭叫安山岩,硬度非常之高。按照硬度分級的話,它的硬度為7。這是什麼概念呢?就是比一般的鋼、比一般的花崗石都要硬的多。這種硬度的石頭,如果你要切割只有兩種可能。一種是用激光來燒,等於是把它融化成液體一樣,再把它給切開;還有一種切割方法就是用金剛石,就是用這個世界上最硬的鑽石才能切割它。現代人就試驗過用金剛石切,大家可以看一下這張圖。

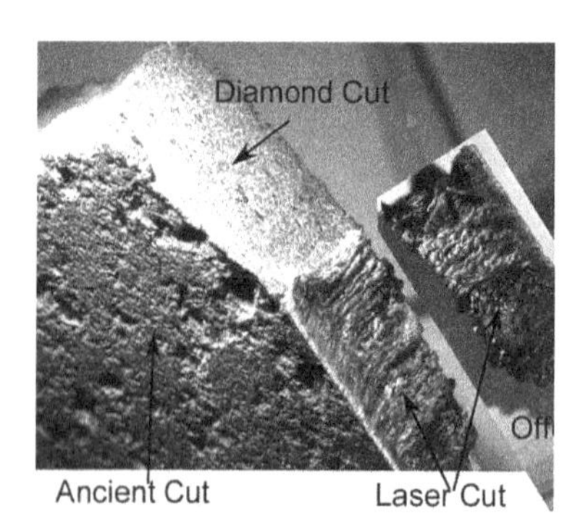

用金剛石切的時候，能夠看到明顯金剛石打磨出來的划痕。但是原來石頭的切割面上是看不到划痕的。下面這塊是用激光燒的，你看它的形狀就完全不規則了，因為是燒成液體嘛，然後再冷卻，變回石頭。而原來石頭的切割就非常完美，而且尺寸非常之大。所以你說即使真的是拿什麼車床來切的話，那得多大的車床才能切上百噸的石頭？而且還把這麼大的平面切得如此之整齊！

你還可以看到這些石頭上鑽了一些洞，都是完美的圓形，而且也看不到任何切割的痕蹟。石頭上面還有很多槽，深度也是整齊一致的，也沒有任何切割的痕跡。而且這些石頭切成完美的直角，說明工藝水平極高。

我之所以把這些巨石建築拿出來講，就是因為它第一、是可驗證的；第二、它不可能是偽造的，因為現在人根本就沒有這樣的技術。那麼這些石頭到底是幹什麼用的呢？有人說它們就像積木一樣，一塊一塊的。如果把它拼接起來，有的人經過測量，然後把它們拼接起來，可以拼接成為一個完整的建築。好像是當時的人切割了一塊一塊這樣的石頭，準備搭建築的時候，不知發生了什麼事情放棄了，石頭就散落在這個地方。也可能是說他們這個建築已經搭好，突然間比如說來了地震或者來了什麼天災，造成整個建築的倒塌，石頭散落成一地。大概只能這樣推測。實際發生了什麼，我們可能永遠都不會知道。

而且這些石頭的來源也是謎。因為這個石頭位於安第斯山脈上，海拔超過3000米。附近不用說石頭，連森林都沒有，就是像一片荒漠一樣。那麼到底是從什麼地方開採的石頭，然後又把這上百噸的石頭搬到海拔3000米的高度，立在這裡？這一切都是謎。其實用現在最大的載重卡車也很難把100噸的石頭搬到海拔3000米的地方。所以我覺得，巨人的說法是比較說得通的。因為它的建築時間跟金字塔、跟土耳其的巨石建築幾乎是在同一個時代。從這些建築的規模能夠推測出當時的巨人到底有多高。

大家再看一下這張圖。這是秘魯的奧揚泰坦博的階梯。秘魯也是古印加帝國的一部分，離我們剛才說的普瑪彭古遺址不是特別遠。如果你要看這張圖，幾乎人人都會說是台階。可是你看這一級級的台階如此之完美，如此之規整，但是卻有2個~3個人那麼高。所以我們可以想像，如果當時真有巨人的話，走在這樣的台階上。我們根據我們現代人身高和我們現代建築的樓梯台階的比例來算一下，就可以算出當時那種巨人的高度。

這樣的巨石建築不僅在南美洲有、在非洲埃及有，在歐洲也有。最有名的就是英國的巨石陣。我們看到這些巨石也是幾十噸重的傢伙，橫蓋在上面的那塊石頭重達7噸。而且這些巨石都是很高，擺放成完美的同心圓。

這個石頭的位置反映出建造者具有天文測繪技術。每年夏至太陽初起的時候，第一縷陽光打到的那個地方就是同心圓的主軸，就是走入這個同心圓巨石陣的主道上。還有兩塊巨石是每年冬至日落的時候，光線從中間打過去。

奧揚泰坦博階梯

不知道大家看到這些巨石陣會產生什麼想法。如果用進化論的理論來解釋，一萬多年以前的新石器時代，人類可能連農業都沒有，基本上是採集經濟或是狩獵經濟，就是蒐集一些野果子填肚子或者打魚、捕獵為生。你無法相信像我們這麼高的原始人，刀耕火種、食不果腹，既不懂數學也沒有天文知識，更沒有任何現代化的大型機械，然後他們竟然費盡心力去建造這樣的巨石建築，這完全違背了常理。

剛才說到的英國巨石陣還有一個很有意思的現象，就是在它的附近，經常會出現一種神秘的現象，就是麥田圈。

關於麥田圈的形成，現代科學根本就無法給出答案。麥田圈的圖案非常複雜，好像是一種密碼。而且麥田圈的形成通常都是在十幾分鐘之內，在方圓比如說像四個足球場那麼大的地方出現一個麥田圈。你必須從空中看才能看出它到底是什麼樣子。

英國巨石陣

大家知道，每當地球上出現一個神秘現象的時候，就會有一些自稱科學家的人給你一些解釋。

他們會告訴你，這都是自然形成的或者說是人為的惡作劇。但其實呢，他們的解釋有很多地方不能自圓其說，比如倒了之後為什麼所有的麥桿都還能夠繼續生長，為什麼會有神秘磁場等等，很多東西是根本就無法解釋的。大家自己去搜索一下，我這裡不詳細講了。我只是講巨石建築旁還出現過這樣一種神秘現象。

那麼剛才講的巨石建築出現在非洲的埃及，南美的普瑪彭古和秘魯，歐洲的英國，其實在大洋洲也有。在太平洋上，離智利海岸大概有3000多公里的地方有一個島，叫復活節島。這裏也有非常有名的巨石作品，就是這種石像，有人數了數大概有900尊。

復活節島石像
(圖源:EISP.org)

這些石像也都有幾十噸重。很多石像都是在山上雕刻好後搬到海邊,所以很多巨石像是面朝大海,好像是在眺望,還有一些巨石像是背對著海的。這些巨石像有的還戴著帽子。大家看這個帽子是紅色的,也是幾噸重。竟然能夠放到高達10米的巨石像的頭上。

後來人們發現,山上很多巨石頭是沒身子的。海邊站著的都是有身子的。覺得是不是沒有做完哪?後來人們就開始往下挖,發現其實這個巨石像它是有身子的,只是埋在了土裏。大家可以看一下這張圖。從這張圖(左上)我們看到巨石像的高度大概相當於將近5~10個人的身高。這也是一個歷史的謎團。很多人開始解釋這些像是怎麼雕刻的、怎麼運過來的、帽子是怎麼戴上去的等等,做了很多的模型去解釋。其實我想這都是猜測。即使你能夠給出一種用現代科學自圓其說的說法,你也並不能證明當時的人就是這麼做的。

舉個很簡單的例子。比如說在沒有飛機的時代，我從紐約到了巴黎，是坐船來的。然後我說：你看，我是坐船來的吧？這說明，所有從紐約到巴黎來只有一種途徑就是坐船來。

在沒有飛機的時代，你會覺得這好像是唯一說得通的解釋。但是有飛機的時候你就會發現，從紐約到巴黎並不是非得坐船。因為人還可以坐飛機過去嘛。也就是說，你可以用現在的科學給它一種可行的做法，但你並不能說明這就是當時實際發生的事。

這種巨石建築在海底下也有。在日本有一個島叫作「與那國群島」，大家可以看一下這個地圖，在台灣和日本琉球群島的中間。大家可以看這張圖。

與那國島海底遺跡(圖源:Official Okinawa Travel Guide)

這些是海底的巨石建築。這些石頭幾乎是非常完美的長方體，邊緣非常鋒利，是一個近乎完美的直角，而且像一個台階一個台階一樣堆上去。既然是在海底發現的，那麼它很有可能是沉入海底之前建造的。

日本琉球大學有一位教授叫木村政昭，1986年去考察。他說他繞著這個遺跡潛水考察的時候，覺得有些地方好像是廟宇，有些地方好像是道路，有些地方好像是城堡，有些地方好像是紀念碑，有的地方好像是金字塔。當然他一說完這個之後，有一堆人跳出來說這根本就是自然形成的，不是人為建造的。我還是把這個問題交給大家自己去判斷。

我們剛才講了一堆巨石建築。其實可能還有一個更大的人造物體。很多人都不會想到。我一說可能會有人覺得不可思議。這個人造物體就是月球。

月球是一個非常不可思議的天體。我們從日全食的現象就可以看出來，月球每次運轉到地球和太陽中間的時候，它的大小剛好能夠把太陽擋住。這說明什麼呢？就說明從地球上看過去，月球的尺寸正好和太陽一樣大，也就是日地之間距離和月地之間距離的比例，剛好是太陽和月球的尺寸比例。由於遠近的不同抵銷了大小的不同。所以從地球看上去月亮跟太陽是一樣大的。正好一個管白天，一個管晚上。

當日全食發生的時候，月亮剛好能夠把太陽完全擋住，但是同時我們又能夠看到日冕。所以大家覺得這是不是一個很奇怪的巧合呢？如果說這個是一個巧合的話，大家再看下面這張圖片。

這張圖片(見38頁)是一個關於月震的實驗。我們知道地球是一個實心的球體。那麼月亮的半徑大概是地球半徑的四分之一，這樣算下來月球的質量應該是地球的1/64。但是實際上月球的質量是地球質量的1/81。就是比我們預想的要輕。這個結果只有一種可能，就是月球是空心的。

月球背面

這種推論聽起來非常聳人聽聞，因為一個自然形成的天體不可能是空心的。按照現在的物理學，它會因為重力蹋縮。「月球是空心」並不只是猜測，而是有證據的。這是在美國國家航空航天局網頁上刊登的一個月震實驗。

當地球上發生地震的時候，地震波通常來說在半分鐘之內就會消失，因為地球是一個實心的球體。但是在月球上發生月震的時候，我們不能稱它為earthquake，Earthquake就是地震，這是Moonquake就是月震。月震的月震波可以在月球上的表面來回來去的傳遞長達10分鐘之久。地球只要半分鐘，月球的震波轉來轉去長達10分鐘。你看NASA的科學家就說當月震發生時，月球就像是一個鐘一樣響了起來，ringing like a bell。

當然月球還有一個比較特別的現象，就是它的自轉和公轉週期是完全相等。相等的結果就是我們在地球上永遠看不到月球的背面。它永遠都是一面朝著你。現在的物理學有一種解釋叫作「潮汐牽引」，其實我看了很多這方面的資料，但是我對這種解釋抱著一種深刻的懷疑態度。

大家可以看一下Wikipedia上給出的潮汐牽引計算的公式，左邊這個公式就是計算潮汐牽引。如果你要是按照它這個公式來計算的話，我自己估算了一下，當然不見得特別準確，但是也不至於差得很離譜。大概需要幾十億億億年才能夠達到潮汐鎖定。可是你按照現在物理學的推測，地球和月亮的存在時間大概不到50億年。如果你按照潮汐鎖定的假說來推導，我們不應該看到這樣的現象，就是宇宙沒有那麼長的年齡去等待它最後的同步。

时间尺度 [编辑]

使用下列的公式可以估算一个天体被潮汐锁定所需要的时间尺度[

$$t_{\text{lock}} \approx \frac{wa^6 IQ}{3Gm_p^2 k_2 R^5}$$

此处

- ω 是初始的自转速率（弧度每秒弧度）。
- a 是卫星环绕行星运动的半长轴。
- $I \approx 0.4m_s R^2$ 是卫星的转动惯量。
- Q 是卫星的散逸函数（消耗函数）。
- G 是万有引力常数。
- m_p 是行星的质量。
- m_s 是卫星的质量。
- k_2 是卫星潮汐的二阶勒夫数
- R 是卫星的半径。

除了地球和月球的$k_2/Q = 0.0011$之外，一般来说对Q和k_2的所知都很有限。然而，实务上都粗略的估计Q≈100（或许过于保守，会高估锁定的时间），并且

$$k_2 \approx \frac{1.5}{1 + \frac{19\mu}{2\rho g R}},$$

此处

- ρ 是卫星的密度。
- $g \approx Gm_s/R^2$ 是卫星的表面重力。
- μ 是钢体的卫星。对岩石的卫星大约是3×10^{10} Nm^{-2}，对只是冰冻的卫星大约是4×10^9 Nm^{-2}。

可以看出，即使已经知道卫星的大小和密度，依然留下了许多必需要估计的参数（特别是ω、Q、和μ），所以任何对潮汐锁定的计算所获得的时间都不被预期是正确的，甚至会差到10个数量级。更进一步说，在潮汐锁定阶段的轨道半径a可能由于后续的潮汐加速，已经完全不同于当今观测到的，而这个值在潮汐锁定的时间上是很敏感的。

潮汐鎖定是一種假說。我曾經計算過太陽對於水星的引力。因為太陽的質量大嘛，太陽的潮汐鎖定能力要比地球對月亮潮汐鎖定的能力要大得多。但我們水星繞著太陽，自轉和公轉周期不同，並不是同步的。它公轉一圈跟自轉一圈的比例大概是3：2。

又有人解釋說這是一種共振效應，到這個程度就算鎖定了。那為什麼地球跟月球之間沒有出現這樣的共振效應呢？有很多現代物理的解釋很難自圓其說。包括萬有引力，如果我們計算一下就會知道太陽到月亮之間的萬有引力，要比地球對月亮的吸引力大概大180倍的樣子。萬有引力大家都知道那個公式，萬有引力常數乘以兩個天體的質量再除以它們距離的平方。你隨便把這些數據

常識性的數據Google出來，計算一下就會發現，太陽對月亮的吸引力比地球對月亮的吸引力大概大180倍。可是月亮卻是被地球所吸引。

而且對月球的潮汐鎖定竟然是按照地球的週期來鎖定，而沒有按照太陽的週期來鎖定等等，這都是現代物理學解釋不了的。

還有一些其它別的史前文明。比如說非洲加蓬共和國有一個叫作奧克洛的地方，人們在那裏發現了一個原始的核反應堆。又有科學家說這是天然形成的，但這不是太巧了嗎？這個核反應堆是20億年前形成的。實際上它不是一個核反應堆，而是幾個區，好像是14個還是16個小的核反應堆在分別發生鏈式裂變反應，前後運轉了50萬年。在這種情況你說是天然形成的，但是在任何一個其它的地方都沒有發生過。怎麼就那麼巧呢？

上面這些現象就讓我們懷疑人類可能不是這個地球上唯一的智慧生命。肯定還存在過別的生命，就像我們前面提到的巨人之類的。他們掌握著一些我們現在還無法理解的科技。

剛才說到這個地球上人並不是唯一的智慧生命，這實際上已經對進化論造成了衝擊。這個進化論我們想下一次再給大家去講，但是今天先給大家舉個小例子。

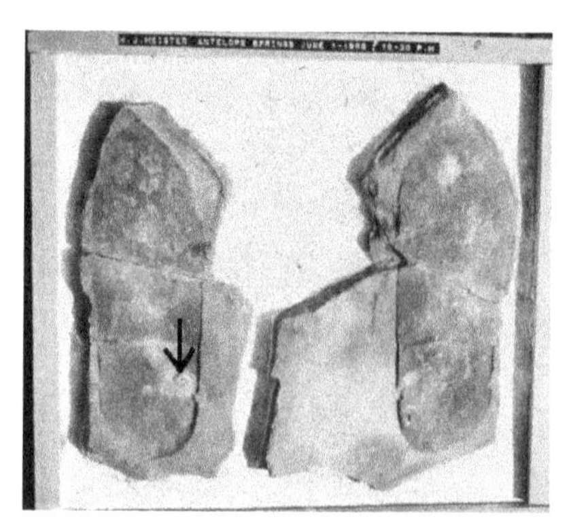

有一個考古學的業餘愛好者叫米斯特（Meister）。他1968年的時候，帶著他的家人到猶他州的一個叫羚羊泉的地方去玩。他發現了一塊石頭，覺得挺奇怪的，就拿錘子一敲。結果那個石頭就像書一樣打開了。打開之後呈現的景象讓他目瞪口呆。因為裡邊有兩隻人的腳印化石，而且腳跟這部分比腳掌這部分踩進去更深一點,就感覺好像是穿著現代的一種帶跟的鞋踩出來的。而且腳底下有一個化石,就是三葉蟲。

三葉蟲大概是在6億年到2億6千萬年之前曾經在地球上出現過的生物,之後就沒有了。可是這個人一腳踩死了一個三葉蟲,所以感覺好像是在2億多年之前地球上曾經有人類而且懂得穿鞋。當然這個東西一出來之後又有人說這是天然形成的。反正在他們來看,只要解釋不了,就全是自然形成的。可是如果你要從概率計算這幾乎是一個不可能事件。關於進化論的問題我們下一課再討論。

第四講 ❖ 進化論與偽科學

Chapter. 4 The Theory of Evolution and Pseudoscience

大家好，咱們今天來講一下進化論。通常來說，進化論都是一個非常容易引起爭議的話題。有點「信者恆信，不信者恆不信」。簡單地說，進化論其實並不是一種科學，而是一種信仰。

前幾次課，我們提到了一些史前的文明，特別是這些巨石建築。大家可以看到象埃及的金字塔、普瑪彭古的巨石遺跡等等都是人用現代科技都無法建造的。大洋洲復活節島上的巨石雕像、英國的巨石陣、秘魯的巨石臺階等等好像是給巨人設計的。如果歷史上真的存在過巨人，這些遺跡也就很好解釋了。

但是這又給我們留下了更多的謎團，就是那些巨人們現在在哪裡？我們後面還給大家講了一些其他我們可以驗證，但人類又無法複製的奇蹟，比如加蓬共和國奧克洛礦區的20億年前的核反應堆。我們還給出了NASA的證據證明月球是空心的。我們還提到了一些化石、海底的建築等。這都給我們提出很多的問題——我們不免要問，人類真的是進化來的嗎？宇宙中到底有沒有神？

這裏我想提出一個觀點，一提到有神無神的時候，有的人就講：我不相信神，我相信科學。但其實科學和宗教的性質是一樣的，都同屬於信仰。為什麼這麼講呢？因為科學和信仰都是建立於一系列公理之上的一個體系。這種說法可能比較抽象,我們用一個例子來說明一下。

比如說我們都學過平面幾何。平面幾何其實就來自於歐幾里德所提出的幾個公理。比如說兩點之間一定能做一條直線。那麼至於說兩點之間為什麼就一定能做一條直線,這是不需要證明的,或者說不證自明的。那麼也就不許你挑戰它。整個的平面幾何學和應用都是從這幾個公理之中推導出來的。

當公理無需證明的時候,它其實就變成了信仰。只不過宗教是說有神的存在。你說:你證明給我看。我說:「這不需要證明,我就是相信」。我反過來問你:為什麼要相信平面幾何?你就必須要從平面幾何最開始的那幾個公理說起。那我再追問你說:這幾個為什麼是公理?你說:「這不需要證明,我就是相信」。所以這麼比較一下,我們就知道科學和宗教其實都是一種信仰。

按照科學哲學家卡爾波普爾的說法,科學的另外一個特點就是「可以證偽」。我們知道研究科學有一個系統的方法,英文叫做scientific reasoning,就是科學思維方式。通常來說,它是通過大量的觀測世上所發生的一些現象,然後提取出來一些有意思的問題,然後再提出一些假說來解釋這些問題。

比如說這裏有張桌子,我推它,它就會被推動。這就是一種現象。當這種現象大量出現的時候,人們就不免會問:為什麼我推它,它就會被推動呢?之後,你就提出一些假說,就是一些力學方面的解釋。這些假說可能包括一些量化的數學公式。然後你再進行實驗的驗證,在實驗驗證過程中有可能還對你的理論進行某種程度的修正。這個過程就是scientific reasoning,就是科學的思維方式。科學的思維方式是可以證偽的,就是從邏輯上來說,我應該能夠證明你的結論是錯誤的。

舉個例子,比如說我們觀察天鵝。我們觀察了大約10000只歐洲的天鵝,發現每一只都是白的。這就是大量觀測。然後我們就得出一個假說(hypothesis)——「所有天鵝都是白的」。這個結論到底對不對呢?我們並不知道。但是我們可以說「所有天鵝都是白的」這個結論是「科學」的結論。為什麼呢?因為它可以被證偽。我們只要能夠找到一隻黑天鵝,就可以把你的結論推翻。

換句話說,因為從邏輯上你的結論是可以被推翻的,所以這個結論就是一個「科學」的結論。

事實上,恰恰因為「科學」的結論是可以被推翻的,「科學」才能不斷地進步,不斷地被修正。這也就等於說,「科學的結論」儘管符合「科學」,但它並不是真理。每當你發現一些原來的科學解釋不了的現象,你就要對原來的理論體系進行修正。

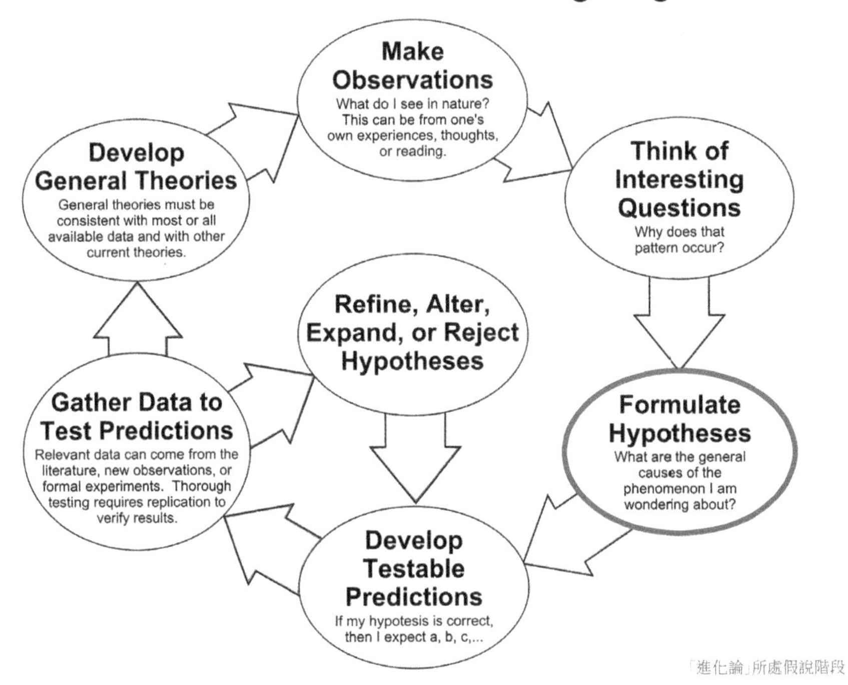

「進化論」所處假說階段

要按照這種科學思維的過程(觀測⇨提出問題⇨提出假說⇨設計實驗⇨搜集數據加以驗證⇨科學結論⇨再觀測與修正)來評估「進化論」的結論,「進化論」在這個流程圖(見45頁)中的哪個位置呢?它實際上在第三個階段,就是「提出假說」的階段,因為它根本就無法驗證。也就是說你沒有辦法通過觀測過去幾十億年地球上所發生的一件件事,來證明進化論是對的。因為你不可能在地球上找到現實社會中一個活生生的例子,比如這條魚一下子變成了青蛙。所以說從真正的「科學思維」的角度來看,進化論還處於「假說」的階段。

我剛才講到,「科學」是一個不斷完善的過程,因為科學只是對已經觀測到的現象的總結。比如說牛頓坐在樹下,然後被一顆蘋果砸到了。那麼牛頓就開始研究為什麼所有的蘋果都會落向地面。於是他提出了一套萬有引力定律,然後從中又推導出其它物理學定律,比如牛頓第二運動定律,就是F=ma,力等於質量乘以加速度。當然力和加速度它都是一種矢量。

當他提出這種假說之後,接下來就要進行驗證。每次驗證,都發現牛頓說的是對的。於是我們就把牛頓的理論認為是科學,甚至當作是真理。但實際是不是呢?實際上並不是。

當你離開宏觀世界進入微觀世界的時候,比如說當你進入原子層面的時候,你會發現經典力學就不成立了。所以到了微觀世界的時候,你需要另外兩套理論,一個是愛因斯坦的相對論;還有一個是普朗克的量子力學。

實際上,愛因斯坦的相對論跟普朗克的量子力學之間也有很多爭論。因為愛因斯坦不同意量子力學的一個重要結論——量子力學認為在微觀中某一個粒子它所存在的位置和它的運動狀態都是模糊的,只是一個概率事件。比如說一個電子有兩種自旋的方向,一種是正轉,一種是反轉。那麼一個電子到底是正轉還是反轉呢?按照量子力學的說法,你必須有一個東西去觀測它,你才能夠確定它是正轉還是反轉。而在你觀測之前，它是正轉還是反轉這個狀態是不定的，只是一種概率——有一半的可能是正轉，一半可能是反轉。當你在觀測它的時候，你的觀測本身就迫使這個電子在那個時刻作出一個選擇，它就必須選擇正轉或者是選擇反轉，它的狀態才確定了下來。這個聽起來非常的不可思議，完全有悖於我們的常識。這就是愛因斯坦接受不了的地方。所以愛因斯坦講過一句非常著名的話——「上帝不擲色子」，因為愛因斯坦認為電子自旋方向跟你是否觀測它是無關的。你看不看它，它都是那麼旋轉的；而量子力學認為你不看它，它怎麼轉就是不確定的。事實上，現在無數的科學實驗已經證明，量子力學是對的。

量子力學認為電子存在的位置也是一個概率。如果學過高中物理，我們可能聽到過一個名詞叫「電子雲」，就是電子在圍繞原子核轉動的時候，它到底在哪個軌道上，現在的速度是多少，這都完全是一個概率。再比如說你做雙縫干涉實驗，你會發現電子在通過雙縫的時候，會在後面的屏幕上呈現出干涉波紋，這就等於說電子並不是一個確定的粒子，而是像水的波紋一樣存在，這就叫「波粒二象性」了。

總之，量子力學認為微觀世界中的粒子只是一種概率性的存在，它的位置、速度、自旋方向等等都是不確定性的。這就和愛因斯坦的哲學發生了衝突。愛因斯坦在努力尋找宇宙的終極規律，恰恰因為他相信一切都是可以用物理公式計算和描述的，也就是一切都是確定的。

所以即使是在微觀世界，我們現有的兩大工具——愛因斯坦的「相對論」和普朗克的「量子力學」，互相之間也是衝突的。而到了這裏，牛頓力學就應用不上了。也就是說，我們對於現在物理的一些定義，或者是對一些物理規律的總結，都只是基於現代已經觀測到的事物。

就像我們無法保證下一分下一秒，我們沒有看到一只黑天鵝一樣，我們同樣沒有辦法保證下一年下一分下一秒我們不會觀察到一些異常的、跟我們過去所認識的物理理論完全相反的情況。

舉個例子來說，科學家們認為我們這個宇宙有138億年的年齡了。而我們人類所能夠觀測到的時間和空間，相對於宇宙138億光年的尺度是微不足道的。我們即使是觀測了1000萬顆恒星，發現都符合愛因斯坦的廣義相對論，我們仍然不能夠肯定廣義相對論就是對的。因為說不定什麼時候你會發現一個恒星，它的運行是不符合廣義相對論的。那麼這時你的理論就需要修正了。

如果我們把人和宇宙的時空尺度來做對比，就好像是把細菌和人之間的時空尺度做對比。人體中存在著很多很多細菌，假如說細菌上也有一些什麼什麼樣的有智慧的生命，它們也可能會研究人體。它們想研究人體是什麼形狀的、存在了多少年，人怎麼新陳代謝、怎麼血液循環、怎麼保證溫度恒定等等。

細菌所研究的這個東西聽起來很科學，但它有一個前提，就是它所生存的這個環境，也就是這個人現在還活著。如果這個人一旦死掉，那麼細菌所研究的所有東西全部報廢了。因為它所有觀測的那些東西的外部條件已經發生了變化。這個例子也就是說，我們不能保證說我們過去的科學就能夠對未來有著永遠的指導作用，說不定會出現什麼樣的異常現象，原有的理論就坍塌了。

假如說有一天麥克斯韋的電磁波理論不再起作用了，線圈在切割磁力線的時候不再產生電流了，那麼整個的物理大廈就都坍塌了。

我們給大家講了這麼多關於科學的問題，實際上是要講什麼呢？就是我們現在的科學呢，首先從時空的尺度上來說是非常有限的。其次我們想講的是，科學本身其實是一種信仰。你只能相信它所建立的那個公理體系的基礎，也就是最開始的那幾個公理是對的。

說到這兒，我們就要說到進化論了。有的人說我相信進化論因為我相信科學，可是我們剛才講到科學本身它也是一種信仰。那麼與其說你「相信」進化論，不如說你「信仰」進化論。

我們把進化論這本書給大家做一個簡單的介紹。它源於達爾文1859年發表的一本書《物種起源》。這本書被一些信神的人稱為「魔王的聖經」，也就是說它對宗教形成了非常強大的衝擊。

達爾文在《物種起源》的第一版裡講了一個故事。這個故事在我們現在人看起來是很荒謬的。他講一頭熊跳到了水裏開始游泳，熊為了呼吸就把嘴巴張得越來越大，頭也越抬越高，好讓鼻子露在外面。隨著頭越抬越高、嘴張得越來越大，游著游著這頭熊就變成了一頭鯨魚。

這樣的事聽上去非常可笑。但是這就是達爾文進化論的全部基礎和最終結論。它的基礎就是他認為熊游著游著泳就會變成鯨魚，它的結論也是熊游著游著泳真的變成了一頭鯨魚。因為這個結論是如此荒謬，以至於達爾文再版這本《物種起源》的時候，刪掉了這個故事。因為這個故事本身實在是對進化論形成了挑戰。

進化論基於四種假說：第一個叫過度繁殖，就是任何一個物種都會不斷生育，使它種群的數量不斷擴大；第二個叫生存競爭，就是說當一個種群的數量非常龐大的時候，就會面臨食物不足的問題，還有天敵會來把它消滅掉。那麼為了能夠生存下來，個體就必須不斷地適應這個環境。第三個就是遺傳和變異，也就是一些適合生存的特徵會通過遺傳保留下來，或者通過基因突變（當然他當時還沒有基因突變的概念）產生變異，讓一些個體出現更適應生存的特點，再把這個特點遺傳下去。最後就是適者生存，留下來的就是最適合生存的物種。這就是進化論的理論。

進化論的這些理論其實是有很多問題的。接下來我們想剖析一下進化論的五大問題。這五大問題包括比較解剖學、胚胎重演律、古生物學、分子生物學的問題以及一個進化論的實驗。

我們先來看一下比較解剖學。比較解剖學的意思是，在地殼中發現了很多生物的化石，我們就比較它們互相之間的相似性。比如說猴子跟人的相似度要比魚和人的相似度高，那麼他就認為猴子和人之間的進化距離比較短，比魚和人之間的進化距離要短得多。也就是通過化石的比較，得出一個種群之間的大概進化關係。

比較解剖學實際上是一個邏輯錯誤。什麼錯誤呢？就是循環論證。大家可以看下這張圖，顯示的就是一個形式邏輯的錯誤。原命題是如果A那麼就有B，逆命題是如果B那麼就有A。我們學邏輯都知道原命題跟逆命題之間是不等價的。所以比較解剖學就是陷入了這種循環論證。因為猴子跟人比較相像所以人是從猴子進化來的；因為人是從猴子進化來的，所以人跟猴子比較像。就這麼反復來去地循環論證。這就是比較解剖學最大的問題，違反了形式邏輯。

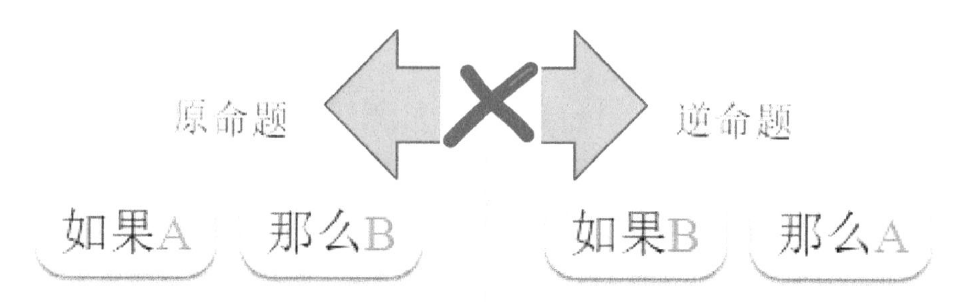

如果這種論證說得通的話，我們就可以證明蘋果電腦是從PC機進化來的。因為蘋果電腦跟PC機比較像嘛，然後蘋果電腦又出現得比PC機晚。比如說70年代就有PC機了，蘋果電腦是80年代才出現的。因為蘋果電腦出現得比PC機晚，而且二者又有相似之處，所以我們就得出結論說這台PC機經過了10年的時間自己就進化成蘋果電腦了。這麼說，大家肯定覺得非常可笑。因為並不是PC機進化成了蘋果，而是後面有不同的人在設計。有的人設計了PC機，而有的人設計了蘋果。

其實物種也是神設計的。他設計了這個物種、設計了那個物種，所以你會看到它們會有相像的地方。其實這才是真正的原因。

下面再說一下進化論的第二個證據，就是胚胎重演律。

胚胎重演律是19世紀的生物學家海克爾(Ernst Haeckel)提出來的。海克爾認為如果生物是進化來的，那麼生物在胚胎發育的過程中，會把整個的進化過程重演一遍。這是一個非常無厘頭的說法。憑什麼生物是進化來的，那麼在胚胎的時候就會把這個上億年幾十億年的進化過程，在短短的十個月或者三、四個月中重演一遍呢？

接下來海克爾就拿這些圖片（見52頁）作為進化論的證據。海克爾拿著這些圖片說：你看啊，這裡有魚的胚胎、小雞的胚胎、兔子的胚胎、豬的胚胎和人的胚胎。他說：你看，人的胚胎是不是在這個階段跟魚比較像？那個階段跟兔子比較像？那個階段它跟豬比較像？

其實我們在上中學的時候，老師教我們進化論也是給我們看這些圖片。但其實方法是錯誤的。這些圖片不能橫著看，你要豎著看才對。其實每個生命他只列出了三個胚胎，是豎著看的。但上課時老師給你橫著看，你就感覺好像是這魚一步一步就變成人了。其實遠遠不是這樣的。

這個地方海克爾犯了跟比較解剖學同樣的邏輯錯誤。就是說因為人是進化來的所以胚胎會重演，因為胚胎重演了所以人是進化來的，他也是陷入了循環論證的邏輯陷阱。

海克爾胚胎重演律

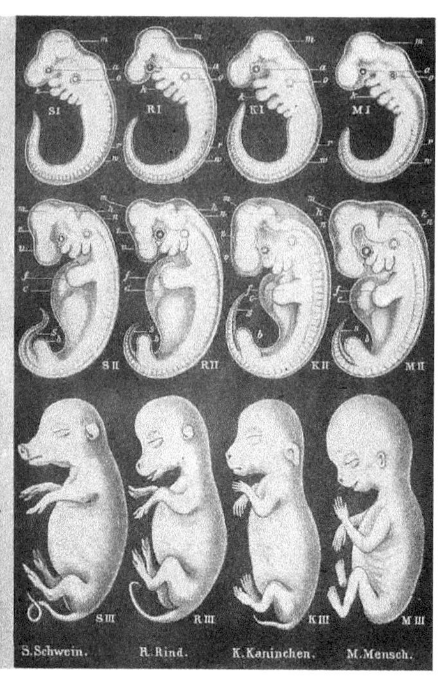

後來很多人發現海克爾給出的這些圖其實並不是原始的圖片，就是說它並不是真正的胚胎的樣子，而是經過海克爾修正的。用我們現在時髦的話講就是海克爾把這些胚胎照片都給修圖了、給PS了一下。他把凡是不符合他結論的圖都給PS了。

比如說他誇大了人胚胎中很多的器官，又去掉了很多器官，以便使這個人的胚胎長得跟豬的差不多。後來有一些生物學家就質疑海克爾的進化論。有一位德國的科學家叫作布萊特施密特(Erich Blechschmidt)寫了一本書叫作《人的生命之始》(The Beginnings of Human Life)。在這本書裡邊他說這些胚胎畫成這個樣子其實是觀測錯誤。

比如海克爾說人在胚胎的某一個階段是有鰓裂的，就像魚有鰓一樣。但布萊特施密特就說其實那不是鰓裂，而是小孩胚胎中臉上的褶兒，就是皺紋。你看起來像魚的鰓裂一樣，其實根本就不是鰓。隨著他長大，臉上的皮膚長平了，那個褶皺就沒有了，並不是從魚變成人的過程。

再比如海克爾說人在胚胎中有尾巴，就說你看人是猿變的吧？他有尾巴。其實那也不是尾巴，它是人的神經管。這根神經管長得比較快，它長長了，就會向沒有阻力的方向突出去。所以在人的尾椎這兒好像形成了一條尾巴。其實是神經管。隨著胚胎的發育，慢慢的，別的地方的組織成長也跟上來了，這個突出的部分就沒有了。海克爾說是尾巴沒有了，其實他本來就沒有尾巴。就是布萊特施密特給出了一些證據說海克爾是觀測錯誤。

英國胚胎學家李察遜，組織了十七個單位的科學家，研究了50種不同脊椎動物的胚胎及其生長過程，並且仔細觀察、記錄。並聯名在1997年8月的Anatomy & Embryology 學報上公佈了他們驚人的結果：即「海克爾的胚胎」是生物學上最「著名」的騙局。也就是海克爾對胚胎圖片做了很多的修改，有的地方甚至誇大的程度達到10倍以上。之後他們去海克爾任職的大學調查發現，海克爾是被那個大學處分過，海克爾被指控偽造了這些圖片，而他本人也承認了這一點。後來在1997年9月5日，17位科學家他們聯合在世界上最頂級的科學雜誌Science上發表一篇文章Haeckel's Embryos: Fraud Rediscovered (1997 Sep 5;277(5331):1435)，揭露海克爾的胚胎造假。

這件事我們從常識判斷，也知道海克爾完全是在編造謊言。因為如果海克爾說的是對的，那麼是不是懷孕時間不足的人類胎兒，早產的時候會有的長的像魚、有的象烏龜或者兔子呢？

下面再說一下進化論的第三個證據，叫古生物學證據。

所謂古生物學證據就是能夠畫出一棵進化樹來。因為進化論者認為生命是進化來的，那麼生命就有一個從簡單到復雜、從低級到高級的發展過程。於是

進化論的信奉者就畫出這麼一棵樹，從最原始的單細胞生物，如何變成多細胞生物，然後如何變成不同的門，比如說脊索動物門、脊椎動物亞門。然後分叉進化成不同的物種。最後一步一步進化到人。這張圖片就是那個進化樹。

從這棵進化樹上，不同的物種都應該很容易找到它的祖先，就是你通過樹枝往根部追溯，你會看到你和其它物種的共同祖先在哪裡。但是隨著出土的化

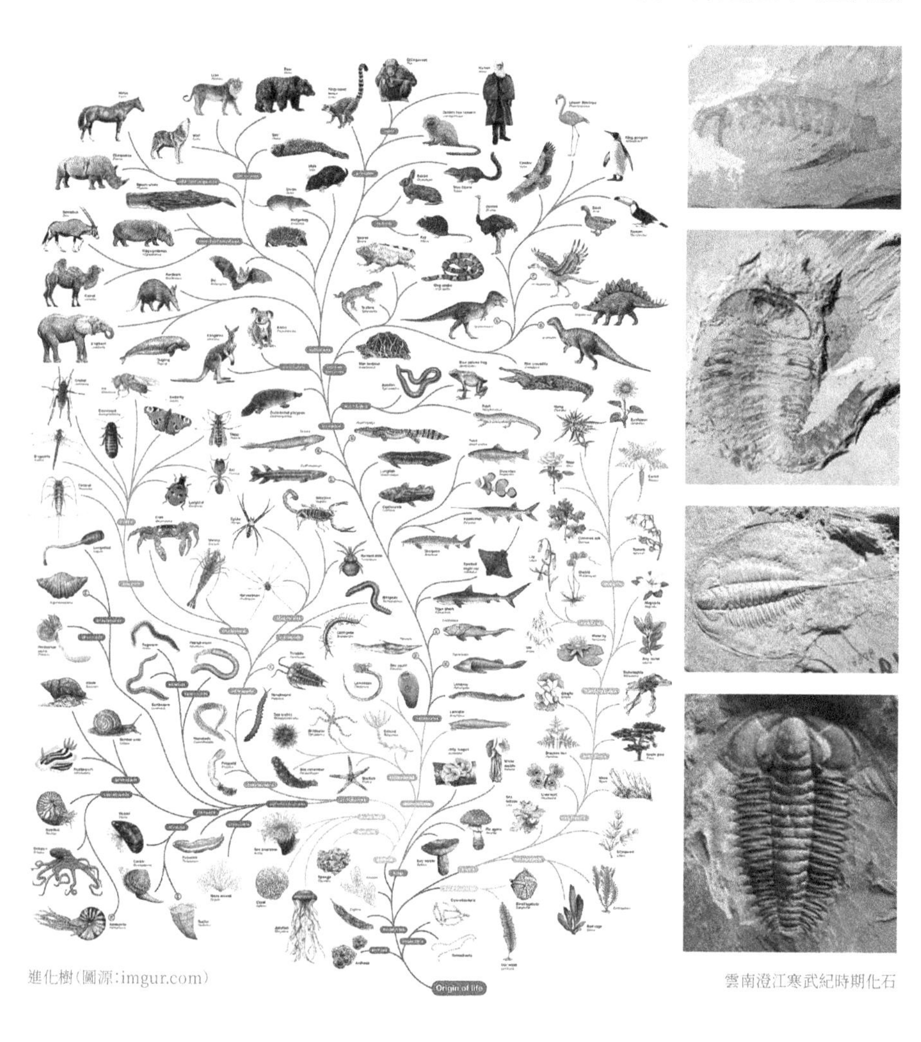

進化樹（圖源：imgur.com）

雲南澄江寒武紀時期化石

石不斷增加，人們就發現這棵進化樹變得越來越亂。本來比如說應該是在樹頂這才出現的生物，但卻在樹根的地方就出現了。非常典型的例子就是寒武紀生命大爆炸。

寒武紀離現在大概是5.41億年，從那時起在短短的500萬年内，幾乎所有的生物突然間同時出現了。按照進化論，生命的進化應該是一個漸進的過程，慢慢變，變出這個物種呀，再慢慢變出更複雜的物種呀，就這樣一步一步地變。但實際上卻突然一下子在寒武紀出現了生命的大爆發。在很多地層都發現過寒武紀的化石，中國也有。1984年在雲南的澄江地區也發現了寒武紀生命大爆發的證據。很多的化石大家都可以在這張圖片（見54頁）裏看到。

這種現象達爾文也知道。達爾文在《物種起源》中非常明確地寫了這樣一段話，說我的進化論沒有辦法解釋這種生命大爆發的現象，也許很多人就會用這個證據來推翻我的進化論。他在《物種起源》中就這麼寫的。（原文：I cannot doubt that all the Silurian trilobites have descended from some one crustacean, which must have lived long before the Silurian age....Consequently, if my theory be true, it is indisputable that before the lowest Silurian strata was deposited, long periods elapsed, as long as, or probably longer than, the whole interval from the Silurian to the present day.....The case must at present remain inexplicable; and may be truely urged as a valid argument against the views here entertained. The Origin of Species, 1859, pp. 313 314）換句話說達爾文也認為物種起源只是一個假說，有很多解釋不了的現象，是有待於未來的驗證的。

下面再說一下進化論的第四個證據，分子生物學。

達爾文講一頭熊游泳，游著游著就變成了鯨魚。這種說法我們現在看來相當可笑，因為熊和鯨魚的基因是不一樣的。達爾文不懂這一點，因為在他那個時代還沒有基因學說，更不知道生物的遺傳是靠基因的。實際上達爾文所提出的熊變成鯨魚有點像拉馬克的「用進廢退」。就是一個器官你用得越來越多的時候，這個器官就越來越發達。就像一個人不斷地鍛煉身體，你的肌肉就越來越發達。但我們必須要知道，這種後天所獲得的技能或者特徵是不能遺傳的。因為你不會通過做俯臥撐，比如我過去能做100個現在能做1000個，這麼鍛煉後我的基因就發生變化了。所以這種後天的技能就不能遺傳。

在達爾文時代，人解釋物種的變化，比如說一只梅花鹿怎麼變成了長頸鹿，就說由於地面的草越來越不夠了，所以鹿就伸脖子吃樹葉，最後把脖子越抻越長，就抻成了一只長頸鹿。其實根本就不是這樣的。一只鹿的脖子抻得再長，它的後代也得從頭抻起。

那麼就剩下一種可能，就是在食物不足的情況下，一些鹿發生了基因突變，然後變成了長頸鹿。現在我們就要看看，通過基因突變而改變物種的可能性有多大。

有一位叫貝西(Behe　,　M.J)的學者，寫了一本書叫做《達爾文的黑匣子》(Darwin』s Black Box)。裡面給出了一個通過基因突變造成物種變化的概率公式：

$$P=(M \cdot C \cdot L \cdot B \cdot S)^N$$

大家可以看一下這個公式裡有這麼幾個參數。第一個參數M是某一個個體發生基因突變的概率，計算時假設的概率是千分之一。

我們知道生物的基因是很穩定的，特別是這種雙螺旋結構的DNA，在整個遺傳過程中，遺傳信息是很難改動的，也就是說發生基因突變這種事的概率是很小的。這裏給出的千分之一的概率已經是相當寬鬆的估計了。

突變之後，基因還有一個跟其它基因相容的問題。這就是第二個參數C。搞分子生物學的朋友可能知道，當一個基因出現之後，它有可能表達，也有可能不表達。如果表達，就有可能合成某一種特別的蛋白質，它也可能不表達，就是根本不起到任何的作用。後一種情況對進化也就毫無意義。

突變產生的新基因，還要跟別的基因相容。否則，這個細胞就會被免疫系統給殺掉了。免疫系統認為這個新出現的細胞不是我，就把它排斥掉。另外，這個基因還得正好出現在你的遺傳細胞之中。因為如果出現在體細胞而不是遺傳細胞，那麼精子或者卵子中就不包含這種已經變化的基因，也就沒有辦法遺傳。這裏給出的C，數值為0.01，我覺得可能再除以一萬都是可能的，也是最寬鬆的估計了。

另外，我們知道絕大多數絕大多數的情況下，基因突變都會造成病態，比如白化病或什麼別的疾病，象「21-三體綜合症」（Trisomy 21，也稱為唐氏綜合症、先天愚型）等等，是一種染色體的異常。所以實際上絕大多數的基因突變都是有害的，不是進化而是退化。這裏給出的概率就是參數B，為0.001。

此外還有參數L，表示在生存競爭中該個體能夠存活，有繁殖的機會，這裏權且賦值0.1；參數S，表示突變基因在種群中不被丟失，而且能夠穩定和擴大，一旦丟失就又得重來（寬鬆的估計為0.01）；最後就是一個新的物種的出現不能只變化一個基因，而要很多基因都同時發生變化，這裏設定為參數N，比如需要10個基因變化才能出現一個新的物種。

那麼按照上面給出的概率公式來計算，就會得出一個結論——物種通過基因突變變成另外一個物種的概率是10的負110次方。就是說你需要有10的110次方個個體才能通過基因突變產生一個新的物種。

10的負110次方是個什麼概念呢？我們現在所能夠觀測到的這個宇宙範圍，我們覺得無邊無際，它裡面所包含的原子的數量是10的80次方。所以10的110次方是個什麼概念呢？是讓這個宇宙中的每一個原子都變成一頭鹿，還要1000億億億個這樣的宇宙才能夠出現鹿變成長頸鹿的事件。概率上來說我們覺得這是一個完全不可能的事件。

而剛才所計算的物種之間的基因差別N，我們設定為10，這是我們為了計算而胡亂賦了一個值。那麼物種之間的基因差距到底有多少？我能夠查到的數據，就是關於人和大猩猩之間的基因差距是多少呢？按照現在基因分析的結果，人體上大概有2.5萬個基因。人和大猩猩之間的基因差別大概是4%，也就是有大概1000個基因是不同的。所以你就想吧，一個大猩猩變成人，需要有1000個基因突變。而且每次突變都是正向的、都能夠遺傳、都能夠表達，然後還有足夠的同樣的基因突變的大猩猩才能夠把這種新基因繁衍流傳下去等等。那麼從大猩猩通過基因突變的方式變成人，等於是把我們剛才那個概率又縮小了10的100次方倍。所以從概率計算來講，從一個物種變成另外一個物種是根本就不可能的。

有人就打了個比方，說通過基因突變的方式從一個物種變成另外一個物種，就好像是一隻猴子在一個打印機上跳來跳去，最後打出了一本莎士比亞全集。不可能吧！猴子蹦來蹦去就打出莎士比亞全集，一隻猴子能活那麼長嗎？

基因突變之說還有一些回答不了的問題，就是沒有中間物種。我們假如說大猩猩跟人之間差10個基因，是通過了10次基因突變而來的，那你應該發現有只變了一個基因的大猩猩，只變了兩個基因的大猩猩，一直到變了10個基因的大猩猩，最後變成人了。那麼中間物種的種群必須得足夠龐大，它才能夠把這個基因保留下來，然後在這個基礎上再累加下一次突變。所以當你在地殼中去挖掘化石的時候，你應該能夠看到大量的中間物種的化石，而且數量要遠遠多於我們現在看到的正常物種的化石。可是我們在地殼的化石中根本就找不到這樣的中間物種。這也就是說好像大猩猩不是一個基因一個基因地變成了人，而是在一夜之間就變成了人。是這種感覺。

基因突變說還有一個內在的矛盾，就是進化的速度。按照我們現在的化石記錄來看，越簡單的生物它應該進化起來越漫長。比如說從原生的病毒之類的東西進化成為單細胞的生物，從單細胞的生物變成多細胞的生物，這個過程是幾億年、十幾億年的時間跨度，但它一旦進入到哺乳動物的時候，從猿變成人的速度就非常快，大概只花了幾百萬年時間。也就是說從化石來看，進化速度是越來越快。

但是實際上，分子生物學又認為當物種越高級的時候，它的基因就越穩定，就越不容易發生變化，應該是進化變得越來越慢才對。所以這就是分子生物學對進化論的解釋存在著內在的矛盾，自己和自己就矛盾起來了。

科學必須是自洽的，你不能自己跟自己發生衝突。從你自己的結論進行推導，推導出這個結論的反面來了，這就不科學了。所以從這個角度來講，進化論一定不是科學，因為它不能夠自洽，而是有很多自己跟自己的矛盾。

最後說一下生態系統。

我們剛才講到的都是一個物種的進化，就是一個物種進化成另外一個物種，但實際上我們所看到的這個地球是一個非常複雜的生態系統。換句話說一個物種的本身是不能夠生存的。

咱們假如說這個地球上只有一只兔子，其它什麼都沒有，那這只兔子肯定餓死了。你得有草給它吃，對吧？但如果要是地上只有草和兔子，兔子也得死。

為什麼呢？因為兔子沒有天敵，就會變得越來越多，最後把草吃光的時候，兔子也就都餓死了。也就是說這個地球上如果沒有一個複雜的、能夠自我平衡的生態系統，物種的延續也不可能。

所以剛才我們只講了一個物種變成另外一個物種，但是我這裡需要強調一下，我們實際需要考慮的是整個生態系統的進化而不能只考慮某一個物種的進化。

有人可能想問，說這個進化論到底能不能夠通過實驗來驗證？我給大家講一個真實的實驗。這個實驗始於1988年。在美國密西根州立大學裡有一個科學家，也是美國科學院院士，叫蘭斯基(Richard Lenski)。他特別想觀測一種生物到底能不能經過若干代的繁殖之後變成另一種生物。因為我們知道基因突變通常是發生在生物繁殖的過程中，在DNA或者是RNA的複製過程中造成某個複製錯誤，由此產生基因突變，而且這個基因延續到下一代去。所以如果你能夠找到一種繁殖非常快的生命，讓它這樣繁殖多少多少代之後，你再看看它有沒有基因突變，有沒有變成別的物種。

蘭斯基教授就開始用大腸桿菌做實驗。大腸桿菌的繁殖速度是極為驚人的。它一天之內就可以繁殖多達72代。一天可以繁殖72代呀！

他從1988年2月24號開始對大腸桿菌進行實驗。你一天就可以繁殖72代，那我看你繁殖幾千代幾萬代幾十萬代的過程中會不會發生基因突變。他從1988年到現在整整觀察了32年，大腸桿菌已經繁殖了55萬代，但大腸桿菌還是大腸桿菌，沒有發生變化。我們可以想像這個問題嗎？

咱們假如說人繁殖55萬代，假如說20年人可以繁殖一代的話，55萬代那就是1100萬年呀。按照進化論來說，55萬代、1100萬年這個時間尺度，已經足以讓一只猿變成人了。咱們現在說從猿變成人大概需要兩三百萬年的時間吧？兩三百萬年的時間，我們把它擴張五倍變成1100萬年。如果大腸桿菌55萬代不變，而人的基因比大腸桿菌更複雜更精密更穩定，那就更不應該在1100萬年中發生變異了，對吧？

大腸桿菌只要變化一點點東西，哪怕它只是產生一種新的基因或者只是一種新的蛋白質或者變成另外一種組織結構，比如說從單細胞變成多細胞生物，那我覺得對於進化論來說就是驚天大新聞、大喜訊了，全世界都會知道大腸桿菌已經變異了，已經進化了，變成多細胞生物了，或進化出新基因了。但是55萬代的繁殖都沒有讓大腸桿菌變成新的物種，那你怎麼會相信猴子繁殖55萬代就能變成人呢？是吧。所以說實驗也否定了進化論的存在。

大家可能知道，大腸桿菌是一種非常簡單的生物。我們覺得這種生物是非常低級的。但其實這種生物是非常高級的，高級到我們人都想象不到的程度。

美國猶他大學、加州理工學院和英國帝國理工學院的研究人員將相關研究結果發表在2017年4月14日Science期刊上，論文標題為「Nanoscale length control of the flagellar driveshaft requires hitting the tethered outer membrane」。說的是他們在大腸桿菌的身上發現了世界上最小的、納米級的發動機。有多大呢？這個發動機的大小只有25納米，相當於100個原子的大小。它的結構極為精妙。

我們知道大腸桿菌的游動要靠細菌細胞之外的鞭毛。那麼這個鞭毛是怎麼驅動的呢？科學家發現大腸桿菌的體內有一個超微型的發動機，跟我們現在人類發明的發動機很相像。但它的轉速可以高達每分鐘6萬轉（人類的汽車發動機只有每分鐘幾千轉），而且它的效率是100%，我們人類的發動機效率是多少？除此之外，它還有傳動杆、萬向節，就使鞭毛可以向不同的方向任意運動。

而且大腸桿菌不是一根鞭毛，那麼它控制哪個鞭毛怎麼轉、用多大的力量，沒有一個非常精密的系統去控制能做到嗎？而且我相信它一定有反饋系統，就是它一定有傳感器一樣的東西去測光或者感知食物在哪裏，然後才能夠往那個方向去游動，然後速度快慢也能夠控制，就是有類似剎車的裝置。所以你可以想像一下，簡單到我們人忽略不計的大腸桿菌裡竟然有如此精密的納米級發動機，這難道不是智慧生命的傑作嗎？

我們談到進化論的一些問題，包括比較解剖學上的形式邏輯錯誤，分子生物學上概率計算出的不可能性，胚胎重演律的造假，實驗室大腸桿菌的驗證、以及剛才講到這個納米級發動機的精妙程度和複雜性。我們只要稍微開闊一下我們的心胸和思維，就會知道進化論是根本就不存在的。

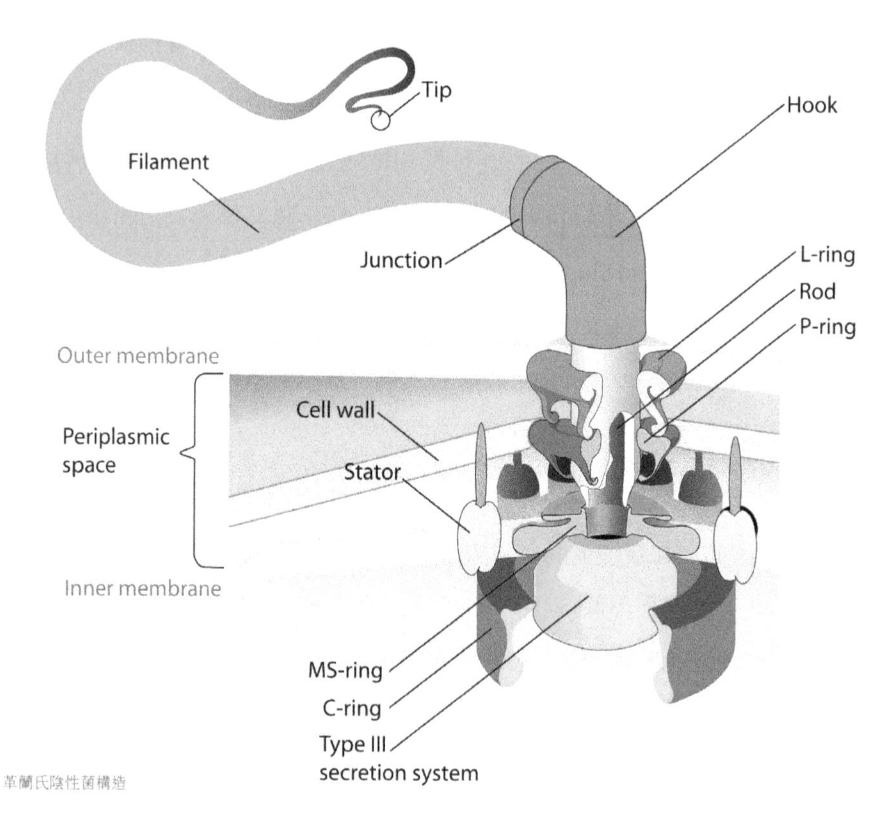

革蘭氏陰性菌構造

那麼這就提出一個問題，生命是從哪兒來的呢？我們講這些內容、問這個問題並不是說為宣揚一種神學。但我們必須要說，如果你要想了解人的文明是從哪兒來的，那你不得不首先問一下到底人是從哪裏來的。這個問題我們隨著講《中華文明史》的過程，再不斷地去討論。

第五講 ❖ 歷史的巧合

Chapter. 5 Historical Coincidences

大家好。我們上一堂課講了一下關於進化論的問題，其中有一個重要的反駁論據就是從概率的角度計算進化的可能性。結論是概率低到了不可能。我們會講一些歷史的巧合，首先從一個故事開始。

北宋仁宗年間，在廣西和越南交界的地方有一個少數民族首領叫儂智高。他發動了一場叛亂。宋仁宗任命狄青為將去平叛。狄青知道當地人非常崇信鬼神，於是在出兵之前就把士兵們聚集起來。狄青拿出了100個制錢，跟士兵們講：「如果我們這次平叛能夠成功的話，我這100個錢撒出去，全部都是錢面兒朝上。」

他的部將都覺得不可能，就阻止他，因為只要有一個錢背面朝上，不就干擾了士氣嗎？狄青不聽，就把這100個錢往地上一撒。大家湊上去一看，果然都是錢面兒朝上。於是軍中歡聲雷動。狄青讓人用釘子把錢一個個釘在地上，用一塊黑布蒙起來，然後說：等到咱們凱旋歸來的時候，就把這些銅錢都起出來，現在先留在這兒祈求神明保佑。

狄青就出兵了，仗也打得很順利。等到戰爭結束之後，狄青帶著兵回來的時候把黑布揭開，把制錢起出來，大家才發現原來每個錢都是特製的，兩面都是錢面兒。這件事後來被寫到《三十六計》裏作為一個戰例，叫作假癡不癲，就是《三十六計》的第27計。

我知道我這麼一講，很多學過科學的朋友們都會覺得那些士兵太傻了。因為我們知道100個制錢撒出去，全部錢面朝上的概率當然是2的-100次方。2的-100次方大約等於10萬億億億分之一，這樣的事件是不可能出現的。在現實生活中，沒有人會碰到這樣的小概率事件。所以如果大家在現場，第一反應肯定會認為這些錢上一定是做過手腳的。

我覺得很多人在想狄青撒錢的事情上是很清醒的，因為知道這樣的小概率事件是不可能發生的。如果他用同樣的思維去想進化論，就更應該明白進化論更不可能。按照我們上次做的概率計算，從一個物種進化到另外一個物種的概率是10的-110次方。10的-110次方寫成文字是10萬後面再跟13個億。所以進化的概率要比狄青撒錢的又低了很多億億億、很多億億億倍，所以我覺得相信進化的人，只要稍微認真思考一下就會知道它是個騙局。

如果人不是在地球上進化來的，那麼就有人又提出了外星生命創造說。這裏我們不妨追問一下，外星人又是從哪兒來的呢？

有人可能同樣會問我，如果你說人是神造的，那麼神是誰造的呢？在《聖經》中，耶和華曾經跟摩西說：我是自有永有的。所謂「自有」就是我從來就有，「永有」就是我永遠存在。對於時間來說，從過去到現在再到未來，神都是永遠存在的。

那麼有人會說：當你說人是外星人造的，或者說人是神造的時候，為什麼不能把外星人等同於神呢？這二者有什麼區別呢？其實區別很大。

當你說人是外星人造的時候，你並沒有提升你答案的維度。也就是說，你還是認為外星人是在我們能夠看得見摸得著的這個空間中產生的。那麼別人問你外星人在哪兒，你只能在我們現在能夠看到的空間中去尋找。所以本質上來說還是進化論，也就是在這個宇宙中自然產生了這種外星生命。然後它又干涉了我們人類的文明，或者傳給了我們文化，造了人這個世界。

但當我們說人是神造的時候，其實我們提升了答案的維度。就是在我們看不見摸不著的空間中，存在著一個生命或者一些生命叫作「神」。當你問神是哪兒來的時候呢？他就在更高維度的空間，而且那些空間也不是一個維度。還有不同層級的神，就像佛教中講的神有不同的神位，羅漢、菩薩、佛，其實可能還有我們不知道的更高的神。

人有資格探詢外星人是哪兒來的。因為如果生命是進化來的，人和外星人就在一個維度上，你和它就是平等的。但如果人是神造的，人是沒有資格探詢神是哪兒來的，因為你和他不在一個維度上，是不平等的。一個大腸桿菌想問問人是怎麼來的，人沒有興趣回答，而且說了細菌也聽不懂。人要想知道神是哪兒來的，只有一個途徑，就是自己變成神。這個過程我就不能再講了，因為這屬於天機，我也沒有資格講。有興趣的朋友看看我師父寫的《轉法輪》就知道了。

我們在這門《中華文明史》課程開篇的時候就提出過一個現象，就是唯物主義者研究歷史的時候，認為歷史的發展是一個自然演進的過程。你可以畫出一個時間軸，就像這張圖片上的這個時間軸。先發生的事情一定是「因」，後發生的事情是「果」。因為發生了前面這件事，產生了什麼什麼樣的效果，造成了後面的事情一連串發生出來。

中國朝代表(大圖見117、119頁)

但一個真正的有神論者不會在這一個維度上看問題。他會給我們另外一個視角，那就是可以順著時間向後看，也可以向前面看。也就是說我們所看到的歷史並不是一個自然演進的過程，而是一個安排出來的過程，就像電影有一個劇本一樣。那麼實際上是為了後面發生的事，前面安排了一些鋪墊。這個問題說起來有點兒複雜。我們用電影劇本來打一個比方大家就明白了。

在美國有一位非常有名的劇作家叫Robert McKee，是公認的電影編劇大師。他寫了一本書叫作《Story》(《故事》)，是電影編劇的經典教材。在書中他提到了一個非常重要的概念，就是當我們編寫一個劇本的時候，「一切都是為了高潮」(原文：All else is preparation for fulfilling the climax.)。

其實我們看過電影的人都知道，各種矛盾衝突的堆積，到最後有一個爆發點，當這個高潮爆發出來的時候，如果能夠給你極大的心理滿足，那麼這部電影就是成功的。一切都是為了這一個點。

為了這個高潮的爆發，比如說武俠小說中的高潮可能是到某個時刻兩個絕頂高手要比試一下。為了這個時刻的精彩，之前他需要具備什麼樣的武功，他為什麼要在這個時刻到達了這個地點，他的武功是如何練成的，這個比試的目的是什麼等等，作家都要把這些給你鋪墊好。所以按照Robert McKee的說法：電影編劇他是反過來寫作的，也就是他先設定了一個高潮，之後為了這個高潮，開始編前面的情節。(原文：Once the climax is in hand, stories are in a significant way rewritten backward, not forward. The flow of life moves from cause to effect, but the flow of creativity often flows from effect to cause. ——Robert McKee)。

我本人曾經試過編劇，所以我知道這一點。當你想到一個爆炸性的高潮時，你是不惜把前面所有寫過的劇情全部推倒重寫，以讓矛盾衝突達到白熱化的程度，最後一下子爆發出來。如果從這樣的一個角度來看的話，其實歷史的發展也是為了一個最後的高潮做準備的。我們看到的歷史上發生的一件一件大事，只不過是為最後的那件大事做鋪墊而已。

這雖然是一個看問題的角度，聽起來似乎有理，但很多人還是難以接受歷史是被安排出來的，所以我也想給大家羅列一些現象。

在人類的歷史上發生過很多的巧合。如果你要是用概率計算這些巧合，你會覺得它特別不可思議。比如說，人類歷史上奠定各大文明基礎的那些偉人，我們稱之為「佛」、「真人」、「聖人」或者「先知」，幾乎都出生在同一個時代。在中國春秋末年，老子奠定了道家學說、孔子奠定了儒家學說、孫子奠定了兵家學說。就在同一個時代，印度次大陸上誕生了釋迦摩尼佛；這個時代也是《聖經》的舊約部分成書的年代；在古希臘誕生了蘇格拉底。

人類社會的幾大文明體系中，中國的文明體系是儒家、道家、佛家這三個流派的思想支撐起來的，而這三家思想的奠基人老子、孔子和釋迦摩尼都是這個時代的人；西方文明的源頭應當上溯到古希臘「三哲」，蘇格拉底、柏拉圖和亞里士多德。亞里士多德是柏拉圖的學生，柏拉圖是蘇格拉底的學生，而蘇格拉底也是這個時代；西方最主要的信仰體系就是基督教，《舊約全書》也是成書於這個時代。

中國學者把這個時期稱為「元典時代」，西方學者稱之為「軸心時代」。大家想想這件事是不是太巧合了？不同地區同時降生了這些千年一遇的偉人、同時奠定了人類最主要的文明體系的偉大經典。

歷史上，這種東西方同時發生類似大事的情形其實非常多。

當古希臘哲人輩出的時候，中國正是戰國時期百家爭鳴的時代。齊威王在都城臨淄城外建了稷下學宮，就相當於現在的大學一樣。不同流派的思想家在這裏提出他們的主張，互相之間辯論。像儒家、墨家、法家、名家、縱橫家等著名的代表人物都聚集在這個地方。而幾乎於此同時，柏拉圖也在古希臘的雅典城外建立了雅典學院Academy。這也是一個哲人學習、思考和辯論的地方。

再比如說關於國家的統一。在中國，戰國時代結束於秦的統一，時間是公元前221年。大約同時，古印度次大陸也被阿育王統一。這也是一個巧合。

中國這邊，大漢領土從漢武帝時期開始擴張，於此同時也是古羅馬帝國領土擴張的時候。

耶穌出世的前後正是佛教傳入中國的時候。佛教是在公元67年傳入中國，耶穌上十字架的時候30多歲。這兩件差不多同時發生的事也對東西方的文明發展產生了決定性的影響。

我們還可以看到西羅馬帝國因為蠻族入侵而滅亡的時候也正是中國歷史上「五胡亂華」的時候。這也是一個重要的巧合，中國經濟文化的重心開始南遷，歐洲則進入中世紀封建時期。

歐洲文藝復興這三百年中，中國也出現了很多傑出的劇作家、文學家、畫家等等，像元曲四大家、宋元文人畫的興起、中國第一部長篇章回小說《三國演義》的誕生等等。所以西方出現文藝複興，中國也出現了一個文藝上非常繁榮的時代。

鄭和下西洋跟西方大航海的時間也非常接近。

當中國發生文化大革命，對傳統採取否定和砸爛一切的態度，這也正是西方發生文化大革命的時候，也就是隨著反戰運動的興起，出現像嬉皮士、性解放、搖滾樂等等。中國紅衛兵大串聯的時候，西方的街頭運動風起雲湧，而且也有很多西方的歌手抱著吉他坐在車上到處走。

所以我們會看到，在同一個時間，當地球上東方出現一件大事的時候，幾乎西方也會出現一件類似的大事。這些事情如果都用巧合來解釋，我就覺得很難說得通，這就像是狄青撒了一把錢，100個錢面兒全部朝上一樣。這些巧合的背後一定有它的原因。

更不可思議的「巧合」是，不管人類社會有多少民族，這些民族卻流傳著三個共同的傳說。我把它們概括為六個字，叫作「來源、教訓、希望」。那又是什麼意思呢？

我們先說一下「來源」。第一個共同傳說就是「泥土造人」的傳說。我們知道《聖經》中講耶和華用泥土造了人，中國人講是女媧用泥土造了人，這是廣為人知的。但實際上，很多地方都有這種泥土造人的傳說 。在古希臘、非洲、中東、南美等很多不同的地方，都有同樣的泥土造人的傳說。

有人說可能是因為人要種糧食或者吃果子，這些食物都是從地裡長出來的，所以人認為自己是大地母親養活的，就有了泥土造人的傳說，死了之後埋在土中，還要歸於塵土。但如果這種解釋說得通的話，那古希臘人怎麼不認為人是用海水造出來的呢？因為古希臘是海洋文明嘛。但古希臘也說是普羅米修斯用泥土造了人。現在人們能夠找到的有這個傳說的民族，大概有幾十個。

第二個巧合就是「教訓」。什麼教訓呢？就是不同的民族都留下對一場大洪水的記憶。中國人史書中有大禹治水的記載；在《聖經》中記載了諾亞方舟的故事；古巴比倫史詩《吉爾伽美什》中有對大洪水的記載等等。有人根據希伯來日曆推算，《聖經》中發洪水的時間正好是堯在位的時候。這個跟中國的歷史記載是吻合的。科學家、考古學家、歷史學家們在全世界不同的典籍記載中，找到了170個關於大洪水的記載，遍佈全球。

大洪水之後，幾乎全世界的文明都被洪水沖刷得一乾二淨了，但是人們卻一直世代傳說著這麼一件事。就是別的事兒都不記得了，科學啊、歷史啊，甚至可能文字都忘了、怎麼造房子，怎麼造各種機械設備等等都忘了，但大家卻都記著「泥土造人」和大洪水。

還有一件事，各個民族也都記得，那就是不同的民族流傳著第三個共同的傳說，就是有一天神會回來。在佛經中說，有一天轉輪聖王會回來。什麼時候呢？當優曇婆羅花開的時候。就是佛家信徒相信，到那時候會有覺者歸來。

古埃及的法老把屍體做成木乃伊，也是等待神歸來的時候喚醒他們。《聖經》中講的是末日審判，到那時候彌賽亞回來，也就是救世主會回來。在審判之前會有一場正邪大戰。這在《聖經啟示錄》裏面講得非常清楚，上帝要審判人。所有跟魔鬼站在一起的會被上帝投到燃燒著硫磺的火湖里，好人會回歸天國。

古代的瑪雅人留下了13顆水晶頭骨。那些頭骨是用現代的科技和工藝都無法打磨的。這些頭骨在上個世紀末紛紛現身。瑪雅的大祭司用他們的方法去解讀水晶頭骨帶給人的信息，得到的內容就是現在是神歸來的時候。

如果我們把「泥土造人」、大洪水和神的歸來放到一起看，這三個傳說背後是有一個貫穿的綫索的，也就是我說的「來源·教訓·希望」。

「來源」是說人是從哪裏來的？是神造的。「教訓」是說為什麼發生了大洪水災難？因為人的道德敗壞了。《聖經》中講當耶和華看到人道德都敗壞了，就後悔在地上造了人。於是耶和華說要在地上發洪水。「希望」是說，你要守住對神的信念，最後等待神的歸來和救贖。

在這麼漫漫幾千年的過程中，不管人類經過了多少的戰爭、痛苦，甚至文明的毀滅，但是人們牢牢記住了這三件事。在那個既沒有現代化的通信工具，也沒有現代化的交通工具，人們被高山大洋所阻隔，各個文明之間無法碰面交流，乃至語言都不相通的時候，不同民族都流傳著這三個同樣的傳說，大家不覺得這無法用巧合來解釋嗎？

這三個傳說實際上也給我們提出了一個非常難以回答的問題。什麼問題呢？如果說有一天神會回來的話，比如說佛教中所說的轉輪聖王會歸來，基督教裡說的上帝會歸來等等，不同的民族都在講他們的神會回來，那我們就要問一個問題——這些神到時候是約好了一塊回來呢，還是有先有後呢？你一聽就覺得哪裏不太對了。

為什麼呢？因為每一個民族的神，都跟他創造的人說：我是唯一的神。

當時釋迦牟尼出世的時候，一手指天一手指地，然後說：「天上天下唯我獨尊」。耶和華也講：我是唯一的神，等等。

如果到時候，一群神一起回來的話，大家肯定就暈了，不知道該信哪個了，是吧？所以一起回來肯定不行。

那一個一個回來呢？似乎也不行。咱們說假如說耶和華先回來了，那全世界的人看見耶和華肯定都去信他了。那轉輪聖王回來的時候怎麼辦呢？

這個問題我覺得是這樣的......我只是講一下我個人的理解。其實回來的是一位神。這位神具備著所有神的權柄、榮耀和能力。他是最終的審判者、最終的救贖者，也就是創世主。

我們現在所生活的時代，是一個非常特殊的時代。在佛經中講，優曇婆羅花開的時候，是轉輪聖王歸來的時候。優曇婆羅花傳說中3000年開放一次。但是從2005年開始，優曇婆羅花就在世界各地競相開放。所以這就預示了轉輪聖王的歸來。瑪雅人說13顆水晶頭骨聚齊的時候，是神歸來的時候；猶太人說以色列復國是末日審判的前夜。以色列復國是在1948年，等等。

其實各個民族的傳說都指向了我們現在所生活的這個時代。就像《聖經啓示錄》的預言，這既是最敗壞的時代，但也是一個真正救贖的時代，在此之前是正邪的較量。不管大家對我說的這個事相信多少，但我覺得，不同的人、不同的民族乃至不同的宗教可能都有一種隱隱的感覺，那就是神歸來的日子已經很近了。我想在我們有生之年就會看到。

我講這些問題並不是要給大家講神學或者像佈道一樣傳什麼東西。我曾經講過，中華文明的發展其實是為了一個最後的高潮做準備的。

這個高潮到底是什麼？我們得瞭解我們現在所生活的這個時代的特殊性，我們才可能會瞭解歷史最後安排的高潮是什麼。所以你會看到中華文明是一個極其特殊的文明。當不同的文明被那場大洪水歸零的時候，唯有中華文明中的很大一部分保留了下來。為什麼獨獨把中華文明留下來了？這個文明為什麼這麼特殊啊？這些問題會在後續的課程內容中有更多的討論。

第六講 ❖ 中華文明的核心

Chapter. 6　The Core of Chinese Civilization

我們前面談到一些關於史前文明、進化論的謬誤和歷史上一些不可思議的巧合，主要是想說明歷史並不是一系列隨機發生的事件，而很可能是為了某一種目的，精心安排了這樣的軌跡，奠定了一些東西。今天我們來談一下中華文明的核心。

說到文明，它是相對於野蠻而言的。一般來說，對於「文明」並沒有一個非常權威的統一定義。不同的人對於文明有不同的理解。我們通常認為一個地區進入文明需要三個要素：第一個要素就是城市的出現；第二是文字的出現；第三是政治秩序的建立。

這些文明出現的要素，並沒有解決文明分類的問題。比如說同樣是城市的出現，在古希臘我們知道城市是石頭建築，而在西周時代，中國的建築是木質結構；中國屬於農耕文明，因為它的主要經濟形式是農業，而在古希臘，它是屬於商業文明；中國屬於東方文明，希臘屬於西方文明；就政治制度來說，中國實行的是君主制，而古希臘實行的是民主制。

在談到西方文明的時候，我們通常會想到三種人：分別是希伯來人、希臘人和羅馬人。希伯來人帶給我們信仰，即基於猶太和基督教信仰的西方文明。希臘人帶給我們哲學和藝術，像荷馬史詩、古希臘的神廟、雕塑、繪畫等。希臘人亞里士多德奠定了形式邏輯，通過演繹歸納等發展出一套科學思維方式。羅馬人帶給我們法律和政府。所以這三種人對於西方文明的奠定起到了巨大的作用，也反映出了文明的不同側面。

袁行霈教授主編的《中華文明史》中，文明被分解為三個方面來考察。一方面叫物質文明，一方面叫精神文明，還有一方面叫政治文明。他這種分解方法我覺得是很好的思路，但是我的定義跟他有一點不同。

在我個人的劃分中，我把物質文明定義為「人與自然的關係」；政治文明定義為「人與人的關係」，精神文明定義為「人與神的關係」。我們就從這三個角度切入來考察中華文明。順便說一下，對於「政治」這個詞，不同人的解釋也不一樣。孫中山把政治定為「眾人之事」，就是凡是涉及到咱們大家伙的事，都屬於政治。如果要從這樣一個定義出發，那麼不管是小到社區的活動也好，或者是一個公司的組織也好，包括法律的提出和執行，國家的治理等，都在規範人與人的關係，也都屬於政治文明的範疇。

提到物質文明、精神文明這些詞，在中國大陸的教育體系裏出來的人，都認為物質決定意識，物質文明決定精神文明的，經濟基礎決定上層建築，這是馬克思的唯物主義思想。因此中國人在研究歷史、研究文明史的時候，也常常是從物質決定意識的角度來考慮問題。

這裡邊我還想特別強調一下，我認為物質和精神之間並沒有必然的誰決定誰的關係。並不是說一個地方物質文明發達了之後，它的精神文明就一定發達。在歷史上，我們看到很多文明都是在它物質文明最發達的時候，人的道德卻敗壞糜爛了，然後這個文明一夜之間就毀掉了。

所以一個地方的繁榮有可能是來自於神的賜福，也可能來自魔鬼的引誘。

比如說某個地方的人道德都非常高尚，那麼這時候神就讓他們富裕，給他們幸福安定的生活。就像《聖經》中講的，上帝可以把流出奶和蜜的地方賜給猶太人。但財富也可能來自於魔鬼的誘惑。所以在《聖經》中講耶穌如何在曠野中受到魔鬼的試煉。撒旦跟耶穌講，如果你跪下來拜我，我就把天下萬國的榮華賜給你。但耶穌讓撒旦退去，說自己一定要聽主的話。

這是我們需要特別注意的地方。一個地方的富裕不見得就是這地方的人道德高尚所致。大家可以看看現在的中國，雖然經濟發展非常迅速，但卻是以道德的墮落為代價的，象什麼毒疫苗、毒奶粉、地溝油，連雞蛋都是假的。沒有信仰的約束，物質文明的發展反而刺激並放大了人對慾望的追求，甚至促進了人的墮落。

我們當然也不是說物質文明的發達就一定會造成精神墮落，只是講物質文明跟精神文明之間沒有必然的聯繫。這不是像馬克思講的那樣。

下面談一下中華文明的核心到底是什麼。我們海外的華人有的時候也想把自己的文化介紹給西方人。我自己也參與過一些相關的推廣活動。有一次我問社區活動的組織者說：你覺得給西方人講中華文化應該怎麼講？對方說：我們可以跟他們一塊兒包餃子，一塊兒喝茶。很多人覺得這就是在傳播中國文化了。當然這確實是中國文化的一部分或者說一種表現，但它並不是中國文化的核心。

那麼中華文化的核心到底是什麼呢？在這裡我想引用《周易》中的一句話——「形而上者謂之道，形而下者謂之器」。意思是說，你看得見摸得著的，都是屬於器物層面的，用英文說就是一種載體，一種表現，是manifestation。而「形而上者」，就是看不見摸不著的，那才是道，也就是中華文化的精髓。

當然這麼說還是比較抽象，我們拿武術打一個比方。一提到武術，西方人可能會想到Bruce Lee，像李小龍的功夫；也可能會想到Kung Fu Panda（功夫熊貓），裏面也有很多中國功夫的元素；還有可能想到電影Matrix裡邊一些中國功夫的展現或者打鬥。但實際上中國功夫最精髓的東西是什麼呢？

我們都聽說過一句俗話，叫「天下功夫出少林」。少林寺應該是天下武功中的泰山北斗了。實際上少林寺是禪宗祖庭，中國禪宗的發源地。它的第一代祖師就是達摩，而達摩本人是一個佛家的修煉人。他在北魏年間到達中國，在少室山的達摩洞面壁打坐九年。他打坐的時間很長，以至於他的整個形象像照片一樣印到了他對面的牆壁上。現在我們看到的達摩的形象都是根據牆壁上的影子畫下來的。達摩也是少林功夫的鼻祖，留下了《易筋經》和《洗髓經》，實際上是內功心法。

禪宗的第六代傳人是六祖慧能，圓寂於公元713年。當時正好是唐玄宗剛剛登基的時候。他圓寂的地點在廣東國恩寺。我們知道廣東是相當熱的，又很潮濕。海鮮死掉一天就臭了。但慧能圓寂以後肉身不壞，被運回韶關，供奉在南華寺中，到現在已經1300年了，仍然端坐在那裡。就是說真正的功夫，其實是一種佛家的修煉方法，可以達到很高深的境界。

當然武功不僅僅有來自於佛家的，也有來自於道家的。跟少林齊名的就是武當。太極拳也是武林中很有名的拳法，創始人就是道家的宗師張三豐。

我們舉這兩個例子是想說，真正的武功練到最高境界的時候，就到了一種看不見摸不著的境地。它是佛家或者道家的內修方法，而不是我們現在看得見摸得著的街邊打架的那些招式。

在談到中華文明的時候也同樣如此。我們不會講特別多的具體的物質文明。我們真正想講的中華文明的核心，就是屬於形而上的道。

一提到形而上的道，很多人覺得是非常抽象的，但實際上這種形而上的東西在我們的思維中已經深深地紮下了根，成了我們說話、做事的一部分。比如說中國人經常挂在嘴邊的「己所不欲勿施於人」、「仁者愛人」、「千里之行始於足下」、「福禍相倚」等等，其中都包含了深刻的儒家和道家的哲學。

哲學是個聽起來很高深的詞匯。我想給大家看一段錄影，這是六十年代李小龍在好萊塢試鏡的時候，談到的一些他對功夫的理解。

李小龍創造了很多至今仍然無法打破的紀錄，比如說他一秒鐘可以出拳10次；一秒鐘可以踢6腿；他可以一掌把一個200磅的人擊出20米遠；他可以在離你一寸的地方發力，可以把一個人推出五六米遠；包括他用雙節棍打乒乓球等等。但是你聽他講武術的時候，你感到他仿佛在談哲學。他說武術的最高境界可以用水來比喻，水無形無相，是天下至柔之物，但是攻堅強而莫之能禦，水可以把石頭給砸穿。因為它無形無相，你既不可能抓住它，也不可能傷害它，也沒辦法打擊它。它可以因敵而變化，非常靈活。這就是武術的最高境界。

李小龍講的這些東西就非常像中國道家或者兵家的思想，就像老子在《道德經》中講的「天下柔弱莫過於水，而攻堅強莫之能勝」。《孫子兵法》裡也講「兵形象水」，用兵也要像水一樣，「水之形，避高而趨下：兵之形，避實而擊虛」，「兵無常勢，水無常形；能因敵變化而取勝，謂之神」等等。用兵也好、武功也好，包括為人處事甚至治國等，都要符合水的特性。功夫當然也不例外。

我想說個什麼問題呢？就是李小龍雖然是功夫大師，但你聽他講的東西已經昇華到了一種哲學的境界。他找到了武術中一定層次的道。其實在中國古代，我們說360行，每一行都有它的「道」，就是那種看不見摸不著的東西，也是那個行業能夠達到的最高境界。

那麼怎麼才能找到這個「道」呢？按照老子的說法：「為學日益，為道日損，損之又損，以至於無為」。這裡老子區分了兩個概念，一個叫「為學」，一個叫「為道」。「為學」就是像現在在學校中傳授一些知識（當然現在很多學校傳授的是否是知識本身也成了問題，因為它會講很多那種現代的觀念、文化馬克思主義的東西）。那麼「為道」呢？實際上是心靈境界的提升。我們在講中華文明史的時候，我會談到很多我對「為道」方面的理解。

下面我們說一下中華文明的特點。這裏我總結了五個方面，我們今天先講前面的兩個，後面三個我們留到下一次再講。

首先，中華文明是世界上唯一連續傳承了5000年的文明。

我們知道，世界上有很多文明古國，雖然有的比中國歷史還長，但他們的文明湮滅了或者中斷過。比如埃及，建金字塔的埃及人和現在的埃及人完全不是一回事。現在的埃及人連金字塔怎麼建的都不知道了。而且埃及文化本身也經過很多次的變化。一個是馬其頓國王亞歷山大大帝征服埃及之後，埃及的文化就向希臘和羅馬這一支靠近，因為亞歷山大是亞裡士多德的學生。後來埃及在拜占庭時代還一度曾經是一個基督教國家。在後來埃及的文化又穆斯林化了。它的文化發展是中斷的，文化形態經過急劇的變形。所以現在的埃及文明跟原來的埃及文明已經完全不一樣了。

古代的巴比倫也是一樣。古巴比倫的首都位於現在伊拉克首都巴格達郊外40公里的地方。古巴比倫最開始的居民是蘇美爾人和阿卡德人，後來被不同的民族相繼征服過。它曾經被亞述征服過，被迦勒底人征服過等等。迦勒底人在征服巴比倫之後試圖建造通天塔，就是《聖經》裡面講的巴別塔，尼布甲尼撒二世又建空中花園等等。但是這些東西都已經找不到了。古巴比倫使用的文字是楔形文字，但你看現在伊拉克的文字是阿拉伯文字，跟古代巴比倫的文化已經完全斷絕開了。古巴比倫的文字現在都沒人認識了。

古印度文明存在的年代也很古老。在中國的夏商時代，那裏曾經出現過哈拉巴文明。後來這個文明一夕之間突然毀掉了。當時它文明最發達的地方在現在印度次大陸的北端。後來考古學家曾經發掘出過一些遺跡，像摩亨佐-達羅，就是古哈拉巴文化鼎盛時期留下的城市，結果一夜之間好像是被火山給埋住了。古印度人就開始向東南方向遷移，到達恒河流域，印度文化就進入了吠陀時代。「吠陀」就是知識的意思。當時是婆羅門教非常興盛的時期。後來在2500年以前釋迦摩尼出世。釋迦牟尼原本是迦毗羅衛國的王子，所以佛教對印度文明也產生了很大影響。再後來，它的文明等於又向東南又遷移了一下。印度後來又被貴霜、阿拉伯帝國、突厥人、蒙古人等征服過，大航海時代以後又引入了歐洲的文明。所以整個印度文化中間也經過很多變形和中斷，跟古代的哈拉巴文化已經完全隔開了。

在所有文明古國中，只有中國的文明從一開始出現就一直沒有中斷。今天所生活在中國那片土地上的人就是5000年前生活在這塊土地上的那些人的後裔。我們的文化在那個時候創生，一直發展流傳到了今天。所以這是我們中國人非常驕傲的一點，我們的文化是世界上流傳下來的最古老的文化。

中華文明第二個特點，就是留下了5000年不間斷的信史記載。

在別的國家，修史一般來說都是私人的興趣愛好，於是就把某一個歷史事件記下來。就比如像凱撒大帝寫《高盧戰記》，修昔底德寫《伯羅奔尼撒戰爭史》，希羅多德寫《歷史》講希波戰爭等等。他就講那麼幾十年或者是幾年之內發生的事情，也很少得到官方的支持。這是西方國家歷史記載的一個特點。

但中國不是。中國有非常完善的史官制度。中國人通常說自己是「炎黃子孫」，其中的「黃」指的就是軒轅黃帝。他是中華文明的創始人，也被稱為「人文初祖」，相當於中華文明的Founding Father。

不知道大家是不是注意到一個現象。中國的文字是誰造的呢?傳說中是倉頡造的。而倉頡是什麼人呢?倉頡是軒轅黃帝身邊的一個史官。這讓我們產生一種印象,就好像倉頡造字的重要目的之一就是記史。所以從軒轅黃帝之後開始,歷朝歷代統治者的身邊都有史官。

中國有非常完善的史官制度,把當時這個國家、城市或者部落的最重要的事情記載下來,所以就這樣留下了5000年不間斷的歷史記載。其實我覺得中國歷史記載的完整性,也可能跟中國人的心態有關。中國人非常崇拜祖先,要祭祖。從孔子、周公甚至再往前,很久很久之前中國人就開始祭祖。祭祖是祖先崇拜的表現,那麼對祖先留下的文化就要繼承,表現形式就是這些文化和大事件記在了史書中。

還有一個特點就是中國在秦以後,進入了一個大一統時代。大一統的概念在中國深入人心。從此之後的2000多年,中間雖然經歷過很多次的分裂,但是它總體的趨勢,或者是中國人心中的嚮往還是統一。這又對於歷史記載有什麼好處呢?

我們可以想像假如說天下分為萬國,每個國家都是像一個小的城市一樣,像古希臘的城邦國家一樣,在這樣的小地方不會發生什麼驚天動地的大事的。因為它沒有那麼多的人力、物力、財力,也不可能做出震動天下的事情,人們的生活相對來說就比較安定和平穩。在這種時候通常是無事可記的。

咱們在看童話的時候經常看到這樣一句話,「從此王子與公主幸福的生活在一起」。當看到這句話的時候,你基本上知道故事結束了。為什麼呢?因為幸福的生活沒什麼事可記的,能記下來的都是衝突。所以說當天下有萬國的時候,大家生活都非常安定,也就沒有必要留下那麼多的歷史記載。而且你可以想像,天下如果分為萬國,可能有的國家比較重視歷史,還記一記;有的國家根本就不記。你看歐洲就是嘛，為什麼它歷史記載沒有中國那麼完善？我覺得跟它的封建制度是有關係的，一個一個的公國或諸侯國林立，事兒少，記下來的東西就少。不像中國，秦始皇南征百越、北擊匈奴、統一文字、統一貨幣、統一度量衡等等，幹了很多掀天揭地的大事，留下一些豐功偉績，所以一定要把它記下來的。

如果你看中國歷史的話，也會發現當中國陷入分裂的時候，歷史的記載就相對模糊一些。比較典型的象東晉十六國時期，就是西晉皇室遷到長江以南之後，中國北方被五個少數民族先後佔領，匈奴、鮮卑、羯、氐、羌，歷史上稱之為「五胡亂華」時期。北方十六國留下的歷史，相對來說就比較簡單。《晉書》是晉王朝留下的正史，其中對於東晉的記載就相當詳細，對於北方十六國記載就非常簡略。像中國的三國時代，當時蜀國就沒有史官。陳壽在《三國志》裡就講，蜀國「國不置史，注記無官」。所以《三國志》裡邊關於蜀國的記載是非常簡略的。

中國的五代十國時期，五代指的是北方的梁唐晉漢周，基本上在長江以北，然後南方先後出現九個政權，所謂「十國」就是南方這九個政權加上北方的北漢。那麼南方十國的歷史記載就非常簡略。《新五代史》裏關於十國的記載，每國就一章，非常簡略。北方這五代那就除了有皇帝之外還有些關於大臣的記載，相對詳細一些。

到了北宋南宋的時候，也是一個分裂的時代。咱們說宋朝好像是個統一王朝，其實是分裂的。當時天下多國林立，像遼國和金國因為受漢化影響很深，所以他們的記史就比較完整。二十四史中還有《遼史》、還有《金史》。但是像西夏的歷史現在就幾乎沒有，因為當時西夏國不記史。還有大理國也是跟兩宋並立的，它的歷史記載也非常簡略。

我想說的意思就是，當中國處在分裂的時候，小國可能不記史。歐洲不記史我估計跟這個也有一定關係。只有大一統的王朝才對歷史的記載非常重視。

再有一個就是中國人對歷史存在一種敬畏。我們知道共產黨可以說是無法無天。毛澤東就說自己「和尚打傘，無法無天」，但當大饑荒發生的時候，劉少奇用什麼樣的一句話說服了毛澤東，把那些非常瘋狂的舉動停下來的呢？劉少奇跟毛澤東講：人相食，這是要上書的。意思就是，現在的大饑荒已經造成了人吃人了，你和我都要因此寫到史書中的。毛澤東聽了這句話，才把大躍進的瘋狂舉動停了下來。所以即使像毛澤東這樣無法無天的人，但是他還是怕歷史的，也要在意自己身後的名聲的。

所以我覺得中國完善的史官制度、大一統王朝的建立和對大一統的嚮往、包括中國人祭祖，以及對歷史的敬畏，就使中國五千年的歷史一直這樣記載了下來，沒有中斷。

剛才提到中華文明史的五個特點，我們前面講了兩個。後面還有三個特點，包括中華文明是不同的民族創造的、它的道家文化非常發達，還有就是系統的預言現象。這些事兒咱們下一節課再說。

第七講❖中華文明的特點

Chapter. 7 Characteristics of Chinese Civilization

上一節課咱們講了中華文明的兩個特點：第一個特點是它是世界上唯一連續傳承了5000年的文明；第二個特點是留下了5000年不間斷的信史記載。今天我們講一下後面三個特點。

三、中華文明是不同民族共同創造的

第三個特點是中華文明不是由一個民族創造的，而是由不同的民族共同創造的。我們知道，中國也稱為華夏。夏朝的時候，華夏民族在中原地區創造了文明。商朝跟夏朝不是一個民族，而是東夷人。然後商滅了夏，建立了一個新的王朝，把東夷的文化也帶到了中原地區。周族滅商族后，也把周文化帶到了中原地區，像東周洛陽也是周文化非常發達的地方。

從秦漢以後，中國不斷地被少數民族入侵。這種入侵早在戰國就開始了。在戰國後期，草原上已經崛起了強大的民族匈奴。所以當時北方的這些國家，象燕國和趙國都在國境上修長城。我們現在說起長城印象中好象都是秦始皇修的，其實不是，秦始皇是把燕趙的長城給連起來了。當時還出現了抵禦匈奴的名將，像趙國的李牧。但當時燕趙對匈奴主要採取的都是防守策略，畢竟還是秦國的威脅更大嘛。

漢朝從開國就受到匈奴的威脅。漢高祖劉邦登基後，封了七個異姓王。其中有一個叫韓王信。劉邦不太信任韓王信，後來韓王就投降了匈奴。劉邦一怒之下親率32萬大軍出征，結果被匈奴困在了白登山上。這是一個很有名的歷史事件，叫白登之圍。劉邦僥幸逃脫，在劉敬的勸說下開始跟匈奴通婚，把大漢的公主嫁過去給匈奴做閼氏(yān zhī)，相當於王后。那麼生下的孩子其實就是混血了。劉邦又把匈奴單于賜姓為劉，漢朝公主生下的兒子就變成了劉氏的後代。其實匈奴人也認為自己有漢人血統。

漢武帝時期一度對匈奴主動出擊，試圖解除匈奴的威脅。但草原上就是這樣，你一旦把一個遊牧民族打跑了，很快就會有另一個遊牧民族填進來，繼續對中原形成威脅。所以你會看到中國幾乎每一次亡國，就是因為被北方的少數民族入侵。我們可以一個一個的看過去。

東漢末年是黃巾軍之亂，之後就進入三國時期，最後統一於西晉。西晉在統一後不久就爆發了「八王之亂」，詳細的歷史我們有機會再說它。八王之亂造成了西晉國力的衰弱。當時處在西晉北部的匈奴一看漢人的政權不行了，他們就建立了一個國家，國號就叫作「漢」。

聽起來很奇怪，是吧？由少數民族建立的國家叫「漢」，好像他們是漢人的感覺。不過，建立漢國的劉淵確實也認為自己是漢高祖劉邦的後裔。後來劉淵的兒子劉聰出兵把西晉給滅了，歷史上稱之為「永嘉之亂」。

永嘉之亂以後，東晉的士族，就是讀書人，就遷到了長江以南，歷史上稱之為「衣冠南渡」。中國的北方就被少數民族佔領了。當時有五個少數民族，匈奴、鮮卑、羯、氐和羌建立了十幾個政權。所以這個時期中原地區的文化，就是這些少數民族和漢人一起創造的。在少數民族控制地區，佛教率先得到了大規模的發展，然後再逐漸擴展到南方。所以中國文化在這個時期有一次大融合，跟別的民族的文化融合。

魏晉南北朝之後就是隋唐。我們想像中隋唐是中華文化的黃金時代，但實際上，隋唐開國的皇帝都是鮮卑人的後裔。隋文帝楊堅的獨孤皇后就是鮮卑人，獨孤皇后的父親獨孤信是西魏的柱國大將軍。獨孤信除了有楊堅這麼一個女婿之外，還有一個女婿叫李虎。李虎生了唐高祖李淵。所以唐高祖也帶有鮮卑血統。雖然我們認為隋唐是中華文化的黃金時代，但實際上是鮮卑人跟漢人、還有很多別的民族共同創立的。

唐朝有很多很多的少數民族在中國做官，僅突厥人就占中央政府文武大臣的40%。然後還有很多來自于波斯、日本、韓國的遣唐使到中國來學習文化，然後留在中國做官。所以如果翻開隋唐的史書，你會看到很多稀奇古怪的姓。那些人都是少數民族。所以隋唐文化其實也是漢人跟少數民族共同創立的。

在唐朝中葉，契丹崛起於中國東北。為了防備契丹，唐朝設置藩鎮，讓安祿山擔任范陽、平盧、河東三鎮的節度使，最後導致了安史之亂。在唐朝中後期，契丹一直威脅著大唐的安全。當然還有北方的回紇等少數民族，也是大唐的邊患。到了五代十國時期，契丹變得越來越強大，五代中的後晉就是被契丹（契丹是族號，此時國號已經改為「遼」）所滅。後晉出帝被遼太宗耶律德光俘虜。遼太宗還在開封住了幾個月，後來覺得天氣太熱，才回到了北方。

北宋初年，楊家將抵禦的也是契丹，再往後北宋是被北方的少數民族女真族所滅。文化重心再度南遷。南方的南宋與北方的金國，形成了南北對峙的局面。但遼和金是深度漢化的王朝，所以北方也有一個文化的融合過程。

再往後就是蒙古滅亡南宋建立了元。明朝也受到過蒙古人的威脅，明英宗一度被瓦剌人（瓦剌是成吉思汗的後裔）擄走。最後明朝的滅亡也是來自於北方的滿族人。

我們把中國歷史這麼看下來的話，就會發現北方一直威脅著中原王朝的生存。幾乎是每次改朝換代的時候，就有一個新的游牧民族威脅中原地區。他們不斷侵入到中原王朝的土地上，然後定居下來，跟漢民族一起改造中國文化。所以中國的文化是不同的民族一起創造的。雖然很多的民族都漢化很深，但是中華文化中還帶有許多少數民族的文化色彩，尤其是隋唐。所以說中華文化的來源相當複雜。

講到這裏順便講一個現象。中國文化帶有非常鮮明的朝代特點，就是每一次到了改朝換代的時候，文化形式就會發生重大的變化。

咱們拿文學形式打個比方，比如說春秋的時候是《詩經》這種四言詩，戰國的時候出現了《楚辭》，這是另一種風格的詩；漢代最有代表性的文學形式是「賦」，魏晉南北朝的時候是「駢文」，然後是唐詩、宋詞、元曲，到明清的長篇章回小說。每次改朝換代的時候，文學形式都會發生變化。

中國哲學也一樣。先秦叫「子學」，研究先秦諸子的學問；兩漢叫「經學」，研究儒家的經典；魏晉叫「玄學」，研究《老子》《莊子》和《周易》；隋唐是佛學；宋明是理學，宋代朱熹的理學和明代王陽明的心學；到了清代的時候就是「樸學」。改朝換代的時候，哲學思想也發生變化。

其它的像建築、衣裳等等都會出現類似的變化。這背後也是有原因的，我們這裏先不去講它了。

四、道家文化發達

中華文明的第四個特點就是道家文化非常發達。

在上一講說到武術的時候，我們曾經提到，武術到了很高境界的時候，它或者是佛家的修煉，比如少林武功，或者是道家的修煉，比如武當派武功。其實中華文化的很多現象，你追查上去，經常會看到佛家或者道家的因素。而中國的道家文化十分發達，這個特點是其它民族不具備或者不明顯的。

傳統上來講，道家是選徒弟的，是師徒這樣一條綫單傳下來的，沒有佛家普度眾生的形式。因為歷代單傳，甚至可能是在深山裏修煉，按道理講應該不會有很大的社會影響。實際情況并非如此，中國文化從一開始就是道家文化。

我們把軒轅黃帝稱為「人文初祖」。凡是對我們生活有影響或者是對歷史有影響的重大發明創造，幾乎都可以上溯到軒轅黃帝。像日曆、舟車、宮室、服裝、音樂等都是軒轅黃帝留下來的。所以他對中國文化的影響非常大。

但軒轅黃帝又是一位道家的修煉人。按照《史記·封禪書》的說法，黃帝曾經在荊山下煉鼎修道，修成了之後有龍來接他。黃帝跨著龍就飛走了。當時很多大臣捨不得黃帝走，就去拽那條龍的鬍鬚，結果把龍的鬍鬚都拽斷了，黃帝還是飛走了[*1]。

軒轅黃帝毫無疑問是道家的修煉人，因為中國道家把自己的學說稱為「黃老之學」。其中的「黃」指的就是軒轅黃帝，「老」指的就是老子。所以中華文明一開始就是道家文化，這是沒有什麼異議的。道家文化的特點我總結了兩條：

1、離散性

第一條我把它稱為「離散性」，是我從離散數學discrete mathematics借用了這麼一個詞兒。「離散」的意思就是不連續。什麼意思呢？

因為道家是選徒弟的，所以他挑的徒弟一定要悟性特別好。好到什麼程度

*1　《史記·封禪書》：黃帝采首山銅，鑄鼎於荊山下。鼎既成，有龍垂胡髯下迎黃帝。黃帝上騎，群臣後宮從上者七十餘人，龍乃上去。餘小臣不得上，乃悉持龍髯，龍髯拔，墮，墮黃帝之弓。百姓仰望黃帝既上天，乃抱其弓與胡髯號，故後世因名其處曰鼎湖，其弓曰烏號。

呢？我們來看一下孔子《論語》中有一段對話——孔子有一次和他的弟子子貢聊天。子貢是一個特別聰明的人，用我們現在的話來說，就是智商和情商都很高，又很會做生意，特別有錢。但有時候會有點兒張揚，有點兒自鳴得意。師徒兩人聊天的時候，孔子就問他：阿賜(子貢的名字叫賜)，你覺得你和阿回比怎麼樣？「回」就是顏淵的名。子貢雖然自視很高，但也知道老師是很看重顏回的。子貢就謙虛了一下，說：「賜也何敢望回，回也聞一以知十，賜也聞一以知二」，意思就是說我阿賜怎麼能跟阿回相比呢？老師告訴我一，我最多能想到二。但是顏回啊，老師告訴一，顏回就能想到十。然後孔子說，我們都不如他，你跟我都不如他[*2]。

給大家講這個故事是想說，當給顏淵講一個道理的時候，孔子講完「一」，他不用再講「二三四五六七八九十」了，因為顏淵已經明白了。所以再往下，孔子講完「一」，可以直接就講「十一」了。中間跳過去的「二三四五六七八九十」怎麼辦呢？那就靠弟子自己去想了。

道家選徒弟就是要選這樣聞一知十的人。所以師父給徒弟講道的時候，不需要講得特別明白，點到為止，徒弟自己就明白了。所以你會看到中國文化的什麼特點呢？就是覺者或者哲人在表達其思想的時候，表述方式是不連貫的。

所以你無論是讀孔子的《論語》，老子的《道德經》或者是《孫子兵法》你會發現它一段一段話都是不連貫的，都是一些結論性的東西，基本上沒有推理的過程。篇幅也相當有限。《道德經》五千言，《孫子兵法》也就是六千字。但是《道德經》裡面包含著宇宙的產生、怎麼治理國家、怎麼用兵、怎麼處理人際關係呀等等，都在這五千言裡。這麼深奧的道理別人能看懂嗎？那就是你的問題了，是要靠你自己的悟性去填補的。而在老子看來，那些東西是不需要講或者不能講的。

*2　《論語·公冶長》：子謂子貢曰：「女與回也孰愈？」對曰：「賜也何敢望回。回也聞一以知十，賜也聞一以知二。」子曰：「弗如也！吾與女弗如也。」

你看《論語》也是，就是師生之間的一個對話集。你也看不到其中有什麼邏輯關係，但是裡面包含著深刻的治國平天下的道理。我想說的就是，道家選徒弟就帶來這樣一個特點。孔子還講：「舉一隅不以三隅反則不復也」（《論語·述而》），就是如果你不能舉一反三的話，我就不教你了。所以中國文化就是不連貫的。

在馮友蘭的《中國哲學簡史》中，他講了這樣一段話：

「人們開始讀中國哲學著作時，第一個印象也許是，這些言論和文章都很簡短，沒有聯繫。打開論語你會看到每章只有寥寥數語，而且上下章幾乎沒有任何聯繫。打開老子，你會看到全書只約有五千字，不長於雜誌上的一篇文章；可是從中卻能見到老子哲學的全體。習慣於精密推理和詳細論證的學生要瞭解這些中國哲學到底在說什麼，簡直感到茫然，他會傾向於認為這些思想本身就是沒有內部聯繫吧，如果當真如此，那還有什麼中國哲學，因為沒有聯繫的思想是不值得名為哲學的」。我曾經讀過林語堂的《吾國與吾民》。林語堂想用英文把中國文化介紹到西方去。他在書中就提到：中國人非常含蓄。西方人很外向，這事我怎麼想，那我就怎麼說。中國人不是。他明明想「十」，但他就說「一」，就是有所保留，非常含蓄。林語堂只是提出了一個現象。其實我覺得很可能就是跟道家文化的特點有關。我說完「一」之後，如果你足夠聰明，你應該自己去想從二到九，那不是我要做的事情。

中國人的詩也是一樣。你看西方人的詩，像《荷馬史詩》或者十四行詩之類的詩，它是敘事，在給你講一個故事。中國的詩不是。中國當然也有敘事詩，像《孔雀東南飛》之類的，但極少。大量的詩都是用非常簡約的字給你描摹勾畫出一種意境，所以中國的詩更注重的是一種心靈的體驗。

所以馮友蘭說：

「因而名言雋語、比喻例證就不夠明晰。它們明晰不足而暗示有餘，前者從後者得到補償。當然，明晰與暗示是不可得兼的。一種表達，越是明晰，就越少暗示；正如一種表達，越是散文化，就越少詩意。正因為中國哲學家的言論、文章不很明晰，所以它們所暗示的幾乎是無窮的。」比如當我提到水的時候，你想像中可以是熱水、冷水、溫水、冰水、糖水、鹽水，你可以想很多很多不同的水，這就是模糊帶來的結果——給你很多想像發揮的空間。但是我一旦跟你說，這是一杯20度的水，這就把你的想像限定住了。你表達得越明晰，聽者能夠想像的空間就越少。中國人常常用詞模糊，理解多少看每一個人的悟性，這是非常典型的道家的特點。

馮友蘭接著講：

「富於暗示，而不是明晰得一覽無遺，是一切中國藝術的理想，詩歌、繪畫以及其他無不如此。拿詩來說，詩人想要傳達的往往不是詩中直接說了的，而是詩中沒有說的。照中國的傳統，好詩『言有盡而意無窮』。所以聰明的讀者能讀出詩的言外之意，能讀出書的『行間』之意。中國藝術這樣的理想，也反映在中國哲學家表達自己思想的方式裡。」

在字裏、在行間的意思靠讀者自己去想像。我覺得就是跟道家帶徒弟這種傳承方式有關。

跟道家面向一個徒弟相比，基督教也好、佛教也好，則是面向大眾的，就比如耶穌要給眾人講明白一個事，就需要把道理講得很透。佛家也一樣，帶有普度眾生的願望。當他面對很多人的時候，他就把話講得清楚明白，所以你會看到佛家有「因明學」，對邏輯非常重視。他要把一個事講給所有的、不同資質的，或者聰明或者不聰明的人，那麼它的文化特點就是非常精確和明晰。

不知道這麼說是不是有些抽象，我們舉一個日常生活的例子。比如說你要到麥當勞去吃東西，無論你在紐約、舊金山，還是在多倫多、巴黎或者北京，你吃到的炸薯條基本上是一個味道。為什麼呢?因為對原料的選取,土豆切成多粗的條,油燒到什麼溫度,炸多久,整個流程設計得非常精確。所以你看西方做菜的時候,有各種各樣的量杯、稱重的東西和定時裝置。你只要嚴格按著菜單去做,基本上來說結果不會太差。就是菜單定得越明確,最後做出的東西,味道就越統一。所以你不管在哪一個麥當勞連鎖店吃到的巨無霸,味道都是差不多的。

中國人就不一樣了。比如他跟你講怎麼去做魚片,他會告訴你,選一條魚,大概多重;切成片,至於切的多大、多厚你自己看著辦,他不告訴你;然後把油鍋燒熱,至於多熱算熱,也不告訴你;然後把魚片扔到油鍋裡炸,炸到微微發黃,多黃算微微發黃啊?最後調味的時候,他告訴你放蔥花兒少許,鹽適量,糖若干,醋倒一點兒之類的。都是這種量詞,若干、少許、一點兒之類的,不給你明確的定義。那你怎麼操作呢?那就看你的悟性了。你要悟性好,做出的菜就很好吃;否則,做出來的東西就很難吃。但是悟性好的那些大廚們,同一道菜,十個廚師可以做出十種不同的好吃來。西方菜單就不一樣,做出來的味道基本是一致的。

所以中國人這種模糊思維跟西方人那種精確思維之間的關係,我覺得像道家修煉跟佛家修煉的關係。道家思維就是不給你講清楚,這就是我說的道家文化的「離散性」。

我很小的時候讀《連環畫報》,上面有個故事說有一個店主賣畫。有一天來了個客人,看上了牽馬過橋圖,一個人在用力把馬往橋那邊拉。客人說這畫我喜歡,問多少錢?店主說500兩銀子。那人說我今天錢帶得不夠,得回去取,過一會兒回來。客人就走了。店主就看這幅畫,總覺得有點兒不對。為什麼呢?這人拉馬的時候,在畫上看不到那根韁繩。店主看著彆扭,就拿起毛筆把那根繩子補上了。結果買畫人回來之後就說不買了。店主很奇怪,問他為什麼。那人說,我花500兩銀子,買的就是那條雖然看不見但是能夠感受得到的繩子啊。

李可染的《牧牛圖》。上邊一筆水都沒畫，但是你明顯能感到牛在水裡。從他的畫上，你能夠感受到水。西方的油畫都得畫滿了。如果你有一個地方沒填滿，那是你沒畫完。中國畫卻一定要留白，給你自己去創作和想像的空間。這就是我講的中華文化的一個特點——離散性，全靠你自己的悟性。

2、全息性

第二個特點，我管它叫全息性。這也是我從「全息照片Holography」中借來的一個詞。我們知道普通的照片，照完後印在紙上。當你把這張照片撕碎的時候，每個碎片只包含了原來照片的一部分信息，對吧？全息照片不是這樣。用一束激光打到一個物體上，這個物體反射的光綫和另一束參考光會產生干涉紋。讓這個干涉條紋成像在底片上。然後你用一束同樣的參考光綫打到底片上，就可以還原出被攝物體的3D全貌。這種全息照片一旦形成之後，你把它切得再碎，隨手拿起任何一個小塊，用參考激光打上去，都能夠還原出原物體的全貌。也就是說，在激光全息照片的底片上，任何一小塊兒都包含了被攝物體的全部信息。也就是部分等於整體。這也是中國道家思想中非常重要的一個特點。當然這麼講又抽象了。

中國有一個非常有名的故事，叫高山流水，講的是俞伯牙和鐘子期留下的典故。俞伯牙在彈琴的時候，當他心中想像高山，鐘子期就能夠感到他想的是高山。所以鐘子期說，「峨峨兮若泰山」。當俞伯牙心中想的是流水的時候，鐘子期也能夠感受到，說，「善哉，洋洋兮若江河」[*3]。也就是說，當俞伯牙彈琴的時候，每一個音符發出來，都包含著彈琴人心裡的全部信息。這就是我講的全息的概念。哪怕你只是一個音符都包含你全部的信息。

理解了全息性的概念，你會更容易理解中國文化中的一些現象。比如說，中國人通過測字算命。就是你寫個字或者隨口說一個字，只要是你寫的或說的，測字的人就可以告訴你，你的過去未來是怎樣的。也就是你寫的一個字，就包含著你過去、未來的全部信息。然後還有看手相、看面相也可以知道你的過去未來。中醫的針灸，針灸師可以在你一隻耳朵上扎針治療你身體所有部分的病，因為你的耳朵就是你，你的一部分就是你的全部。你的一隻手掌上的紋，就包含了你的全部信息在裡面。

在《史記》中還講過一個故事，說孔子有一次跟师襄學琴，十天都沒有學新的曲子。师襄說：「可以跟我學下一個曲子了」。孔子說：「不行，我雖然熟悉了曲子，但技法還沒有純熟」。又過了幾天，师襄又說：「技術已經可以了，咱們學下一個曲子吧？」孔子說：「不行，我還沒有理解這個曲子的情感意境。」又過了幾天，师襄說：「可以了，咱們接著學新的曲子吧。」孔子說：「不行，我還沒有體會出作曲者是怎樣的一個人」。於是孔子又彈了幾天，忽然有一天肅穆沉思，隨後又心曠神怡，產生遠大的志向。孔子推琴而起，跟他的老師講了這樣一番話。孔子說：「我終於知道這個人的形象了。他身材高大，皮膚黝黑，目光深邃而明亮，有著統治四方的王者之相。他一定是周文王啊。」當時师襄就驚了，離開了自己的座位向孔子下拜，說我的老師告訴我，這支曲子的名字叫做《文王操》，就是周文王寫的曲子[*4]。

---

*3 《列子·湯問第五》：伯牙善鼓琴，鍾子期善聽。伯牙鼓琴，志在登高山。鍾子期曰：「善哉！峨峨兮若泰山！」志在流水，鍾子期曰：「善哉！洋洋兮若江河！」伯牙所念，鍾子期必得之。

所以你看《史記·孔子世家》裡的這段記載，孔子能夠通過彈一首曲子，還原出作者的形象。連皮膚、身材、眼光、氣質這些細節都能夠描述出來。這是因為這一首譜子裡也包含了作者個人的全部信息。這就是我講的道家文化的特點「全息性」，部分就等於是整體。

當然道家的宇宙觀也影響了我們對事物的看法。比如說道家最高的理是太極。太極圖是一個圓，周而復始。因此中國人的時空觀也是周而復始的。中國人認為時空是個圓，這跟西方不一樣。西方時空是線性的，今年是2020年，明年是2021年，然後是2022年等等，你永遠不會再回到2000年了，因為他們的時空觀是線性的。所以你看西方的芭蕾舞，非常講線條，一定要直，一定要绷，一定要開，我覺得都跟它的宇宙觀有關係。宇宙觀決定了審美。

中國的道家認為宇宙是一個循環體，所以就非常重視圓運動。中國的時空是圓的。你會看到中國用干支紀年，六十年一個甲子，它就循環回來了。今年是庚子年，過60年就又是庚子年。中國的舞蹈非常重視圓，象平圓、立圓、八字圓，正圓、斜圓、各種各樣的圓。武功也重視圓，都是跟道家的宇宙觀有關係。就是說，我們在中國文化中可以找到很多道家的影響，說話不直接，講得很離散，靠你自己去悟；局部等於整體，循環的時空觀等等這些東西。

五、預言現象

中國文化還有一個很大的特點，就是留下了非常系統的預言。這個事我們沒有時間去詳細地講。在《笑談風雲》這套講史節目中，我幾乎每一部最後都會

---

*4 《史記·孔子世家》：孔子學鼓琴師襄子，十日不進。師襄子曰：「可以益矣。」孔子曰：「丘已習其曲矣，未得其數也。」有間，曰：「已習其數，可以益矣。」孔子曰：「丘未得其志也。」有間，曰：「已習其志，可以益矣。」孔子曰：「丘未得其為人也。」有間，［曰］有所穆然深思焉，有所怡然高望而遠志焉。曰：「丘得其為人，黯然而黑，幾然而長，眼如望羊，如王四國，非文王其誰能為此也！」師襄子闢席再拜，曰：「師蓋云文王操也。」

總結一下，會提到一些對這個時期的預言。《東周列國》、《秦皇漢武》，《隋唐盛世》、《兩宋繁華》和《大明王朝》，每段歷史留下了哪些預言，還有哪些在那段歷史應驗的預言等等，這也是跟西方不一樣的。

西方當然也有預言，像占星師也會告訴你未來會發生什麼，但是他沒有系統。當然也有個別的西方預言，會講得比較系統，像諾查丹瑪斯的《諸世紀》。但是它並不成為一個社會上被普遍認知的預言現象。而中國預言卻形成了一個體系。每一個漢人統治的長治久安的王朝就會留下一個非常系統的預言。比如說漢代留下了諸葛亮的《馬前課》，在唐朝留下了《推背圖》，宋朝留下了《梅花詩》，明朝留下了《燒餅歌》，都是預言從預言者生活的那個時代一直到佛經中說的萬王之王歸來的時候，或者說《聖經》中說的末日審判的時候，這中間過程中所發生的大事。這其實也在告訴我們，歷史是有一個劇本的。

如果說歷史有一個劇本的話，按照那些預言來講，我們現在所生活的時代就是一個極其特殊的時代。因為我們在第5堂課曾經提到過，就是不同的民族留下了一個共同的傳說，就是有一天神會回來。

按照佛經中講的，優曇婆羅花開放的時候就是轉輪聖王歸來的時候。而在2005年，我們真的看到了優曇婆羅花在全世界各地開放。佛經中是這樣講的，「優曇婆羅花為祥瑞靈異之所感，乃天花，為世間所無，若如來下生，金輪王出現世間，以大福德力故，感得此花出現」。

所以說我們生活的時代是一個特殊的時代。我經常講，歷史的安排是有目的的，神不會隨隨便便給你安排歷史。那到底安排的目的是什麼呢？為什麼全世界那麼多古老的文明，大洪水中都毀掉了，只有中華文明留下來了？是因為整個中華文明可能就是一個鋪墊的過程，是為了那件最後的大事做準備。這件大事就可能是優曇婆羅花所預兆的轉輪聖王的歸來。

當然關於中華文明為什麼綿延不斷，學者們也有他們的解釋。但這就像我前面講的，編劇的人為了讓最後的高潮來的自然，前面會安排很多要素。所以在學者們看來，中華文明能夠連綿不斷，也有一些這個世間能夠說得通的理由。在袁行霈主編的《中華文明史》中給出了一些解釋。這些解釋都能夠說明一些問題，但它未必就是根本的原因。但我覺得這些解釋還是很有學術價值的，所以也給大家講一下。

中華文化綿延不斷的第一個原因是因為中國的地理範圍非常廣大。其實我們看地圖就會發現中國處在一個得天獨厚的封閉區域裡面。東面是大海，西面是青藏高原和一片大沙漠，把中亞、小亞細亞和歐洲跟我們隔絕開了。中國的南面是原始森林，北面是草原和沙漠。所以中華文明是在一個非常封閉的地區建立的文明。它就不像希臘或者是一些小的國家容易受到來自馬其頓、羅馬或者波斯帝國的攻擊。而中國，基本上來說，只有北方可能對我們形成威脅。而通常這種入侵又能夠通過我們漢民族的文化同化掉。所以這個地理環境就對中華文化形成一種保護。

同時因為中國的地理範圍非常廣大，所以當中國遇到一些少數民族入侵的時候，它有空間可以大踏步後退，像西晉滅亡後的衣冠南渡，包括南宋時期的文化南遷等等，都是因為它有這麼大騰挪的空間，可以保住中國文化。

還有一個原因就是中華文明的規模非常巨大，因為它把政治、經濟、詩詞、文學、哲學等等全部融合起來，形成了一個整體。這個文明的體量就變得非常巨大。你把某一方面滅絕掉了，比如政治制度或者經濟生活改變了，但中華文明還可以通過別的載體來傳承。所以這也是中華文明能夠延續的原因。

再一個原因就是中國人的祖先崇拜。祖先崇拜就是慎終追遠，就是要延續祖先的文化。

還有就是在中華文化中「家國同構」，保衛國家就是保衛自己的家庭。所以中國歷史中出現了很多保家衛國的英雄。這種愛國主義的情懷也保護著這片領土上的人民和文化。

中華文化還有一種自強不息和厚德載物的精神，這就是《周易》裡說的 「天行健，君子以自強不息」，「地勢坤，君子以厚德載物」。自強不息就是剛健有為，人要奮發努力。同時厚德載物，厚德載物就是要包容，既自我完善同時又能夠吸納別的文化，這就讓中華文化的生命力非常旺盛。

還有一個很重要的原因就是中國的漢字，這也是中華文明中特別珍貴的財富。漢字的音和義是分開的，就是一個字讀什麼音和它的意思是分開的。不像西方的拼音文字，音和義是結合在一起的，像德文、法文、西班牙文，它的拼寫是根據讀音來的。那麼隨著時間的推移，如果一個字的讀音變了，拼寫方法就變了，原來的文字就讀不懂了。

而漢字的音和義是分開的。同樣一個字可能在上古時期、秦漢時期、隋唐時期和宋明時期，發音各不相同，但是它的字形不變。這樣若干年後，我們仍然能夠通過閱讀古籍去瞭解那時人的文化和行為。所以說，中國漢字字形的穩定——方塊字，對中華文明的延續做出了不可磨滅的貢獻。因為他跟讀音是完全無關，不管你是講廣東話、閩南話、客家話，或其它什麼方言，只要文字能夠統一，大家就可以交流，文化就可以一直保留下來。這些都是造成中華文化能夠一直延綿而且沒有中斷的原因。

今天咱們講了中華文明的一些特點，以及中華文化為什麼能夠流傳下來。我們下次節目再見。

第二部分

簡明中國史

第八講❖中國的歷史是如何記載下來的

Chapter. 8 How Chinese History Was Recorded

大家好，我們上兩堂課談到了中華文明的五個特點。其中一個就是留下了5000年不間斷的信史記載。今天咱們談一下中國的歷史是如何記載下來的。

一、史官制度

我們先從一個故事說起。這個故事就是澠池會。對中國歷史稍微有一點瞭解的都知道澠池會發生在西元前279年。當時秦國是一個非常強大的國家，而趙國在趙武靈王胡服騎射之後也變得非常強大。到了戰國後期，能夠和秦國抗衡的國家只有兩個，一個是趙國，一個是楚國。這時候秦王正準備南下去進攻楚國，為避免跟北面的趙國同時作戰，秦王就約趙王舉行一次兩國元首峰會。

宴席上，秦王跟趙王提出一個要求，說「聽說趙王非常善於演奏樂器，可不可以給我彈奏一曲呢？」於是趙王就彈奏了一曲。沒想到趙王彈完之後，秦王回過頭來跟史官說：「記下來，某年月日，秦王和趙王相會於澠池，秦王令趙王鼓瑟。」就是秦王命令趙王演奏。這對趙國來說是一種侮辱。趙國的君臣都有點不知所措。這時候，藺相如就站了出來。

藺相如捧起了一個缶，就是一個瓦盆，相當於打擊樂吧，送到秦王面前說：

「聽說秦王也善於演奏樂器，可不可以請秦王為我們趙王擊缶。」秦王非常不高興，說「我不幹」。藺相如跪下走到秦王面前說：「我願意在五步之內，把我一腔熱血濺到大王的身上。」意思就是，不管秦國的軍隊有多麼強大，但是現在離大王最近的是我，今天大王不敲一下，我就跟你拼了。秦國的武士想上來把藺相如給抓起來，藺相如瞪著眼睛朝武士們大吼了一聲，這些武士就全被嚇退了。秦王一看沒有辦法，就拿起筷子在瓦盆上敲了一下。藺相如回過頭來對趙國的史官說：「你記一下，某年某月某日，秦王與趙王相會於澠池，趙王令秦王擊缶。」[*1]，就是趙王命令秦王給他演奏樂器。這樣等於扳回了一局。

這個故事很多人都很熟悉，但是我們講這個故事，並不是要說明藺相如有多麼勇敢，而是請大家注意一個細節——當秦國和趙國舉行這樣的外交活動時，哪怕是宴會這樣的場合，雙方的國君都是帶著自己的史官的。

其實不光是戰國時期，再往前到春秋，甚至一直上溯到軒轅黃帝，國家的最高掌權者身邊都有史官。既然有史官，那麼歷史也自然就這樣記錄了下來。

我們曾經提到過中華文明的人文初祖軒轅黃帝，身邊有一個叫倉頡的人。傳說中，倉頡創造了漢字。但倉頡還有另外一個職務，就是史官。好像他造字跟他記史，二者之間有某種特別的聯繫。

軒轅黃帝是五帝的第一位。第二位就是軒轅黃帝的孫子顓頊帝。從顓頊帝開始就一直由司馬家族來記述國家的歷史。《史記·太史公自序》是司馬遷講訴自己家族的事跡的，裡面說從顓頊帝的時候開始，「南正重」（南正是官名，「重」

---

*1　《史記·廉頗藺相如列傳》：王許之，遂與秦王會澠池。秦王飲酒酣，曰：「寡人竊聞趙王好音，請奏瑟。」趙王鼓瑟。秦御史前書曰「某年月日，秦王與趙王會飲，令趙王鼓瑟」。藺相如前曰：「趙王竊聞秦王善為秦聲，請奏盆缻秦王，以相娛樂。」秦王怒，不許。於是相如前進缻，因跪請秦王。秦王不肯擊缻。相如曰：「五步之內，相如請得以頸血濺大王矣！」左右欲刃相如，相如張目叱之，左右皆靡。於是秦王不懌，為一擊缻。相如顧召趙御史書曰「某年月日，秦王為趙王擊缻」。

是名字)掌管天文;「北正黎」記載地理(北正是另外一個官名,「黎」是名字)。從堯帝開始,直到夏商,都是「重」和「黎」的後人負責記史[*2]。從司馬遷的敘述中,感覺「重」和「黎」這兩個人很可能是兄弟倆。到後面我們就會看到,「太史」是一種家傳的職業,有的時候是一家三、四個兄弟都做太史,「在齊太史簡」的典故說的就是一家兄弟四人都是史官。

所以黃帝身邊造字的倉頡負責記史。從第二位顓頊帝開始,一直到後面堯、舜、夏、商、周,就都由司馬家族的人來記史了。

我們知道司馬遷的職位是太史,太史這個職位至少始於西周,其工作有兩項:一項是負責觀天上星辰的運轉,發現什麼異象要及時報告給國君;還有一項工作就是記人事。古人有「天人合一」的概念,就是天上星辰的運轉和地上的人事有一種對應關係。《史記》中專門有一章叫《天官書》,就是講這種對應關係的。後面的史書中都有《五行志》,記述一些災異、預言等。所以從「天人合一」的理念出發。觀天文的同時也記人事,這就是太史的職責。

從司馬遷的敘述中,你會看到中國的史官是國家政治結構organization chart中的一部分。它不像西方,希羅多德或者是修昔底德,寫史純粹是個人對某一事件感興趣。而且他們記載的歷史都是一個片段,波斯人與希臘人的戰爭,雅典人與斯巴達人在伯羅奔尼撒半島的戰爭等等。但中國的歷史記載是有史官制度來保障的,有專門的職位和專業的人做這件事。史官是需要學習和培養很多知識的[*3]。所以中國的歷史記載就非常完整。

---

*2 《史記·太史公自序》:昔在顓頊,命南正重以司天,北正黎以司地。唐虞之際,紹重黎之後,使復典之,至于夏商,故重黎氏世序天地。其在周,程伯休甫其後也。當周宣王時,失其守而為司馬氏。司馬氏世典周史。

*3 《史記·太史公自序》:太史公(司馬談)學天官於唐都,受易於楊何,習道論於黃子。

到了夏商周以後，史官的職位就不是一個人了，分工也越來越細。比如說周代有一種職位叫「內史」，負責記載皇帝的言論，有點象秘書；還有「左史記言，右史紀事」等等。當時不光國君有史官，諸侯也有史官，就象我們看到的秦趙澠池會上的史官，甚至比諸侯再低一級的大夫，家裡邊也有史官。

我們知道戰國時期有四位著名的公子，都是養士的，孟嘗君是其中的一個。《史記·孟嘗君列傳》裏講過一件事。孟嘗君在第一次接見「士」的時候，要跟他們談話。談話的時候，孟嘗君後面有一個屏風，屏風後就有一個史官，負責把談話的內容記下來。孟嘗君這麼做主要是為了讓門客有一種賓至如歸的感覺。談完話後，孟嘗君就問屏風後的史官，客人家住哪兒、家裏什麼情況啊，然後一份禮物就送過去了。所以客人跟孟嘗君談完一回家，發現家裡已經有孟嘗君送來的禮物了[*4]。這是孟嘗君籠絡人心的方式。但大家可能會注意到一個細節，那就是像孟嘗君這樣並不是國君的人，他只是一個大夫、齊國的相，也是帶著史官的。

按照陳致平在《中華通史》中的說法，從北魏開始，就是南北朝時期，就開始有了「起居令史」。起居令史就是詳細記載皇帝的一言一行，編成起居注。後面還發展出像「實錄」類的史料。北魏是公元439年完成統一的，是一個鮮卑族建立的政權。這樣一個少數民族的政權也記史，說明它漢化很深了。

起居注可能記載的東西比較碎，等於是皇帝從起床到睡覺，中間說的話、做的事都記下來，起居注嘛。等到一個皇帝駕崩之後，把他的起居注拿出來整理成為實錄。那麼等到一個王朝滅亡之後，把某個皇帝的實錄再拿出來，整理成為這個皇帝的本紀。所以中國歷史就是這樣記載了下來。

*4　《史記·孟嘗君列傳》：孟嘗君待客坐語，而屏風後常有侍史，主記君所與客語，問親戚居處。客去，孟嘗君已使使存問，獻遺其親戚。

二、史官的實錄精神

有的人可能會有一種想法，中國歷史記載的可信度怎麼樣？它記的東西到底是真的假的？有沒有可能史官隱瞞一些皇帝做的錯事，或者是皇帝明明沒有那麼好，卻把皇帝寫的很好？當然我們也不能完全排除這種情況。但是絕大多數絕大多數的情況，這種歷史的記載應該是相當準確的。

我們還是要給大家講一個故事。這是唐太宗和房玄齡之間的一段對話。我們知道房玄齡是貞觀時期的名臣，太宗朝的名相。唐太宗問房玄齡：以前史官在記史的時候都不讓皇帝看，到底是為什麼呢？房玄齡回答說：因為史官「不虛美，不隱惡」，就是既不會無中生有地把皇帝誇得什麼都好，如果皇帝做了錯事，史官也不加隱瞞地記載。皇帝看史官記述了自己幹的壞事可能會生氣，所以就乾脆不讓皇帝看。

唐太宗就跟房玄齡說：我想看一看關於我的記載。太宗接著解釋說：我跟一般皇帝不一樣，不是為了求得一個好名聲，也不會生氣，遷怒於史官。但是我想看一看我以前到底做了什麼，看看什麼地方做得對或者做得錯，可以反思一下，吸取經驗教訓。諫議大夫朱子奢插話說：那也不可以，陛下是聖人一樣的君主，史書中記載的當然都是陛下的嘉言懿行。但是呢，如果一開這個頭，後世的史官在記史的時候就會有顧慮了——萬一我寫的這段被皇帝看見了，皇帝要生氣怎麼辦呢？他就不再敢秉筆直書了[*5]。所以好的、壞的你就甭管了，總之是不能讓你看，不能開這個頭。從這段對話我們可以看到，它是從制度上保證史官可

*5 《資治通鑑》第197卷：初，上謂監修國史房玄齡曰：「前世史官所記，皆不令人主見之，何也？」對曰：「史官不虛美，不隱惡，若人主見之必怒，故不敢獻也。」上曰：「朕之為心，異於前世帝王。欲自觀國史，知前日之惡，為後來之戒，公可撰次以聞。」諫議大夫朱子奢上言：「陛下聖德在躬，舉無過事，史官所述，義歸盡善。陛下獨覽《起居》，於事無失，若以此法傳示子孫，竊恐曾、玄之後或非上智，飾非護短，史官必不免刑誅。如此，則莫不希風順旨，全身遠害，悠悠千載，何所信乎！所以前代不觀，蓋為此也。」

以沒有顧慮地秉筆直書。

中國的史官具備一種精神，就是為了留下真實的歷史可以不惜獻出生命。司馬遷就是個非常典型的例子。《漢書》中對司馬遷的評價就說，司馬遷寫史「其文直，其事核，不虛美，不隱惡」，就是說他寫的文章原來是怎麼樣就是怎麼樣，這叫「其文直」；「其事核」就是他寫的事他都是經過核對確認過的，既不會浮誇也不會隱瞞，這就是司馬遷記史的特點。

司馬遷為了留下真實的歷史，不惜身受宮刑，那是對一個男人最大的汙辱。所以我們可以看到，司馬遷為了能夠留下真實的歷史，付出的代價非常大。當然有人付出的代價比他還大。

春秋時期的齊國有一位太史叫太史伯。當時齊國發生一件政變，一個叫崔杼的大夫，殺死了齊國的國君齊莊公。當然齊莊公也有問題，去睡了崔杼的老婆，崔杼就很生氣。後來崔杼的家人把齊莊公給殺了。弒君當然不是什麼好事，崔杼就想掩蓋。國君死了，史官得記下來，還得記載是怎麼死的嘛。

崔杼就把太史伯叫來說：你這麼寫，夏五月已亥日，國君死於瘧疾。太史伯知道是崔杼殺的，就沒聽崔杼的，而是秉筆直書，「夏五月己亥」，這是國君死的日子，「崔杼弒其君光」，崔杼把國君光給殺死了。崔杼一看大怒，我讓你寫國君死於瘧疾，你非得說是我殺的，就把太史伯給殺了。

太史伯的弟弟太史仲就來了。太史仲寫的還是這幾個字，「夏五月己亥，崔杼弒其君光」。於是，崔杼又殺死了太史仲。太史仲的弟弟太史叔又來了，還寫這個字，「夏五月己亥，崔杼弒其君光」，於是太史叔也被崔杼殺了。他們家還有一個最小的弟弟叫太史季，太史季來了，還是寫這幾個字，「夏五月己亥，崔杼弒其君光」。

這時崔杼已經殺了三個太史了，看到史官前赴後繼，就問太史季：你幾個哥哥已經被我殺了，難道你不怕死嗎？太史季說，跟死相比，我更怕我不能完成史官的職責啊！不能夠完成史官的職責跟被你殺掉，二者之間，我寧可選擇被你殺了。崔杼被這種正氣所震懾，就把竹簡扔回給了太史季，讓他拿去存檔——既然你寫是我殺的，那就這樣吧。

故事到這兒沒有完。太史季拿著竹簡離開崔杼的時候，一出門看見南史氏，就是另外一個史官，也捧著竹簡昂然而來。南史氏看見太史季活著出來有點意外，說：「你怎麼還活著呀。」太史季說：「我如實記載了，他沒殺我」。南史氏不放心，拿過太史季的竹簡，看上面果然寫的是崔杼殺死了國君。南史氏這才放心。南史氏還把自己寫的竹簡拿給太史季看，上面也是這幾個字，「夏五月己亥，崔杼弒其君光」，意思就是說如果太史季死了的話，我南史氏還要再記下來這幾個字[*6]。

這件事被文天祥寫入他的《正氣歌》中，裏面一句是「在齊太史簡」，說的就是這個典故。

三、對史學家的四個要求

這就是中國史官所具有的一種精神。但光有這種精神，還不足以成為一個好的史學家。那麼作為一個史學家，需要具備哪些素質呢？

唐代的劉知幾曾經總結了一個好的史學家所應該具備的三種能力，叫史學、史才、史識[*7]。

所謂「史學」就是關於歷史的一些學問，比如說一些典章制度、一些專業術

---

*6 《左傳·襄公二十五年》：大史書曰，崔杼弒其君，崔子殺之，其弟嗣書，而死者二人，其弟又書，乃舍之，南史氏聞大史盡死，執簡以往，聞既書矣，乃還。

語名詞,古代的一些名詞到底是什麼意思等等。你需要對這些東西很熟,否則古書你看不懂。實際上中國的歷史記載不僅僅有一些歷史的事件,還記載了很多像哲學、工程、水利,以及五行、災異、經濟活動,乃至周邊的少數民族等等。所以中國的史書相當於一個朝代的大百科全書。所以你想,作為一個史官要能夠把史書寫到這種程度,他的知識結構一定非常完整,各種知識一定非常淵博深厚,這就是作為史官的第一個條件,史學功底一定要深厚紮實。

第二種能力就是要具備「史才」,就是你光有那些學問還不行,你得有非常好的寫作技巧,能夠把一個複雜的事非常清晰明瞭、條理分明地記載下來,而且語言要簡潔、優美、生動、明快,讓人很容易讀。這就是史才。我覺得一個史學家一定要有非常好的分析能力,能夠鑒別史料的真偽。當對同一件事有不同說法的時候,他能分辨出哪個是對的,哪個是錯的,然後把真實的歷史記載到史書中去。這就是對於一個好的史學家的第二項要求。

第三種能力叫作「史識」,就是史學家應該掌握非常好的認識和評價歷史的方法論。比如說在《史記》中,司馬遷經常會發一些感慨和議論,這個人這個事做得怎麼樣啊;包括孔子寫《春秋》,這是儒家的五經之一,雖然《春秋》就是一部編年史,孔子在其中也融入了很多自己對人物對事件的臧否。孔子說「知我罪我,其惟春秋」,就是瞭解我、怪罪我的人都是因為他(孔子)寫了《春秋》。如果這本書寫的完全都是客觀事實,那跟孔子本人就沒關係了,人家也就不會「知他」、「罪他」了是吧?所以「知我罪我,其惟春秋」,就是因為裡面融入了很多孔子的

---

*7 《舊唐書·劉子玄傳》:禮部尚書鄭惟忠問子玄(註:劉知幾,字子玄)曰:『自古以來,文士多而史才少,何也?』對曰:『史才須有三長,世無其人,故史才少也。三長謂才也,學也,識也。夫有學而無才,亦猶有良田百頃,黃金滿籯,而使愚者營生,終不能至於貨殖矣。如有才而無學,亦猶思兼匠石,巧若公輸,而家無楩柟斧斤,終不果成其宮室者矣。猶須好是正直,善惡必書,使驕主賊臣,所以知懼。此則為虎傅翼,善無可加,所向無敵者矣。脫苟非其才,不可叨居史任。自古以來,能應斯目者,罕見其人。』時人以為知言。

史觀，也正因為如此，《春秋》才成為瞭解孔子價值觀的窗口，成為儒家學者研習的對象。所以你讀二十四史，每部中都會看到史官對一些歷史事件和人物的評價。司馬光寫《資治通鑒》也經常有「臣光日」之類的，就是他對某件事情的評價。

這就是劉知幾認為史學家應該具備的素質，就是有史學、有史才、有史識。清朝有一個學者叫章學誠，提出史官還應該有第四項素質，就是「史德」。作為一個史官，人品一定要正。

四、中國歷史記載的幾種體例

最後我們講一下中國歷史記載有幾種體例，就是通過哪種形式記載下來。主要的史書體例有三種，分別是編年體、紀傳體和紀事本末體。

編年體很好理解，就像日記一樣，今天發生什麼事就記下來，明天發生什麼事就把它記下來。這種以時間為線索的記載，就叫作編年體史書。

中國歷史上最早的史書就是編年體史書。現在完整保留下來的最早的編年體史書就是孔子寫的《春秋》。編年體史書中最長的一部則是北宋司馬光寫的《資治通鑒》，它是編年體通史，從公元前403年三家分晉一直到公元960年趙匡胤登基，一共寫了1362年的歷史。

編年體這種體例有它的好處，也有它的缺點。好處就是隨時發生的事隨時記，事件先後順序和時間綫索也很清楚。缺點是什麼呢？就是如果你要想把一個事件的來龍去脈搞清楚，那看起來真是很費勁。

舉一個很簡單的例子，比如安史之亂。安史之亂的爆發是在公元755年，但你要弄清楚它爆發的原因，從《資治通鑒》裡去找就費勁了。因為安史之亂涉及到很多問題，比如說什麼時候胡人開始做邊將，就是鎮守邊關開始掌權；什麼時候節度使開始總覽地方的軍政財權；什麼時候唐朝的兵制從府兵制變成募兵制，以致造成了大唐軍力的下降等等。這麼找起來是非常困難的。

為什麼呢？因為編年史它講每一年、每個月發生什麼事。但一年發生的事很多，所以跟安史之亂有關的事一定會跟很多很多別的事混在一塊兒。所以你要往外挑跟安史之亂有關的內容就比較難。

比如唐玄宗在位期間，那也是打過很多仗的，跟西面的大食國打過、跟北面的東突厥打過、跟東北的契丹打過、跟西南的南詔打過，中間還有一些宮廷變故之類的，這些事兒都跟安史之亂相關的史料攪在一起。你要想把一個事搞清楚是比較困難的。當然它的史料本身會比較完備，就是每年發生的大事都會記下來了。這就是編年體的史書。

還有一種記史的方式就是司馬遷開創的紀傳體，所謂紀傳體就是以人物為中心的寫作。當然實際上在《史記》中你不僅能看到人物傳記，還有表（時間和事件之間對應關係的表格）、書（典章制度等）等其它內容，不是只局限在人物的故事裡。

紀傳體因為主要內容是人物傳記，所以它的一個好處非常生動鮮活。《史記》裡每一章傳記都像是一個人物的傳奇故事。司馬遷本人的文學功底極好，能夠用非常簡潔的文字來深入刻畫人物心理或描述一個宏大的畫卷。這種本事真是無人能比。像「巨鹿大戰」、「垓下之圍」那種宏大的戰爭場面，寫得驚心動魄，一直到明朝《三國演義》這本小說出來後，其中對大型戰爭場面的描寫，才可以跟《史記》媲美的。所以紀傳體很好看，這是它的優點。

缺點是什麼呢？缺點就是它的時間線索不那麼清晰。這方面當然你可以用「表」來彌補，問題還不是太大。它的主要問題跟編年體一樣，就是你要想把一個事搞清楚也是挺難的。因為同一個事件會散落在不同人物的傳記中。比如說楚漢戰爭，這裏邊涉及到劉邦、項羽、韓信、蕭何、張良，還有樊噲、陳平、周勃等等，所以你要想把楚漢戰爭搞清楚的話，就得把這些人的傳記都拿出來讀，然後在頭腦中拼接出一個楚漢戰爭的全景圖來。

還有一種記史的方法就是紀事本末體，這就是以事件為中心的寫作。編年體以時間為線索，紀傳體以人物為線索，紀事本末體以事件為線索。

其實紀事本末體的史書，有的有原創的東西在裡面，比如說《明史紀事本末》。有的紀事本末體就是把原來的編年體史書，用我們現在的話講就是copy/paste，就是複製加粘貼，就完成了。比如《通鑒紀事本末》就是把《資治通鑒》裡跟某一個事件相關的內容摘錄出來。比如安史之亂，就是把《資治通鑒》裏邊跟安史之亂有關的東西都挑出來，單獨形成一章。所以紀事本末體可以把一個事講得相當清楚，這就是第三種記史的方法。當然它的缺點就是不完整，因為它只選擇一些歷史大事做這種整理工作。一些作者看上去不重要的東西，就直接忽略了。

中國的歷史記載綿密而連貫。除了我剛才提到的三種體例之外，還有很多別的史料。比如說記言的《國語》，裡面也有很多有價值的史料。

還有大臣給皇帝的奏議。我在講《笑談風雲·兩宋繁華》的時候講到包拯。包拯在《宋史》中的記載很簡單，但是他在民間影響很大，包青天嘛。所以我們要想瞭解他的話，光看《宋史》是不行的。所以就把包拯當年給宋仁宗寫的那些奏摺都拿出來翻看。這些資料雖然不見於正史中，但是卻是非常可信的史料。我們講《笑談風雲·大明王朝》的時候提到王陽明，講了很多他的事跡，很多也不是《明史》的記載。那是我們從《王陽明年譜》中拿出來的，是他的弟子寫的王陽明的生平，也是可信的史料。其它還有一些地方誌、實錄等等，都具有非常可信的史料價值。

所以說中國的歷史記載，除了正史之外還有很多別的信史來源。當然還有一些就是《四庫全書》裡面的經、史、子、集，都具有一定的史料價值。《經》裏包括《春秋》這樣的編年史；《史》就不用說了，本身就是歷史記載；《子》就是諸子的學說，他們在論證自己的觀點時，也會說古代如何如何，現在如何如何，這些言論也是有史料價值的；哪怕是《集》，就是文集、明清小說等等，這裡邊也能夠反映出一些當時人的生活情況、物價情況等等，也具有一定的史料價值。

中國的歷史資料非常浩瀚，而且歷史記載綿密而連貫。這就是我們今天要跟大家講的，中國的歷史到底是怎麼記載下來的。

第九講 ❖ 中國歷史分期與三皇五帝

Chapter. 9 Periods of Chinese History and the Three Sovereigns and Five Emperors

上一講我們談了一下中國的史書是如何記載下來的，也講了記述歷史的幾種方法。迄今為止，我們所講的都是對中華文明的概述，並沒有涉及太多的具體問題。從今天開始，我們花一點時間概述一下中國的歷史。因為這門課是中華文明史，並不是一門通史課程，但讀者還是需要在心中有一個中國歷史的概況。這不僅是理解中華文明史這門課程的需要，實際上我覺得，作為一個中國人，就是應該瞭解自己民族的歷史的。

一談到歷史，有的人就說：我特別想知道客觀的歷史，不摻雜任何意識形態和作者主觀好惡的歷史。我首先想跟大家講，客觀的歷史是不存在的。

舉個很簡單的例子，比如說你在公司上班，突然間辦公室裏兩個同事發生口角。如果你要問到底發生了什麼事，每個人都可能給你一個不同的理由或者不同的敘事。同時他們所講的只是他們願意講出來的，至於他說這番話的時候心裡到底怎麼想的、出於什麼動機、是不是挑撥離間，或者是中間有什麼誤會等等，那都是你不知道的。所以說哪怕一件事就發生在你身邊，你也有足夠的時間去瞭解，你也不可能弄清楚這件事的全貌。這還是日常小事，更何況是那些對歷史影響非常大的事件，比如安史之亂、陳橋兵變、玄武門之變等等。

很多人研究歷史的時候，總想發掘出一些前人沒有發掘過的東西，但是無論怎樣發掘，你都不可能還原歷史的全貌。那麼我在講史的時候，主要就是想呈現一些正面的人或事。特別是一些英雄人物或道德高尚的人，他們為人處世能夠啟迪人的善念。這樣的事講出來，對於個體的道德回升和對於維繫整體社會道德都是非常有益的。

當然也有的人就喜歡發掘歷史的一些陰暗面。比如說一講唐太宗，他不喜歡講貞觀之治和太宗皇帝的嘉言懿行，他就是總想從玄武門之變發掘太宗的陰暗面，甚至是他自己猜測的陰暗心理等。我覺得這種歷史的研究方向，對於社會是無益的。

孔子曾經說少正卯「記醜而博」，就是他知道的壞事特別多，而且還專門記壞事。一些中共喉舌裏的人，比如說像某某時報的主編，知道的事也很多，但他專門記那些壞事。比如要講起來美國，他不提美國憲法、三權分立、公民社會、自由市場經濟、司法獨立以及更重要的猶太-基督教信仰，他就專門抓住某個陰暗面、某件壞事無限放大。大家知道，人類社會不是神的社會，所以肯定有好人、有壞人，也有好事、有壞事，但他就專門不斷地給你講壞事，給你造成一個印象就是這世上沒有好人。

當你覺得這個世上沒好人的時候，你也就覺得我做壞事也理所應當。那些被視為英雄人物的人，心理其實跟我一樣陰暗，只不過他們成功了，或者他們很會偽裝而已。既然他們也不咋地，那我做成這樣也很好了，或者我即使做壞事也無可指責。這就是放縱自己做壞事的開始。

我覺得我們每個人活在世上，只要你不是一個神，那就肯定會有缺點。如果我們專門找這樣陰暗的缺點無限放大，對於社會是有很大傷害的。每個人可以被英雄人物所激勵，但並非因為他是英雄人物，所以他做的一切都是對的。我們說他們很了不起，是因為他的行為符合了神所給人規定的道德，特別在面對艱難困苦的時候還能夠堅守自己的原則。這才是值得我們學習的。

所以我順便在這裏說一下，如果歷史是神有意安排的，那麼神安排歷史的目的絕不可能是為了讓我們去學習歷史中那些讓人敗壞和墮落的東西。當然就像《聖經》中所說，宇宙中有上帝，也有撒旦。只有撒旦才希望看到人的敗壞。這就是為什麼我在選取史料的時候，會選擇能夠給人類社會奠定一些正面價值的，啟迪人奮發向上的和啟迪人善念良知的東西。這也涉及到歷史教育應該主要講什麼的問題。

剛才算有感而發，下面我言歸正傳，講一些關於歷史的具體問題。

一、中國歷史的分期問題

我們首先說一個問題，就是關於中國朝代的問題。我們知道中國有朝代的概念。其實在西方也不是完全沒有，象英國也有金雀花王朝、都鐸王朝、斯圖亞特王朝之類的說法，但是它的概念和我們的非常不一樣。我們以前說過，每次中國發生改朝換代的時候，文化會發生巨大的變化，包括它的文學形式、哲學、衣裳、建築、工藝品乃至飲食文化等等都會發生很大的變化。

有人會提出一個問題，那麼中國到底有多少個朝代呢？這是一個沒有固定答案的問題。為什麼呢？因為很多的朝代在歷史上曾經出現過，但歷史學家不承認它是個王朝，甚至它可能是一個統一的王朝。比如說王莽篡漢，從公元8年到公元23年，有一個存在了15年時間的新朝。但在正史中卻找不到新朝的歷史。《漢書》和《後漢書》之間沒有夾新朝的歷史。有人可能會說那是因為新朝太短了，只有15年。其實新朝不短，因為秦的統一也不過就是15年。從公元前221年秦始皇統一中國，到公元前206年劉邦入咸陽，秦朝就滅亡了。所以新朝跟秦朝統一的時間基本一樣，但我們承認秦朝卻不承認新朝。

還有些朝代連統一都沒做到，而且存在時間也非常短，卻在正史中有一席之地。正史中記載的最短的王朝，大概就是五代十國時期中的《後漢》，只存在了四年的時間。可在《新五代史》裏就有後漢這一章。所以你會看到，只有正統的王朝才會被承認。但到底誰是正統，也是歷史學家眾說紛紜的一件事。當然中國還經歷過一些大分裂的時代，像魏晉南北朝、五代十國等等。這種時期經常多國並立，北宋時也有遼、金、西夏和大理跟北宋並立。但有《宋史》記錄北宋南宋，也有《遼史》和《金史》，但沒有《西夏史》和《大理史》。那麼在歷史上你覺得遼算是一個朝代嗎？金算嗎？也可能算，也可能不算。所以有人問到底有多少朝代，這真是很難講。

還有一些人也稱了皇帝，像李自成建立了一個大順王朝，他真的是登基稱帝的，但大順沒有作為一個王朝記載下來。安祿山建立過大燕。康熙時有三藩之亂，吳三桂建立了一個大周政權，也是佔領了半壁江山的，但是歷史學家都不把它們算作一個王朝。所以關於中國歷史上到底有多少王朝的問題，只能請大家自己給個答案。

下面說一下關於中國歷史的分期問題。按照袁行霈教授的《中華文明史》中的說法，中國歷史大致可以分成四個時間段。我覺得這樣劃分，可能有助於大家從宏觀上把握歷史發展的趨勢。

大家可以看一下這張圖（見119頁）。第一個歷史分期就是從史前時期一直到秦始皇統一中國，屬於先秦和上古的歷史。這段歷史也可以分為兩段：一個是在夏之前，就是從盤古開天地開始，一直到大禹治水，夏啟建立家天下的夏王朝。夏朝建立以前的時期可以稱之為先夏時期。這段歷史其實也不是完全沒有信史的記載。比如《史記》中關於五帝就有《五帝本紀》，但相對來說比較簡略。五帝之前是三皇時期，那就是一個神話傳說的時代。

從夏朝開始，中國有了家天下的王朝。夏商周是一段有連續性的歷史，而且政治形態相似，就是天下有很多很多的國家、眾邦林立。我們讀《尚書》，可能會看到「協和萬國」的說法，指的就是天下有上萬個國。其實那時候的「國」不是國家的意思，而是城市的意思。所以當時的政治形態是天下小城林立，也可以說是小邦林立。

到了戰國時期，由於國家和國家間的兼併，諸侯的土地不斷擴大，那麼這就是第一歷史分期，就是比較分裂的小邦林立的時代。

從秦漢到隋統一之前，這是第二個階段。很多學者把秦漢時期稱為第一帝國時期，因為確實是秦始皇建立了中華文明歷史上的第一個帝國，一個統一的中央集權國家，而且是有皇帝的。對於中國來說，秦的統一是一個影響極為深遠的事情。

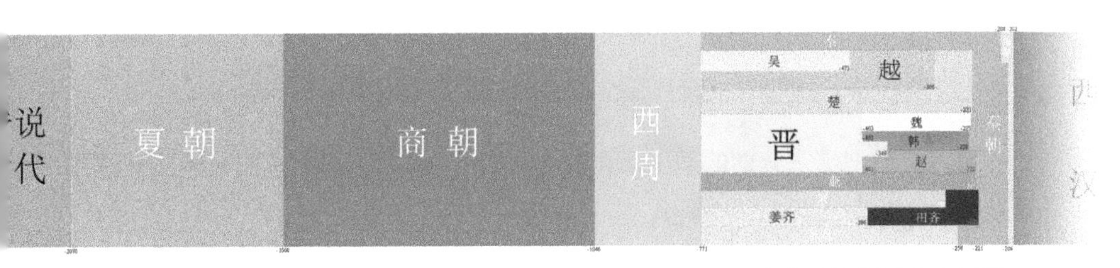

中華文明朝代更迭表（第一歷史分期·上古、先秦時期）

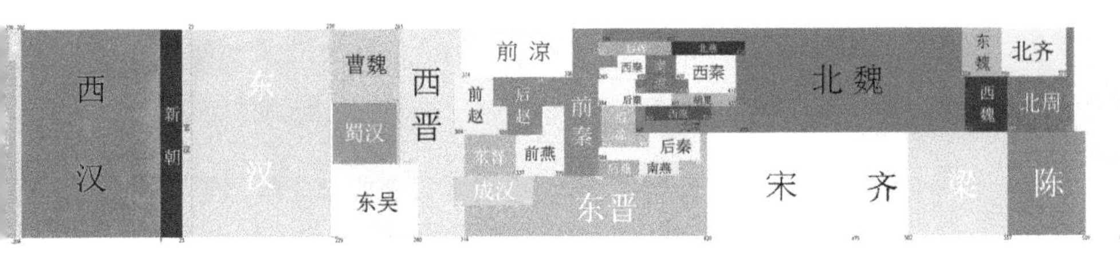

中華文明朝代更迭表（第二歷史分期·秦漢、魏晉南北朝時期）

我們每次說到中國政治制度變遷的時候，基本上用兩件大事把歷史切為三段。這兩件大事就是秦始皇的統一和辛亥革命。秦始皇的統一，讓中國有了皇帝的制度，也把過去的分封制度變成了中央集權制度。1911年的辛亥革命則結束了帝制走向共和。所以，中國政治制度基本上來說就是這兩件事情把它分為三段。所以秦始皇統一天下是一個前無古人的壯舉。

秦和漢兩個帝國基本上是統一的帝國。那麼從漢之後就進入了第二分期中的分裂的階段。從公元184年黃巾軍造反開始，一直到公元589年隋文帝統一天下，中間是一個400年的分裂時期。那麼這就是第二期。

第三歷史分期就是從隋的統一開始的。隋的統一讓盛運再次降臨中國，開啟了中國文化的黃金時代。所以有人把隋唐稱為第二帝國。從唐代中葉的安史之亂開始，大唐就陷入了事實上的分裂。名義上大唐還有一個皇帝，但實際上節度使們各自為政。中間雖然有短暫的元和中興，唐憲宗時期有一個短暫的藩鎮的臣服，但實際上中國是處在一種分裂的狀態，這種情況一直持續到了元。中間的兩宋沒有實現完整的統一。南宋就不用說了，只有半壁江山。北宋也是跟西夏、大理、吐蕃、遼國並立，而且長城以南還有很多土地也沒有占據。

袁行霈把第三分期的結尾劃在公元1521年，就是明武宗正德末年。這種劃分當然有一定的道理，但我覺得更多是因為受了西方歷史學的影響。因為西方把公元1500年作為近代史的開端，因為公元1453年，奧斯曼土耳其崛起，滅掉了東羅馬帝國，這標誌著一個時代的結束。又由於奧斯曼土耳其橫亙在歐亞大陸之間，所以整個歐亞之間的貿易、交通就成了問題。當時歐洲的一些國家就開始從海路尋找從歐洲到亞洲的方法，所以就開始了一個大航海的時代。

我們知道1492年哥倫布發現新大陸，後來麥哲倫的環球航行等，都是在1500年的前後。這段時間也被稱為地理大發現。然後就是文藝復興、基督教新教的出現等。這些事件對西方歷史的影響非常深遠，而它們又都跟東羅馬帝國的滅亡有關。所以西方史學界就把1500年作為中世紀的結束、近代史的開端。可能是因為這個原因，中國學者也把明武宗正德末年作為第三分期的結束。

當然這也是一種劃分方法，但我更傾向於把第三階段劃在1840年鴉片戰爭。因為元明清基本上都是統一帝國，從政治形態上也比較相像。但1840年的鴉片戰爭對於中國來說是一個劃時代的事件。西方人用堅船利炮打開了中國的大門。

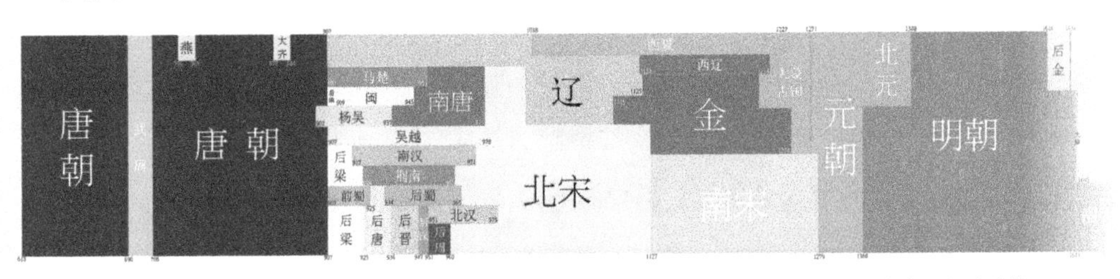

中華文明朝代更迭表(第三歷史分期·隋唐、宋元至明朝中葉)

我們講過，歷史上中國不斷被其它民族征服，但那些都是來自於草原的民族，文化並不發達。當他們入主中原後，很快就被中國的文化所同化。但從1840年鴉片戰爭開始，歐洲列強不僅在武力上戰勝了中國，還讓中國人產生了一種文化上的自卑感，也就是西方的基督教文化和民主制度對中國文化造成了很大衝擊，讓中國人大大改變了對於整個世界的看法，而不再陶醉於天朝上國的榮耀中。整個中華文明的運行軌跡由此發生了重大變化，後來的洋務運動、大清立憲乃至辛亥革命結束帝制，都肇始于1840年鴉片戰爭。

再往下的辛亥革命也是一個非常重要的事件。辛亥革命結束了帝制，開創了共和，緊接著就是共產黨奪取了中國的政權。那麼這就應該屬於第四分期了。關於中國歷史的大概分期就先說到這兒。

二、神話傳說的時代

下面我們從頭開始概述一下中國歷史。先說一下三皇五帝時代。

「三皇」屬於神話傳說的時代。大家知道，不管是中國還是其它國家，每一個民族的歷史都是以神話史詩開始的。這些史詩中記錄了一段人神同在的歷史。唯物主義者把這段歷史視為文明不發達時人類的想像，因為你對自然界沒有瞭解、對於科學沒有認識，只能通過愚昧的想像，虛構出了很多神。

但我覺得這個結論是說不通的。如果按照這種說法，人那個時候非常愚昧，那他為什麼還能夠創造出這麼優美的神話史詩呢？故事結構非常完整、邏輯非常嚴謹、語言非常優美、人物性格鮮明、情節引人入勝等等，其實包括後來的很多文學創作都是借鑒了神話史詩的寫法。

《荷馬史詩》就是古希臘的神話史詩，非常生動。古代巴比倫留下了《吉爾伽美什》(Gilgamesh)；古代印度留下了《摩訶婆羅多》(Mahabharata)和《羅摩衍那》(Ramayana)；中國西藏留下了《格薩爾王傳》，都是神話史詩。中國其他地方也有很多非常生動的神話故事。我們現在人的最高寫作水平也難以創造出這麼生動的故事。你想它怎麼可能是最愚昧的、沒有文化的人寫出來的呢？

所以說，這些神話史詩，它實際上就是神留給人的歷史。

《聖經》的前面17章實際上講的是猶太人歷史，從創世紀開始直到摩西將猶太人領到了耶和華應許他們的迦南地前。前五章的作者是摩西，所以叫《摩西五經》。摩西是猶太人的先知，是具有神性的。十誡就是他在西奈山從上帝那裏領受的。所以猶太人的歷史絕不是一個人隨隨便便想得出來的。

古印度的史詩《摩訶婆羅多》和《羅摩衍那》是怎麼留下來的呢？按照印度人的說法是當時有一位廣博仙人給另外一個神叫「象頭神」，講了一些故事。象頭神當時拿著筆記錄，廣博仙人說你一旦停止記錄我就不講了。所以象頭神就奮筆疾書，結果把神筆給寫折了。於是象頭神折斷了自己的牙齒，以象牙作筆，把廣博仙人講的故事記錄完。這就是現在留下來的《摩訶婆羅多》和《羅摩衍那》。

其實中國人自己也說「文章本天成，妙手偶得之」。有些東西就是天啟神授的。在中國的神話傳說中有盤古開天地、女媧造人和補天、伏羲做八卦、神農嘗百草、倉頡造字、有巢氏教人蓋房子、燧人氏教人鑽木取火等等，其實就是一些神一步步地帶著人走出了蒙昧的蠻荒時代，把文化傳給了人。

西藏的《格薩爾王傳》(Epic of King Gesar)留傳的過程就更加神奇，因為現在還有人在往裡補充內容。那麼這些新的內容是怎麼來的呢？它來自一個非常神秘的現象叫「包仲」。西藏有一種人被稱為「包仲藝人」，他們沒讀過書、不會寫詩，也沒啥文化，有一天突然昏迷過去。幾天後醒來，就可以滔滔不絕地吟誦史詩。他們講的故事跟原來的史詩都能銜接上，又非常優美，於是就補充進去，成為《格薩爾王傳》的一部分。所以《格薩爾王傳》就變得越來越長，現在已經是世界上最長的史詩了。

我們所看到的這些古老史詩，早已超過了普通意義上的歷史，具有天啟神授的特點。現在人們把它當作是神話故事，但這裏面有多少真實的成分呢？

我們來看一看希臘，這個現代西方文明的發源地。大約在公元前八、九世紀，行吟詩人荷馬在各地講述著被視為希臘人文化經典的《荷馬史詩》。《荷馬史詩》分為兩部，一部名叫《伊里亞特》，講述了希臘人對小亞細亞王國特洛伊的遠征。第二部叫《奧德賽》，講述希臘人用了奧德修斯的木馬計攻佔特洛伊城後，奧德修斯歷經十年返回故鄉伊塔克的故事。

特洛伊木馬已經成了我們現在常用的一個詞，有些計算機程序可以免費下載並提供一些有用的功能，但是它也在同時盜取用戶的密碼等信息，這種惡意軟件的英文是trojan，中文翻譯成木馬。Trojan就是從Troy來的，而Troy就是特洛伊。

關於荷馬，歷史的記載語焉不詳，我們大概只知道他是個盲人，生活在大約公元前九世紀到八世紀。就我個人看來，荷馬是一個行吟詩人，又是個盲人，不大像受過很好的教育，但是他卻能講述那麼動人的故事，寫出那麼優美的詩篇，也許他就像西藏史詩格薩爾王傳那樣，繼承了一種超越自身的靈感。

這種猜測一方面是受到格薩爾王傳的來歷的影響，另一方面我們也知道，在柏拉圖的《對話錄》Ion篇裏記載著一個故事*1。

古希臘的先知蘇格拉底注意過一個現象，當時一位叫做Ion的詩人，在朗誦《荷馬史詩》的時候極為生動，但讀任何其它的詩都平庸無奇。換句話說，Ion似乎與《荷馬史詩》有著特別的聯繫，可以通過這首詩的文字，直接了解到當時的情形，並借用荷馬的語言描述出來，而並不是因為Ion自己具有什麼吟詩的技能。換句話說，在朗誦《荷馬史詩》的時候，Ion呈現了超越他自身能力的藝術才能。蘇格拉底將這種現象解釋為「受到了神的啟示」。那麼如果蘇格拉底認為Ion的才能來自於神的啟示，荷馬是否也是如此呢？

1822年，在德國出生了一個考古學家叫謝里曼(Heinrich Schliemann)。謝里曼七歲的時候得到一本書，背後是燃燒著熊熊大火的特洛伊城門。這張圖畫改變了這個小孩子一生的命運。當別人都認為那一場希臘與特洛伊之間的戰爭只是出自一些詩人(那時的人們連荷馬是否存在都表示懷疑)的幻想時，謝里曼卻發誓要找到特洛伊。他堅信荷馬口述的就是真實的歷史。

*1　資料來源: http://classics.mit.edu/Plato/ion.html

The Procession of the Trojan Horse in Troy

經過反復閱讀和思考，謝里曼認為當年的特洛伊城就是現在土耳其的西沙里克(Hisarlik)。他仔細核對《荷馬史詩》中有關戰場的每一個細節，並根據史詩中記載的地形開始尋找和發掘工作。1870年，一個被史學家認為不遜於哥倫布發現新大陸的日子，他在西沙里克的山丘下找到了特洛伊城。在日記中，他激動地寫道「沒想到我會親眼目睹荷馬筆下的這座不朽城市。」

我上面講的都是大家可以去考證的事實，就是謝里曼發掘出特洛伊城，蘇格拉底和伊安的對話等等。也就是說，我們所聽說的神話，未必就是神話。其中有很多可能是我們以前不敢相信的歷史。

這些史詩中常常有深湛的智慧。《摩訶婆羅多》包含了大量的印度神話與哲學觀念，其目的是闡明愛、財、法和解脫這四個人生目標，而又以達到解脫為人生的最終目標。其中的「博伽梵歌」成為婆羅門教的經典，也成為瑜伽修行者的經典。

荷馬的兩部史詩盡管以戰爭和奇遇為主線，卻包含了對古希臘奧林匹斯諸神及其傳說的系統修訂，被奉為希臘最權威的歷史記載和宗教經典。在這裏，歷史和神話表現了高度的統一，同時展現給我們的也是一個人神同在的場景。《聖經·創世紀》裡邊也說，「那時候有偉人在地上，後來神的兒子們和人的女子們交合生子，那就是上古英武有名的人」，也就說明曾經有一段時間人和神同在世間。

中國的這段歷史就是「三皇五帝」時期。其實這個「皇」字在中國古代就是「神」，具有神性的人。「帝」是半人半神。所以五帝時期還是半人半神的時代。

三皇的具體說法不一，伏羲、神農是其中的兩位，第三位有的說是女媧，有的說是燧人，還有人說是黃帝、祝融等。但他們都具備著超人的能力。伏羲制八卦，又結繩為網，用來捕鳥打獵，並教會了人們漁獵的方法；女媧造人和煉石補天；神農嘗百草，留下了中醫和農業生產的方法；有巢氏教給人怎麼蓋房子；燧人氏教人使用火等等。人就在這些神的指導下走出了蠻荒的時代。

三、五帝时期——中国信史的开端

《史記》的第一章是《五帝本紀》，標志著中國信史的開端。

五帝的第一位是軒轅黃帝（黃帝是帝號，姓公孫，名軒轅）。從《史記》記載推斷，黃帝算部落聯盟的首領。在黃帝以前的盟主是神農氏。這個神農應該是嘗百草的神農的後代。但到了黃帝的時候，神農氏已經衰落了。於是軒轅黃帝就替神農氏對外作戰，一次是和炎帝，一次是和蚩尤。關於黃帝留下了很多傳說，象黃帝發明了車；教人種植五穀（神農氏只教人種兩種農作物）；中醫也和黃帝有關，有一本很有名的醫書叫《黃帝內經》；還有制定曆法，讓倉頡造字等等。黃帝的元妃嫘祖發明了養蠶。

軒轅黃帝是一位道家的修煉人，這個事我們之前講過了。黃帝傳位給他的孫子顓頊（顓頊是帝號，他的名字叫高陽），再接下來的帝嚳（名高辛）是黃帝的曾孫，再往下就是堯（帝嚳的兒子，名放勛）和舜（黃帝八世孫，名重華）。關於堯、舜，我們記住他們傳位的方式是「禪讓」就可以了，堯禪讓給舜，舜禪讓給禹。

堯自己有個兒子，叫丹朱。堯覺得丹朱頑凶，不想把帝位傳給他，後來就傳位給舜。等到堯帝駕崩後，舜覺得還是由丹朱繼位比較好，就辟居南河。結果百姓有法律糾紛的時候都去找舜；諸侯來朝見的時候都來找舜；大家唱歌的時候也都贊美舜。舜覺得這是民意，也是天意，就不再隱居，出來繼了帝位[*2]。這個地方大家可以看到一個非常有意思的現象，帝位繼承好像是有一點民主色彩，或者說民本色彩。

舜禪讓給禹。舜禪讓給禹主要就是因為大禹治水。洪水在堯帝在位的時候就開始了，時間上跟用希伯來日曆計算出的諾亞方舟的時間是完全吻合的。因為大禹治水十三年有功，舜又覺得自己的兒子商均人品不好，就把帝位禪讓給了大禹。

關於五帝就說這麼多了。下一堂課，我們會講三代，也就是夏、商、周這三個朝代。

---

*2 《史記·五帝本紀》：堯立七十年得舜，二十年而老，令舜攝行天子之政，薦之於天。堯辟位凡二十八年而崩。百姓悲哀，如喪父母。三年，四方莫舉樂，以思堯。堯知子丹朱之不肖，不足授天下，於是乃權授舜。授舜，則天下得其利而丹朱病；授丹朱，則天下病而丹朱得其利。堯曰「終不以天下之病而利一人」，而卒授舜以天下。堯崩，三年之喪畢，舜讓辟丹朱於南河之南。諸侯朝覲者不之丹朱而之舜，獄訟者不之丹朱而之舜，謳歌者不謳歌丹朱而謳歌舜。舜曰「天也夫！」而後之中國踐天子位焉，是為帝舜。

第十講 ❖ 中國歷史概述(一)夏商周

Chapter. 10　Overview of Chinese History (1) Xia, Shang and Zhou

大家好。我們上一節課講了一下中國的歷史分期問題，和一個全世界的普遍現象，也就是每個民族的歷史都是從神話史詩開始的。之後我們講了三皇五帝時期。今天咱們接著講三代——夏、商、周。因為周的歷史很複雜，特別是東周列國這一段，所以咱們今天講到西周為止。

一、夏

夏王朝是中國第一個家天下的王朝。大禹治水十三年，多次經過家門都沒有時間進去。他用疏導而不是封堵的方法，讓百川歸海，終於平定了水患。於是被舜推薦給上天，繼承了帝位。舜駕崩之後，禹也曾經避居陽城，但諸侯都去朝見禹，情形跟當年舜避居南河差不多。於是禹正式登基。

禹自己的兒子叫啓。禹也曾立皋陶為繼承人，但皋陶在禹之前先死了。後來禹又立了一個叫益的人為繼承人。不久，禹就駕崩了，益避居箕山。由於益被指定為繼承人的時間很短，在百姓心中沒有什麼威望。諸侯都去朝見啓。於是啟繼位為君。這樣就開始了中國的第一個家天下王朝，也就是王位在一個家族之內相傳，父死子繼或者是兄終弟及。

關於夏王朝我們不想說得太多。在袁行霈主編的《中華文明史》裏，列舉了很多夏朝的考古發現。主要的原因是在上個世紀初，很多中國的歷史學家受到了西方史學的影響，認為要想證明一個朝代存在，除了有文字記載以外，還必須要有考古的證據，就是有文物、實物為證。受這種實證歷史觀的影響，一些人就開始質疑中國是不是有夏代。實際上，在《史記》、《詩經》、《尚書》、《論語》等書中都多次提過夏朝。1959年，在河南偃師的二里頭(河南省洛陽市二里頭村)發現了夏朝的遺址，也發掘出了很多青銅器和玉器，以及陶器上刻的甲骨文等。你會發現當時夏朝在中原地帶，文明已經非常發達了。宮殿的建築也相當宏偉，青銅的冶煉技術也很成熟了。當時宮殿以夯土築基，面積有上萬平方米，而且建築的方位和格局都符合《周禮·考工記》的描述。大家可以看到這張圖片上青銅爵，做得多漂亮！這就是夏代的工藝。

乳釘紋平底爵·現藏於二里頭夏都遺址博物館

大禹為了治水走遍天下，在這個過程中，他就丈量山川地形、繪製地圖，把天下分為九州。我們現在說的「九州」這個概念，就是從夏禹那兒來的。夏禹還為每一州鑄了一個青銅鼎，把該州的山川、風土、地貌、出產、風俗習慣等全都刻在上面。九鼎是鎮國重器。春秋時期，楚國跟戎族作戰，到達周的邊疆，在那裏閱兵。周天子派人慰勞楚王。楚王問鼎的大小輕重，留下了一個典故叫「問鼎」[*1]，意思就是有征服天下的野心。後來在戰國時期，秦武王親自去搬象徵雍州的鼎，

*1 《左傳·宣公三年》：「楚子伐陸渾之戎，遂至於雒，觀兵於周疆。定王使王孫滿勞楚子，楚子問鼎之大小輕重焉。」

把自己的腳給砸壞了，然後傷重而死。

大家可以看一下夏朝的地圖。夏朝把天下分為九州，有豫州、青州、徐州、揚州、荊州、梁州、雍州、冀州和兗州。

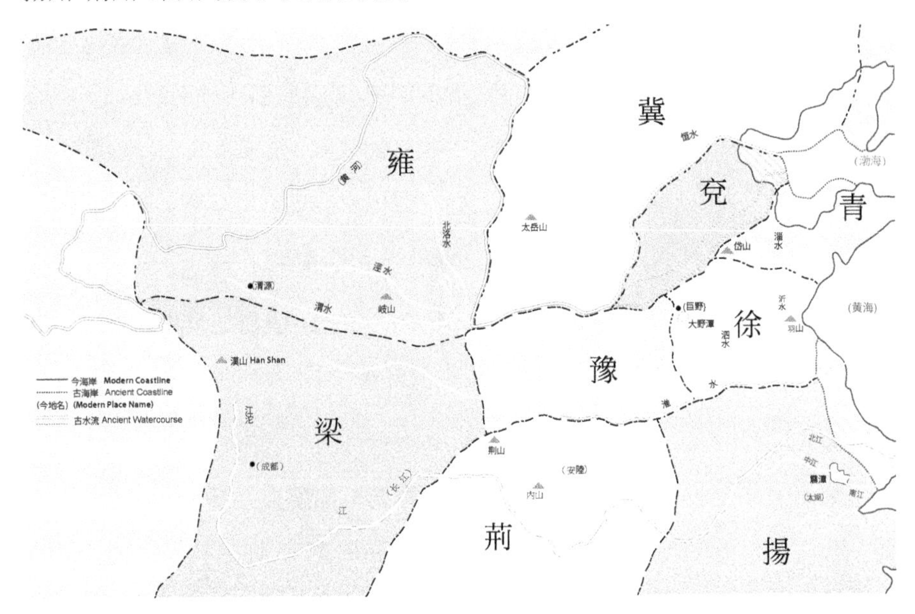

夏一共傳了十四代，十七個王，大約471年。最後一個叫桀，被成湯推翻。成湯建立了商。中間的細節我們就不講了，我們這裡主要是給大家講一下歷史發展的大致脈絡。

二、商

夏和商屬於兩個不同的民族。夏屬於華夏族，商屬於東夷族。在勞思光的《中國哲學史》開篇處，他對夏商周三代的文化發展做了非常嚴謹的考證和敘述。他說當時中國文化主要有三個分支，一塊是來自於西方的，因為軒轅黃帝的主要活動範圍還不在現在的陝西，而是更西面的甘肅一帶。我們讀歷史的時候，經常會看到崆峒山、昆侖山等等，就說明當時華夏的文明中心不在陝西，而是在甘肅，甚至到了新疆、西藏一帶。

第二個重要的文化分支就是在山東和河南一帶，這就是後來的商。之前這塊地方可能被另外一個少數民族所占據，其首領就是蚩尤。後來軒轅黃帝的部落不斷向東方擴張，就遇到了蚩尤，可能還有炎帝。這些部落之間就發生了戰爭。這實際上是華夏文明和東夷文明之間的衝突。黃帝打勝了，而且佔據了中原地區，這塊地方就成了中國文化的中心。但中原的東方是東夷文化，就是商。還有一個重要的文化分支就是南方的楚文化。勞氏以為是原來山東一帶的祝融氏遷居現在的湖北，打敗了當地的三苗，而發展出了楚文化。

按照《史記》的說法，商的祖先也是軒轅黃帝的後代。商把契作為自己的祖先，是帝嚳的次妃所生[*2]。帝嚳是軒轅黃帝的曾孫。關於商的開國之君成湯有很多傳說，像網開三面、汤禱桑林等等。

網開三面是說成湯在郊外走的時候，看見一個獵人在捕獵，圍了四面的網，禱告說：天下四方來的，全到我的網裡去吧。成湯說：你這樣不是把天下的鳥獸都捕光了嗎？讓獵人去掉三面網，只保留一面，祝禱說：鳥獸往左往右都可以，不想活的就撞到我的網上。這就留下了一個成語叫「網開一面」。大家就說：成湯實在是太仁德了，不光是愛人，連鳥獸都愛[*3]。

還有一個典故是湯禱桑林，就是成湯滅了夏以後天下大旱了七年，河乾井枯，草木不生，莊稼無收，白骨遍野。當時的人都認為是天帝降下的災禍。商代的人都喜歡占卜[*4]。卜辭中就有：不下雨，是天帝給我的旱災嗎[*5]？因此，湯就在郊

*2 《史記·殷本紀》：殷契，母曰簡狄，有娀氏之女，為帝嚳次妃。三人行浴，見玄鳥墮其卵，簡狄取吞之，因孕生契。

*3 《史記·殷本紀》：湯出，見野張網四面，祝曰：「自天下四方皆入吾網。」湯曰：「嘻，盡之矣！」乃去其三面，祝曰：「欲左，左。欲右，右。不用命，乃入吾網。」諸侯聞之，曰：「湯德至矣，及禽獸。」

外設立祭壇，祈求天帝降雨，這就是「郊祭」。

郊祭的儀式是：燃燒木柴，用牛、羊、豬、狗等家畜作上供的犧牲。祭祀時，史官手捧三足鼎，鼎內盛有牛、羊等內臟作供品。史官虔誠地向天地山川禱告說：「是不是因國君的政事無節制法度？是不是使人民受了痛苦？是不是因賄賂公行？是不是因小人讒言流行？是不是宮室修得太大太美？是不是有女人干擾政事？為何還不快快下雨呢？」[*6]但是，禱告和檢討仍然沒有效果。

後來禱告的巫師就跟湯王說需要用活人做祭品，上帝才能下雨。成湯就講由於我不是個稱職的國君，上天才降下了這樣的旱災，我怎麼還能讓別人去做祭品呢？於是成湯就沐浴更衣，剪掉頭髮和指甲，躺在柴火堆上，以自己為祭品。就在大家準備舉火燒死成湯的時候，突然間天降大雨，旱情就緩解了[*7]。這就是湯禱桑林的典故。

商王朝充滿了神秘色彩。我們先說一下商朝的甲骨文。商朝國君非常注重占卜。當時的人認為國家最重要的兩件大事就是祭祀和戰爭，叫「國之大事，唯祀與戎」。所以商王占卜非常頻繁，象打獵、播種、戰爭等等，做之前都要占卜一下。當時占卜的方法是把烏龜殼放在火裡燒，然後看燒出的裂紋走向，由巫師來進行解釋。解釋的卜辭就刻在烏龜殼或者是牛骨上。因為是刻在龜甲或是獸骨上，所以就叫甲骨文。甲骨文在英文中是Oracle，意思就是「神諭」，神的指示。

---

*4　《小戴剟·表記篇》：殷人尊神，率民以事神，先鬼而後禮。

*5　《龜》1.25.13：貞：不雨，帝佳旱我。

*6　《文獻通考》第77卷：湯之時，大旱七年。雒坼川竭，煎沙爛石。於是使人持三足鼎祝山川，教之祝曰：「政不節邪？使人疾邪？苞苴行邪？讒夫昌邪？宮室營邪？女謁盛邪？何不雨之極也！」

*7　《春秋左傳正義》第31卷：湯伐桀之後，大旱七年，史卜曰：「當以人為禱。」湯乃翦髮斷爪，自以為牲，而禱於桑林之社，而雨大至，方數千里。

甲骨文

我們現在發現的甲骨文大概有15萬片之多，其中的史料是相當豐富的。在甲骨文中大概發現了4500個漢字，現在能夠認出來的大概是1500字。一些所謂的歷史學者曾經說，夏朝和商朝都是司馬遷瞎編出來的，因為除了《史記》沒有旁證。結果當我們找到甲骨文殘片的時候，發現甲骨文上記載的商朝世系，在位多少年等等，跟司馬遷講的一模一樣。所以太史公肯定看過很多我們現在看不到的史料。

商朝人遷都比較頻繁。商朝600年天下，曾經五次遷都。一個是仲丁自亳遷於囂(今河南滎陽)。後來河亶甲又從囂遷至相(今河南內黃)。後來祖乙又遷都到庇(今山東定陶)，這是後來劉邦稱帝的地方。後來南庚又自庇遷至奄(今山東曲阜)。我們知道這裏是孔子的家鄉。孔子其實是商朝人的後裔，孔子自述說「丘殷人也」，丘是孔子的名，他說我是商朝人的後代。後來盤庚又把都城遷到了殷(今河南安陽)，在河南和河北交界的地方，所以商朝也叫殷朝。我們現在看到的很多甲骨文都是從殷墟發現的，就是在安陽發掘出來的。

商朝的青銅工藝非常發達。大家可以看一下這張圖(見135頁)，司母戊大方鼎的重量是832公斤，而且是一次澆鑄成型。旁邊這個是四羊方尊，雕塑得非常細膩，曲線流暢完美。怎麼做到的呢？據說，當時商朝澆鑄青銅器用的一種方法，叫失蠟法。這個模型最開始是用蠟做的，做好之後，在模型的裡面和外面敷上極細的粘土。所以蠟上雕刻得再細的刻痕也會有粘土的小顆粒進去，所以粘土的形狀就變成跟蠟製的模型一樣了。然後把粘土風乾，之後再燒。粘土就燒成了陶器。燒的時候，裡面的蠟就化了，變成液體流出來。然後再往陶器的模子裏灌青銅汁，出來就是這個樣子了。這種方法叫「失蠟法」。但這都是現在人猜測的。從青銅器紋路的細膩和圓潤，可以看出當時的工藝水平一定非常高超。

司母戊大方鼎

商王朝神秘而強大。我們覺得它是一個內陸國家，都城在河南安陽，但它似乎具備了遠洋航海的能力。現在在商朝的墓穴中發掘出很多的海貝，而且是深海的海貝。商代的貨幣就是貝殼，所以你會看到中國古時候凡是跟錢有關的字，都帶一個貝字偏旁。比如說「貧」、「賤」、「賞」、「賜」等等，很多跟錢有關的東西都是帶著貝字。傅樂成主編的《中國通史·先秦史》中說，在商代的遺址中發現過產自新疆的玉，東海鯨魚的肩胛骨，深海的海貝，產於馬來半島的大龜，寒帶烏蘇里的熊。總而言之，感覺商朝當時的交通已經可以到海外很遠的地方，陸地可以到新疆，交通能力非常強。

商朝最後一個國君叫紂，也稱之為帝辛。紂王其實是一個很有才的人，他武功非常的高，可以徒手跟猛獸格鬥，他的文采也非常好，非常善於為自己辯解，所以他當時想做的事情別人想勸也說不過他。紂王喜歡享樂，造酒池肉林，用炮烙的酷刑來對付百姓和諸侯，又寵愛妲已、營造鹿臺等等。後來紂王就被周族人給推翻了。

三、西周

取代商朝的周族人最開始是在陝西一帶，最早的祖先叫稷。關於商和周的祖先都是有些傳說的。比如帝嚳的次妃簡狄吞食了一個黑色的鳥蛋，之後懷孕生了商朝的祖先「契」。周朝也一樣。帝嚳的元妃姜原有一次在野外玩兒，踩在一個巨人的腳印裡，就懷孕了，生了「棄」，這就是周族的祖先[*8]。這都是《史記》中的記載。

棄的第十三世孫叫古公亶父（軒轅黃帝十七世孫）。他率領周族人遷居到了岐山，岐山就是現在陝西的西安附近，在這個地方就駐紮下來，古公亶父有一個兒子叫作季歷，季歷的兒子叫作姬昌，姬昌就是周文王（軒轅黃帝十九世孫），當時被商封為西伯侯。

所以姬昌原本是商朝旁邊的一個方伯。當時商朝有周圍的一些小國向商朝朝貢，商朝管他們叫「多方」。後來周族人變得越來越強大，紂王對姬昌不放心，就把他抓起來關在羑里（今河南湯陰）。他在那裏推衍了《周易》。姬昌被關了三年，獲釋回國後找到了姜子牙。

周文王駕崩之後周武王繼位。在商朝東征東夷，等於是大部分的軍隊都跑到東方，在淮河一帶打仗的時候，周武王就乘勢起兵，在商郊牧野一場大戰，當時70萬奴隸倒戈造成商朝的滅亡，商紂王穿上他的寶玉衣然後自焚而死。商朝滅亡。整個戰爭過程只用了一個上午。所以，你看《詩經》中講牧野之戰的時候說，「牧野洋洋，檀車煌煌，駟騵彭彭，維師尚父，時維鷹揚，涼彼武王，肆伐大商，會朝清明」，就是講姜子牙非常威風地指揮戰鬥，一個早上就把商朝給滅了。

---

*8　《史記·周本紀》：周後稷，名棄。其母有邰氏女，曰姜原。姜原為帝嚳元妃。姜原出野，見巨人跡，心忻然說，欲踐之，踐之而身動如孕者。居期而生子，以為不祥，棄之隘巷，馬牛過者皆辟不踐；徙置之林中，適會山林多人，遷之；而棄渠中冰上，飛鳥以其翼覆薦之。姜原以為神，遂收養長之。初欲棄之，因名曰棄。

商朝當時遠征淮水的部隊，據說有20萬人，後來下落不明，成了一個疑案。有人說他們遠渡海外變成了瑪雅人，所以在美洲可以看到商朝的遺跡。這事有很多歷史學家都在講，有興趣的朋友可以自己去查一下。

很多人都覺得周代是我們漢人建立的存在時間最長的一個王朝，有800年。實際上我們以前說過，中華民族它其實是一個文化的概念，並不是一個血緣的概念。周族人跟戎狄住在一起，互相通婚。周武王的王后叫作「太姜」，太姜其實是羌人。古時候這個「姜」，這個上面是「羊」下面一個「女」，這個「姜」和羌人的「羌」是同源的，是同一個字，實際上周代是有羌人的血統。但是呢，我們講中華民族也是文化的概念，中國也是一個文化的概念。也就是說如果你能夠認同中華的文化，哪怕你在血緣上是少數民族，哪怕你是羌人或者是什麼鮮卑人、契丹人、女真人等，只要你認同中華文化那麼你就是華人，你就是中國人，那麼如果哪怕你是漢人的血統，但是呢你在破壞中國的文化，你在認馬克思、恩格斯、列寧、斯大林做你的祖宗，然後毀滅中國的文化，哪怕你在血統上是漢人實際上在文化上你並不是漢人，你也不是中國人，這就是我想特別強調的一點。

武王在奪取政權之後實行了一種制度叫分封制，就是一種封邦建國的制度。因為當時天下很大，國君一個人也管不了，所以他就把天下分成了很多的諸侯國。諸侯在自己的國境線上把土翻起來，然後種上松樹，這麼一圈，把自己的疆域封閉起來，這就叫「封」。「建」就是建立一個國家。

周代的分封主要針對三類人。一類就是周王自己的親戚，他的弟弟、兒子等。因為自己本家的親戚，所以比較放心。第二類就是開國的功臣，比如姜子牙。第三類就是原來朝代的遺民，比如說夏的後人封到了杞國，商的後人封到了宋國等。

其實一開始商沒有被封到宋國，還在原來的都城。周武王不放心，於是派管叔鮮、蔡叔度和霍叔處三個人在商的旁邊建立三個諸侯國，主要的目的是為了監視商朝不要叛亂，所以那三個國家叫「三監」。

武王駕崩以後，兒子成王年幼，由武王的弟弟周公旦輔政。結果管叔鮮、蔡叔度就覺得周公有野心，要篡位，於是就聯合紂王的兒子武庚發動了一場叛亂。後來周公東征，就是周公旦帶兵把叛亂撲滅了。之後，周公覺得河南這地方離陝西還是有點遠，特別是東征之後又占據東方更大片的土地。於是在洛陽又建了一個都城，就是後來東周的都城洛陽。

所以周代有兩個都城，一個是鎬京（今陝西西安），也叫宗周；還有就是洛邑，也叫成周。當時天子在宗周和成周有很多軍隊，宗周六個師，成周八個師，負責拱衛京師，保護國君的安全。非常可惜後來到東周的時候，國君的軍隊日益衰落，也就失去了天下共主的地位。

在周朝初年成王和康王期間有一個非常繁榮的時期，這個時期也稱為「成康之治」，後來經過幾代傳位，傳到周厲王。周厲王好貨貪財，國政敗壞。很多國人對周厲王就不滿。周厲王為了阻止別人對他不滿，就說凡是有誹謗我的、有說我壞話的人，一旦被發現就要殺掉。這樣大家就不敢說話了。周厲王很得意，結果旁邊的人就跟他講「防民之口甚於防川」，你堵老百姓的嘴不讓他發牢騷，就跟堵洪水一樣，早晚這個洪水會漫過大堤造成潰壩的。周厲王不信，最後在公元前841年的時候發生了國人暴動，所謂國人就是當時住在城裏面的人叫作「國人」，住在城外的話叫作「野人」。當時國人是有參與政治的權利的，他們就暴動把周厲王給趕走了。

為什麼提這件事呢？這是中國歷史上開始有確切紀年的開始，就是公元前841年。從那時候開始歷史上每年發生什麼事，基本上來說都有記載了。當時厲王被國人趕走了之後就跑到一個叫彘的地方，後來等到厲王死了以後，當時是周公召公實際執政，歷史上稱之為周召共和。他倆有點像攝政那種感覺，因為國君還活著嘛。後來等到厲王死了之後，就把厲王的兒子立為國君，這就是周宣王，這樣周公和召公也就歸政於宣王。宣王還是一個不錯的國君，後來他好像在位時間挺長的，40多年。宣王死了之後就是幽王。周幽王就是西周最後一個國君啦，因為烽火戲諸侯，造成了西周的滅亡。

關於夏、商、西周就說這麼多了。下一節課，我們開始講東周以後的歷史。

第十一講❖中國歷史概述(二)
東周到三國

Chapter. 11 Overview of Chinese History (2)
Eastern Zhou to the Three Kingdoms

咱們上一堂課談了一下從史前一直到西周的歷史，今天咱們開始講東周。在西周，中國是一個以血緣親情為紐帶結合成的一個個小共同體組成的社會。也就是說天子和諸侯、諸侯和大夫、大夫和士、士和庶人之间通常都有血緣關係，組成了一個溫情脈脈的熟人社會。但這個情況到了東周時期就發生了巨大的變化。

西周時期實行嫡長子繼承制，就是父親死了之後，由正妻的大兒子來繼承王位。但是到西周末年，由於國君寵愛小老婆，於是就廢長立幼。周幽王烽火戲諸侯，不就是為了討小老婆褒姒高興嗎?幽王還把褒姒的兒子立為太子，廢掉了申后的太子，所以才造成了這一場家國的變故。從東周初年開始，不光是周王室，其它很多諸侯國都出現了這種因為國君寵愛小老婆而廢長立幼的情況。

西周時期，理論上來講，天子的嫡長子會繼位為天子，其他兒子為諸侯，那麼對於諸侯來說，天子既是政治結構中的最高統治者，同時也是家族中的大哥，因此家庭倫理也會維繫政治倫理。同樣道理，諸侯的嫡長子繼位為諸侯，別的兒子會降一級為大夫。也就是天子和諸侯是兄弟或者叔侄關係，諸侯和大夫之間也是。家族的血緣關係和倫理就保證了社會結構的穩定。

我們不妨想像一下，如果是國君的小妾的兒子當了國君，其他別的兒子怎麼可能服氣？所以廢長立幼造成的家族內部的紛爭和關係的破裂直接會造成整個社會結構的瓦解。這就是從西周到東周，再到秦過渡的過程中非常明顯的現象。

幽王烽火戲諸侯招致了犬戎的入侵，都城鎬京被燒毀，平王於是將朝廷東遷到了洛邑(今河南洛陽)。之後周王室和諸侯國也不斷出現廢長立幼的情況。周天子如果這樣做，就會損害自己的權威。同時，周天子還喪失了自己的軍隊。

西周初年，周天子的軍隊是很強大的，在都城鎬京有六個師，稱為宗周六師，負責拱衛京師和保護周天子。同時在洛邑還有八個師，稱為成周八師，每師是3000人。如果任何諸侯叛亂的話，周天子有足夠的軍事實力去鎮壓。但後來在西周中期昭王南征，末期又有周宣王和犬戎的戰爭等，就把宗周六師打光了。天子沒有了拱衛自己的軍隊，於是依靠諸侯來抵禦外族的入侵。而當犬戎入侵的時候，諸侯又拒絕勤王，導致都城淪陷。

所以平王東遷之後，周王室不光是道德權威在衰落，軍隊也在衰落，於是無法再號令諸侯。當最高權力出現真空的時候，中國就進入了一個諸侯爭霸的時代。這個時代就是東周列國時期。東周又可以分為兩段，一段是春秋(770BC-476BC)，另一段是戰國(475BC-221BC)。

四、東周(春秋與戰國)

春秋時期，五霸迭興。齊桓公、宋襄公、晉文公、秦穆公和楚莊王被稱為「春秋五霸」。這些諸侯打出「尊王攘夷」的旗號，就是既尊奉周天子，同時又幫助邊境上的小國抵禦蠻族的入侵，由此積累了巨大的聲望。同時周天子也需要這些強大的諸侯保護自己，所以對他們也特別客氣。於是這批人就成為了諸侯的霸主,可以象天子一樣號令諸侯,也經常領著一些小的諸侯國東征西討。關於春秋五霸的爭霸過程,我們沒有時間詳細講,就先跳過去。

從春秋中期到後期,有兩個大國一直在爭霸。這兩個國家就是北方的晉國和南方的楚國。早在晉文公稱霸的時候,就曾經跟楚國發生過一場大戰。由於晉楚連年的交兵,誰也吃不掉誰。於是晉國就派人聯絡楚國東方的吳國,幫助他們練兵和建立一套國家管理方式,讓吳國強大起來,好去牽制楚國。當然楚國也不甘心就這樣被吳國牽制,所以楚國又聯絡吳國更南面的越國去牽制吳國。

這樣在春秋末年的時候就出現了吳越爭霸。我的《笑談風雲》的第一部《東周列國》,就是從吳楚爭霸和吳越爭霸講起的。

春秋時期,整個社會結構開始逐漸瓦解,就是以血緣親情為紐帶的熟人社會在逐漸瓦解。很多小國被大國兼併,大國也變得越來越大。當一個國家很小的時候,可能不需要那麼多的規章制度。而當國家變得很大的時候,整個的政治結構也要發生變動,這就涉及到一個國家如何管理的問題。

拿辦公司來舉個例子。假如說咱們現在哥兒幾個合夥辦一個小公司,就沒有什麼上班遲到早退的問題,每個人恨不得早上睜開眼睛就開始幹,一直幹到睡覺,大家都要全心全意地要把公司做好。這時候就不需要那麼多規章制度,像考勤啊、績效評估之類的都沒有。因為這個公司就是咱們自己的,做好做壞跟我們每個人的收入都有關係。

但是當公司一旦做大之後,有了幾十個人了,它就不再是一個熟人社會了。董事長可能跟中層幹部都不熟,總經理可能跟基層幹部也不熟,中層幹部跟基層的員工之間也不熟。這時候靠什麼來維繫公司的運轉呢?靠的就是規章制度。每個人的分工,有什麼權力和責任都很明確。因為公司做好做壞跟基層員工已經沒有什麼關係了,他固定就領那麼多工資,所以你就得考勤,有績效考核,有質量把關，還要照顧員工福利等等，而且法律、財務、人力資源等各方面都得跟上。

所以說在小共同體社會，規章制度並不是特別嚴格。很多時候是靠人情來解決問題的。但是當國家一旦變大了之後，諸侯和庶民之間就沒有什麼聯繫了，那麼怎麼去管理這個社會呢？於是就有一些人開始提出一些辦法。從管仲開始，就有了一套系統地管理國家的方式。到了春秋末期和戰國時期，更多的思想家都提出了他們管理社會的主張，這就是百家爭鳴。

百家爭鳴是從戰國開始的。戰國初年齊國的國君齊桓公田午（和春秋時期稱霸的齊桓公姜小白不是一個人），在都城臨淄城外建立了一座稷下學宮，有點像政府出資建立的大學。很多的思想家都聚集在那裡講學和辯論。辯論的內容包括天人之際、古今之變、王道還是霸道、禮治還是法治，是義更重要還是利更重要等等。這些問題在我們現在看來像是一些哲學問題，但在當時其實是政治問題，也就是涉及到國家應該如何管理的問題。那麼百家爭鳴中有兩家創始於春秋末年，也就是老子創立了道家和孔子創立了儒家。其實當時還有一家，就是孫子的兵家，但沒有參與稷下學宮的辯論。

戰國應該從什麼時候算開始？歷史學者並沒有給出定論。歷史教科書上是說從公元前475年開始，因為孔子寫的《春秋》基本上到那時結束。但是在《資治通鑒》裡是把公元前403年「三家分晉」作為戰國的開始。

晉在春秋時期是一個非常大的諸侯國，在春秋末期的時候，晉國的大夫之間發生了爭奪土地的戰爭，韓家、趙家和魏家聯合起來打敗了智家，並瓜分了他的土地。後來這三家得到了周天子的許可，廢掉了國君，變成了三個獨立的諸侯國，就是戰國時期的韓國、趙國和魏國。於是中國歷史就進入了戰國時期。為什麼這件事很重要呢？因為如果大夫實力強大就可以取代諸侯的話，那麼諸侯也可以在強大之後取代周天子。所以三家分晉就埋下了這樣的禍根。

除了三家分晉之外，還有「田氏代齊」。西周開國後，最開始是把姜子牙封為齊國國君，建立姜氏齊國。春秋後期，姜氏齊國的大權逐漸落到田氏大夫的手中，後來田氏大夫又取代了齊國，所以叫「田氏代齊」，也是一個大夫取代諸侯的事件。

戰國時期一共有七個強大的國家，秦、韓、趙、魏、燕、齊、楚，被稱為戰國七雄。戰國的故事很多，戰國初期最強大的國家是魏國；後來包括商鞅變法，讓秦國富國強兵；其它像孫龐鬥智、趙武靈王胡服騎射、完璧歸趙、紙上談兵、竊符救趙等等，這些事我們都在《笑談風雲》的第一部《東周列國》裡面都講過了，咱們在這裡先不花時間去講了。

春秋戰國時期是中國歷史上的一個大變局，也稱為周秦之變。這方面我們講到《秦漢史》的時候再具體去講。先秦諸子的一些哲學，我們在《中華文明史》的後續課程中，會比較詳細地論述。

五、秦

春秋戰國500多年，最終統一於秦。秦是中國歷史上第一個統一的大帝國，有了皇帝。秦始皇一生幹了很多轟轟烈烈的大事。我在《笑談風雲》第二部《秦皇漢武》開頭的部分總結了秦始皇一生所做的十件大事。如果用一個詞來概括秦始皇一生功業的話，就是兩個字——「統一」。秦始皇統一六國，統一了文字、貨幣、度量衡，統一思想。所謂統一思想就是以法家思想作為國家意識形態，把其它諸子百家的學說全都摒棄了。同時他南征百越、北擊匈奴，大大擴張了中國的版圖。幾乎當時比較適合人類居住的地方都被秦始皇佔領了。他又在北面修築長城。所以他的一生對中國影響是非常大的，特別是他開創了後續2000多年的政治制度，建立了一套三公九卿的官僚系統。詳情等咱們講到中國政治制度變遷的時候再去說。

六、漢

大漢王朝是中國歷史上了不起的輝煌盛世。開國者是漢高祖劉邦。這個朝代奠定了儒、釋、道三教的地位。我們都說漢代「罷黜百家，獨尊儒術」，奠定了儒學「一元官學」的地位；佛教呢，是東漢初年的時候傳入中國的；道教是東漢後期出現的。中國的文化是以儒、釋、道為核心的，因此我們民族的文化在漢代基本定型。我們曾經講過民族實際上是一個文化的概念，所以漢就成為了我們的族號。我們稱自己為漢人，我們的民族是漢族，我們說的是漢語，寫的是漢字，這都彰顯出大漢王朝對我們的影響。

從秦始皇到漢武帝，甚至再往前從戰國初年開始，中國人就一直在探索一種適合於統一大帝國的國家意識形態。戰國時期是百家爭鳴，秦用的是法家，漢初用的是道家。因為漢初起事的劉邦項羽都是楚人，老子也是楚人，所以漢的統治者跟道家比較親近。漢武帝的時候，正式把國家意識形態定為儒家。

實際上任何一個國家都是一樣，統一的帝國需要一個統一的國家意識形態。美國也是一樣，美國是建立在猶太基督教的傳統之上的。當這個意識形態不能被全社會接受的時候，這個國家就分裂了，至少族群就撕裂了。

我們在《笑談風雲》第二部中講了秦始皇到漢武帝這一段的歷史。漢武帝駕崩之後，繼位的是漢昭帝。漢昭帝當時年齡很小，所以武帝就托孤給霍光。在霍光輔政期間，就是昭帝和宣帝時期，漢朝還是很強大的。到了漢宣帝之後的元、成、哀、平四個皇帝，漢朝就逐步衰落。最後王莽篡漢，結束了西漢。

王莽篡漢之後建立了一個王朝叫新朝。這個王朝在歷史上是不被學者們承認的，加上王莽本人又做了很多非常糟糕的決定，把當時中國的政治、經濟、軍事都搞得一團糟。公元23年，王莽被更始帝劉玄的軍隊推翻。但更始政權是個流寇政權，不太會管理國家。公元25年，劉玄手下的大司馬，也是漢高祖劉邦的第9代孫劉秀在河北的柏鄉縣稱帝，建立了東漢王朝。又經過了12年的時間，劉秀統一了全國。

東漢最開始的三個皇帝，就是光武帝劉秀、漢明帝劉莊和漢章帝劉炟，還都不錯。明帝和章帝執政期間，史學界稱之為明章之治。但是從漢章帝之後，東漢就出現了一個非常嚴重的問題。什麼問題呢？從漢和帝劉肇開始連續10個皇帝，登基的時候都是未成年人。其中最小的皇帝，登基時只有100天，然後只當了八個月的皇帝就死了。這是中國歷史上即位年齡最小的皇帝，叫漢殤帝。

東漢後面的十個皇帝，兩歲、三歲、四歲即位的都有，甚至漢殤帝一歲都不到。大家可以想像一下，皇帝這麼小，他媽媽的年齡肯定也不大，又是一個年輕的寡婦，也不知道如何管理國家。怎麼辦呢？只好求助於太后的哥哥或者父親，這樣就出現了外戚專權。所以，東漢從中期開始，外戚專權的事就頻頻出現。但小皇帝總是要長大的，長大以後，他當然不甘心權力落到外姓的手中。明明我姓劉、我是皇帝，怎麼權力掌握在姓竇的、姓梁的手裡呢？而滿朝文武可能都是外戚任命的，所以皇帝如果想推翻外戚，就只能依靠身邊的宦官。於是皇帝籠絡宦官發動政變、幹掉外戚，宦官就開始掌權了。然後皇帝又是年齡不大就崩了，又留個小皇帝，於是又是外戚掌權。就這樣東漢後期這一百多年，皇權就在宦官和外戚之間來回來去倒騰。一直到最後，漢少帝劉辯登基的時候，以十常侍為首的宦官集團和以大將軍何進為首的外戚集團打得兩敗俱傷，東漢也就滅亡了。

東漢滅亡的重要原因就是公元184年的黃巾軍之亂。當時有一個叫張角的人，以太平道的名義起事。大家知道一般造反都是一個人領著一支隊伍起來造反，但是以宗教的形式造反卻不是這樣。因為張角在全國各地都有信徒，約定某一天在全國各地同時起事。這就麻煩了。如果一個地方發生叛亂，朝廷可以集中軍隊去鎮壓；但如果全國同時起事，朝廷的軍隊也管不過來。怎麼辦呢？於是皇帝就下了一個命令，允許各個地方官招募軍隊，負責解決你轄區之內的叛亂問題。

漢代的行政管理是分為州、郡、縣三級的。州的最高長官叫刺史，本來是沒有軍權的。現在皇帝說你可以招兵了，於是他們的頭銜就從刺史變成了州牧，開始招兵。咱們知道曹操是冀州牧，劉備是豫州牧，陶謙是徐州牧，劉璋是益州牧等等。這些州牧就掌握了轄區之內的兵、刑、錢、穀，既有軍權，又有財權了，還有人事任免權。等他們把黃巾軍之亂撲滅後，就變成了割據一方的軍閥，於是就形成了東漢後期的大亂局面。

七、三國

小說《三國演義》就是從「黃巾軍之亂」寫起的。三國的起止時間在歷史上沒有定論。《三國演義》是從公元184年黃巾軍造反開始一直寫到公元280年西晉統一，講了96年的歷史。但實際上，魏、蜀、吳三國同時存在，只有35年，就是從公元228年孫權稱帝到公元263年蜀國被滅。其實真正的三國並立只有這35年。但我們談三國一般都從黃巾軍之亂一直講到西晉統一。

三國時期有三大戰役，分別是官渡之戰、赤壁之戰和夷陵之戰。官渡之戰就是公元200年曹操和袁紹之間的戰爭，最後以曹操的勝利而結束，結果就是曹操基本上統一了長江以北。

第二場大的戰役就是赤壁之戰。曹操想要南征統一中國，但是遭遇了孫劉聯軍的抵抗，曹操敗回北方。第三次大的戰役就是猇亭之戰，也稱之為夷陵之戰，地點在現在的湖北宜昌。劉備去打孫權，結果戰敗，奠定了三國鼎立的局面。三國最大的三件事就是這三大戰役。

公元220年，曹丕篡漢，建立魏國。公元265年，司馬家族結束了魏國的政權，建立了西晉。然後在公元280年滅掉吳國，完成了統一。

關於三國咱們就簡單說這麼多。兩晉和南北朝的內容下節課再講。

第十二講 ❖ 中國歷史概述(三) 兩晉和南北朝

Chapter. 12 Overview of Chinese History (3)
The Jin and Northern and Southern Dynasties

上一次課，我們從東周講到三國。今天講一下兩晉和南北朝。

在中國的歷史教材中，兩晉、南北朝講得非常簡略。其實這段歷史對後續的影響還是比較大的。之所以講的很少，我覺得可能有一個原因，就是這段歷史非常淩亂，因為它是一個分裂時代。

八、西晉

從東漢末年黃巾軍作亂(公元184年)之後，中國就進入了一個分裂時代，一直持續到公元589年隋文帝統一中國，中間整整經過了400年的時間。當然這段大分裂的中間有一個非常小的統一插曲，就是西晉的統一。但西晉統一的時間非常短，只有短短的31年。嚴格地說，這31年也不完全是統一的，因為中間有16年國內也是發生了很多戰爭，史稱「八王之亂」。

西晉的第一個皇帝是晉武帝司馬炎，他得天下完全是一種運氣。因為他本人對統一沒什麼興趣，也沒有什麼雄才大略，而是特別喜歡跟別人聊家常事兒。但是歷史就這麼安排的，走到那一步了，就統一了。於是晉武帝志得意滿，過上了非常奢侈的生活。不僅是他，底下的大臣都競相比賽奢侈，所以出現像什麼石崇和王愷鬥富這種事兒。

除了生活奢侈之外，晉武帝還做了一個非常錯誤的決定，就是部分恢復了分封制度。他覺得東漢和曹魏政權之所以滅亡，就是因為皇族沒有一些有實力的、手握重兵的人保衛。於是晉武帝就廢掉了秦始皇建立的中央集權制度，分出一些土地給司馬家族的人做國王，然後讓他們回到自己的封地。這些國王們有封地、有軍隊、有財政大權和人事任免權，那就難免會為爭奪土地或最高權力而開戰。所以你看像唐朝的安史之亂、清朝的三藩之亂、西晉的八王之亂等，都是跟部分恢復分封制有關。

剛才我們提到八王之亂，是因為晉武帝的太子司馬衷智商特別低。他傻到什麼程度呢？大臣給他上奏折說現在鬧饑荒，百姓都餓死了。司馬衷就問：好好的人怎麼會餓死呢？大臣回答說因為沒有飯吃啊。司馬衷說：沒有飯吃，那就喝一點肉粥嘛。他對於百姓的生活、帝國的經濟是怎麼運作的毫無概念。司馬炎也知道這個兒子不行，所以臨終之前託孤給自己的岳父楊駿和汝南王司馬亮。楊駿為獨攬大權，篡改遺詔，改為自己單獨輔政，而晉惠帝的皇后賈南風是個極具野心的女人。她挑動楊氏外戚和司馬家族之間的火拼，讓楚王司馬瑋帶兵進京殺死楊駿並滅三族，之後又定計讓司馬瑋殺死了司馬亮，又稱司馬瑋偽造詔書，將司馬瑋殺死。賈南風開始掌握朝政，這又引發了司馬家族的不滿，最後賈南風被殺，而司馬家族又開始了內部互相爭權，而且各自調動軍隊作戰，甚至一些司馬家族的國王為了取得戰爭的勝利，向更北方的匈奴求救。後面的細節我們不講了。這段亂局史稱「八王之亂」。

八王之亂導致西晉國力大衰。而北方的匈奴卻日漸強盛。我們之前提到過漢高祖劉邦和匈奴之間的和親政策，就是把宗室的公主嫁到匈奴去，並且賜單于姓劉。所以匈奴人認為自己也是漢高祖的後代。八王之亂爆發以後，匈奴人劉淵建立了一個國家，國號為「漢」。他們打著「漢」的旗號入侵西晉。當時領兵的人是匈奴人劉聰(劉淵的四兒子)，在公元311年帶兵之後攻入西晉的都城洛陽，晉懷帝被俘，歷史上稱之為「永嘉之亂」。「永嘉」是晉懷帝的年號。

晉懷帝被俘後，司馬炎的孫子司馬鄴逃到長安。兩年後晉懷帝被毒死，司馬鄴在長安稱帝，史稱晉湣帝。匈奴又派兵去打長安。堅持到316年，晉湣帝彈盡糧絕，只好出城投降。又過了兩年，晉湣帝被毒死，西晉就徹底的滅亡了。

九、東晉與五胡十六國

西晉滅亡後，公元318年琅琊王司馬睿(司馬懿曾孫)在建康(今江蘇南京)稱帝，建立了東晉政權。而長江以北基本上就被少數民族佔領了。這些民族各自有自己的地盤，前後建立了16個政權，史稱「五胡十六國」，也稱為「五胡亂華」。所謂五胡就是匈奴、羯、氐、羌、鮮卑這五個少數民族。

這段歷史過程有三個特點。第一個特點就是文化的大遷移。過去中國文化的重心在長江以北，主要集中在黃河流域和淮河流域。由於永嘉之亂，很多讀書人，特別是那些有權有錢的衣冠士族就舉家遷到了長江以南。歷史上稱之為「衣冠南渡」。也就是把中國文化的中心從長江以北遷到了長江以南，帶動了江浙、乃至兩廣和湖北湖南等地區的文化發展。

第二個特點就是民族的大融合。北方的少數民族入主中原之後，發現自己沒有管理國家的經驗。你想草原上的游牧民族，不需要那麼多的規章制度，也不需要太多的管理。但一旦進入漢地之後，這裏的經濟就以農業為基礎了，人口也多，商業也繁榮，文化也發達，要適應這種生活方式，就必須要在政治、經濟和文化上做出調整，就得向漢民族學習文化。於是很多國君就漢化了，他們的部眾也越來越漢化，這就是民族的大融合。我們多次說過，民族是一個文化的概念，當他們的文化同化於漢民族的時候，也就變成了漢民族的一部分。當然漢民族也吸收了很多少數民族的文化。這就是第二個特點：民族的大融合。

第三個特點就是佛教的大發展。佛教是在東漢永平10年傳入中國的，但它一直受到中國本土意識形態，也就是儒家和道家的抵制。東晉的時候，中國當時的哲學體系叫玄學，就是融合儒道，但排斥佛家。所以東晉時期，即使是在長江以南，佛教也不是特別興盛。

到東晉末年，有一些佛教的宗派開始在南方發展，但主要的發展都集中在北方，包括幾大佛教石窟的開鑿，象敦煌莫高窟是從五胡十六國的時候就開始營建了。很多僧人從西域、天竺來到中國。有的僧人展現了很多不可思議的神通變化，讓皇帝信服。有的僧人則闡述了淵深的佛理，表示佛教不僅僅是一種方術，而是有完備而精深的理論體系的。這種理論體系後來也逐漸被漢人所接受。這就是佛教的大發展。

佛教從北方又發展到南方。唐朝的杜牧有詩云：「南朝四百八十寺，多少樓臺煙雨中」。咱們說南朝四百八十個寺，當然這可能也是一個虛數，但給人感覺好像南方的寺廟很多。但實際上北方的寺廟就不只是幾百個了，而是高達幾萬個。後來北周武帝宇文邕滅佛的時候，北方關閉的寺院就有4萬多所。所以那時佛教在北方是非常蓬勃興旺的。

這就是兩晉南北朝時期的三個特點：文化的大遷移、民族的大融合和佛教的大發展。

五胡亂華時期，北方基本上是分裂的，但曾經有一次短暫的統一，就是氐族人苻堅建立了前秦政權。苻堅自稱「大秦天王」，統一了長江以北。他覺得只要再往南走一步滅掉東晉，全國就統一了。當時有很多人反對，但苻堅一意孤行，起傾國大兵97萬，準備一下子吞併東晉。當時東晉只有八萬北府兵，但戰鬥力很強。雙方相持於淝水。這就是歷史上著名的淝水之戰。淝水之戰的結果是苻堅戰敗，北方重新陷入分裂，而南方的東晉政權得以保全。

東晉在剛開始建立的時候就有一些問題。我把這些問題概括為三個方面。

第一個方面就是流寓士族和南方吳地士族之間的衝突。什麼意思呢？給大家講個故事，大家就明白了。三國時期劉備入西川的時候，手下的很多謀臣象法正、龐統等人就勸劉備說：你進西川後，劉璋來迎接你，一定會請你喝酒的，咱們把劉璋一抓，就把四川占了。劉備不同意，說我不忍心，劉璋也是漢室宗親，我不忍心奪他的土地。

看起來劉備好像很厚道，其實是有算計的。什麼算計呢？就是你占領四川，並不是解決劉璋這一個人。劉璋是益州牧，已經在四川經營了兩代了，有一批支持他們的巴蜀士人集團。如果不能得到他們的擁護，你把劉璋一幹掉，四川各個地方就會開始造反了，局面就很難控制了。所以你要想穩固地占領四川，就必須得到本土士族的支持。

東晉也是一樣，如果南方的士族不跟你合作，你的統治基礎就不牢固，政權就很危險。司馬睿之所以能在建康稱帝，靠的就是南方有著巨大影響的大士族王家。所以那時候百姓中流傳著一句話，叫「王與馬，共天下」，「馬」就是司馬睿，「王」就是王敦、王導兄弟。

當時東晉最大的兩個家族，就是王家和謝家。劉禹錫寫的「舊時王謝堂前燕，飛入尋常百姓家」，其中「王謝」就是王家和謝家，勢力特別大。王羲之就是王家的人。後來打淝水之戰的謝安、謝玄就是謝家的人。

當然東晉的士族從北方遷往南方的時候，帶了大量的錢和人口，就侵蝕了原來吳地士族的土地和權力。於是就帶來了這些流寓士族和本土士族之間的矛盾，這就是東晉的第一個問題。東晉後期，孫恩和盧循的叛亂就跟外來士族和本地人之間的衝突有關。

第二個問題叫作「荊揚之争」，就是中央政府和地方軍閥之間的矛盾。「荊」指的是荊州，在湖北一帶，這是東晉的軍事中心，屯駐重兵的所在。而東晉的政治中心在揚州。這個揚州不是我們現在的江蘇省揚州市，那時候揚州叫廣陵。東晉時的揚州指的是一個州，相當於現在的一個省。所以荊州和揚州之爭就是中央政權和地方軍閥之間的爭鬥。地方軍閥好幾次要篡位，象桓溫北伐之後打算篡位，最後東晉被一個叫作劉裕的軍閥篡位等等。所以東晉的滅亡就是荊揚之爭的一個直接結果。

第三個矛盾就是北伐和偏安的矛盾，就是有一些軍人希望北伐、恢復故土。最早北伐的就是聞雞起舞的祖逖。但中央政府不想北伐，覺得偏安也挺好。按道理來講你會覺得，如果北伐成功，皇帝統治的疆域擴張到黃河和淮河流域都占了，不是挺好嗎？但中央政府也有它的顧慮。皇帝認為任何一個人如果北伐成功，就會積累巨大的聲望，得到很多民間的擁護，因此就有足夠的資本篡位了。所以中央政府對北伐的態度是絕不支持：反正你要打我也管不住，但你要錢要兵，那我是不給的。因此北伐無一例外歸於失敗。

東晉的大將劉裕因為北伐和平亂積累了巨大的功勞和聲望，被封為宋王。公元420年，他廢掉東晉皇帝，建立了「宋」政權。為了區別於後來趙匡胤建立的北宋，所以稱這個政權為「劉宋政權」，拉開了南北朝的帷幕。

十、南北朝

南北朝這個時代的命名來自於唐朝李延壽編寫的《南史》和《北史》，南朝指的是宋、齊、梁、陳，北朝則是指北魏、西魏、東魏、北齊、北周，其中西魏與東魏並存，北齊與北周並存。時間跨度是從公元420年東晉結束到公元589年隋文帝重新統一中國的這一段歷史。實際上李延壽寫的《北史》還包含了整個隋朝的歷史。最開始南北朝的分界線在淮河，但南朝文弱，越來越衰落，國境線也不斷往南退，一直退到長江以南。

關於南朝我們就不詳細講了，只說一件事。宋齊梁陳中，梁的開國皇帝叫蕭衍，史稱「梁武帝」，一共當了48年皇帝。他當政期間發生了一件歷史影響深遠的事，就是達摩來到中國，創立了禪宗。這件事我們到後面講佛教簡史的時候再詳細地說。

後來梁朝遇到了侯景之亂，梁武帝餓死。很快梁朝也就滅亡了。在消滅侯景的過程中，陳霸先立下大功，後來建立了陳。這是在南方。

我們回過頭來看北方。拓跋燾在統一北方之後，做了一個非常錯的事，就是下詔滅佛。結果是他自己遭了報應，被宦官所殺。經過了幾代的權力爭鬥，最後即位的是一位五歲的小皇帝——北魏孝文帝拓跋宏。

孝文帝對漢文化非常嚮往。他在20多歲的時候以南征為名，把都城從原來的平城(今山西大同)遷到了洛陽。之後就強行在鮮卑族中推行漢化政策，包括鮮卑人必須改漢姓，當官必須說漢語，必須跟漢人通婚等等。所以當時在洛陽一帶的鮮卑人，在文化上已經變成了漢人。孝文帝他也推崇佛教，所以在洛陽開鑿龍門石窟，興建少林寺。但漢化的只是南遷的這批鮮卑人。

當時在更北方的草原上還有一個非常強大的遊牧民族，叫作柔然。咱們都背過《木蘭辭》，講的就是鮮卑人和柔然發生戰爭的時候，花木蘭替父從軍，所以不是漢人在抵禦外族，而是鮮卑族在抵禦柔然的入侵。

為了抵禦柔然，鮮卑人在邊境上設置了六個兵鎮，相當於六個軍區。六鎮長官由於長期駐紮在邊境，在文化上就保持了原來的鮮卑文化。它跟南遷後漢化的鮮卑人就像是兩個民族一樣。而皇帝重點提拔的是南遷的鮮卑貴族，六鎮的地位不斷下降，後來就引發了一場叛亂，史稱「六鎮之亂」。六鎮之亂持續了4年，被一個叫爾朱榮的將軍給平息了。平息之後就發生一系列宮廷變故，詳情我們先不講了。有興趣的朋友可以去看《笑談風雲》的第三部《隋唐盛世》，一開始就是講的這一段。

這場宮廷鬥爭之後，北魏就分裂成了西魏和東魏。後來權臣宇文泰的兒子宇文覺篡了西魏，建立了北周政權；東魏政權則被權臣高歡的兒子高洋所篡，變成了北齊政權。這樣北方就出現了北周和北齊兩個對峙的政權。

之後北周武帝宇文邕滅掉北齊，統一了長江以北。他本來準備滅掉南陳，統一全國的。但他在統一北方前後，也下詔滅佛，最後得了一種非常奇怪的病，全身潰爛而死。宇文邕雖然英武有為，但太子宇文贇實在不成材，登基之後荒淫無道，兩年後身體就不行了，傳位給宇文闡，一年之後駕崩。宇文贇死的時候，宇文闡只有七歲，大權就落到了他的外祖父楊堅手中。後來楊堅篡位，自己就當了皇帝，建立了隋朝。公元589年，隋滅掉南陳，重新統一了中國。

咱們剛才把兩晉南北朝這個分裂時代總結了一下。關於隋朝，咱們就下堂課再說。

第十三講 ❖ 中國歷史概述(四) 隋

Chapter. 13　Overview of Chinese History (4) The Sui Dynasty

大家好，咱們今天講隋朝。

十一、隋

按照中國歷史分期，隋朝屬於第二帝國。第一帝國是秦漢帝國，也是中國第一次實現了統一。公元184年黃巾軍造反之後，中國陷入了一個400年的大分裂時代，最後在公元589年，隋文帝滅陳，再次統一天下。

隋唐兩朝都非常繁榮富庶，疆域之遼闊遠遠超過漢代。中國人一提到盛世，就說「漢唐盛世」。在我個人看來，漢代奠定了中國政治制度和文化的框架，而隋唐則把中國文化推向了頂峰。所以我們可以說隋唐是中華文明的黃金時代。

秦漢和隋唐有很多相似、也有很多不同的地方。首先說相似的地方。隋唐是一短一長，這跟秦漢一短一長就比較像。秦存在了15年，隋是存在了37年，從公元581年到618年。漢是中國統一王朝中國祚最長的，達400年。唐朝存在了289年。所以從兩個結構上來說都是一短一長。

同時在秦漢時期、在隋唐時期都湧現出很多英雄人物。秦末有劉邦、項羽、張良、韓信、蕭何等等，隋唐之間則有長孫無忌、房玄齡、杜如晦、秦瓊、尉遲恭、李靖等。那麼漢武大帝的時候，也湧現出很多名將，像衛青、霍去病、李廣。那麼到唐朝中葉的時候，也有像蘇定方、裴行儉、薛仁貴這樣的名將。這是兩個歷史分期比較相像的地方。

當然秦漢和隋唐也有不同。首先就是在國家意識形態上，秦漢是截然相反的。秦的國家意識是法家，到漢初的時候改為道家。因為秦末造反的主要是楚人，陳勝、吳廣、劉邦、項羽、韓信、蕭何等都是楚人，而道家的重要人物老子和莊子也都是楚人。所以漢初比較傾向於道家的治國理念，休養生息，省刑罰、薄賦稅、輕徭役，與民休息，在漢初締造了一個盛世。到漢武帝的時候罷黜百家獨尊六經，把儒學定為一元官學。所以秦、漢的國家意識形態不一樣。但隋唐在國家意識形態上沒有什麼變化。

再有一個不同的地方就是西楚的項羽滅掉了秦，然後漢滅掉了楚，秦楚之間、秦漢之間沒有血緣關係。但隋唐之間是有血緣關係的。所以隋唐政權的更迭更像是一個家族內部的權力轉移。大家可以看一下這張關係圖。

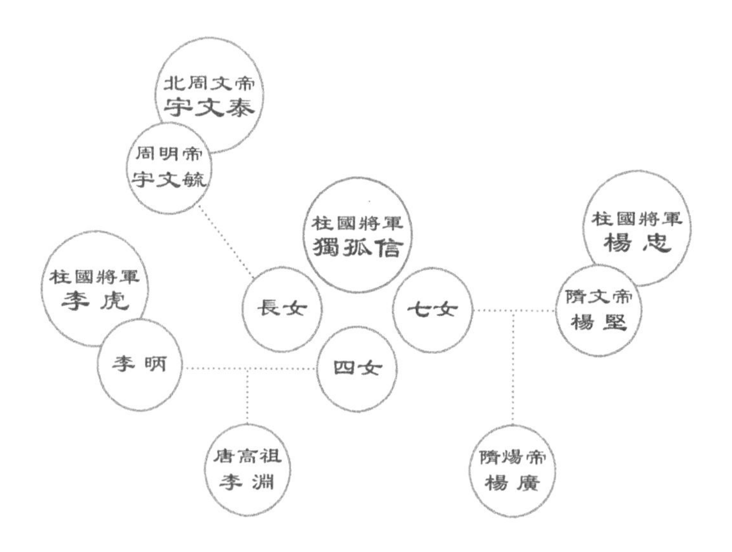

我們知道隋取代了北周，北周取代了西魏。在西魏時有八個柱國大將軍，都是非常厲害的人物，像宇文泰、楊忠、李昞、李弼等等。其中有一個柱國大將軍叫獨孤信。正史中記載獨孤信長得非常漂亮，說「信美容儀，善騎射」，就是武功很好，「信既少年，好自修飾，服章有殊於眾，號為獨孤郎」。他年輕的時候長得漂亮，也喜歡打扮自己，衣服跟別人都不一樣，大家都很愛戴他，管他叫作獨孤郎。在當時，長得非常漂亮的小夥子才稱為「郎」。獨孤信有七個女兒，大女兒嫁給了北周皇帝宇文泰的兒子宇文毓，後來被封為皇后；四女兒嫁給了柱國大將軍李虎的兒子李昞，後來生了唐高祖李淵；七女兒獨孤伽羅嫁給了柱國大將軍楊忠的兒子楊堅，就是後來的隋文帝[*1]。所以從家譜上來看，李淵應該管隋文帝叫七姨夫，他和隋煬帝之間就是表兄弟的關係。

按照《北史》和《漢書》的記載，楊堅應該是司馬遷的女婿楊敞的第18代孫[*2]。楊堅出世的時候紫氣滿庭，照得人身上的衣服都變成了紫色。這時來了一個尼姑，跟楊堅的母親說：「這個小孩來歷不凡，你們俗家人太骯髒，請把他交給我來養。」楊堅的母親有一次去看他，把他抱起來的時候，忽然看到這個嬰兒頭上長角，身體皮膚上出現龍鱗，把他媽嚇得一下子把他扔到了地上。正好尼姑回來看到了，把楊堅抱起來說：「你把他嚇到了，耽誤了他得天下的時間。」[*3]所以楊

*1 《周書》第16卷：信美容儀，善騎射。……信既少年，好自修飾，服章有殊於眾，軍中號為獨孤郎。……又信在秦州，嘗因獵日暮，馳馬入城，其帽微側。詰旦，而吏民有戴帽者，咸慕信而側帽焉。其為鄰境及士庶所重如此。……信長女，周明敬后；第四女，元貞皇后；第七女，隋文獻后。周隋及皇家，三代皆為外戚，自古以來，未之有也。

*2 《北史》第11卷：隋高祖文皇帝姓楊氏，諱堅，小名那羅延。本弘農華陰人，漢太尉震之十四世孫也。

*3 《北史》第11卷：以周大統七年六月癸丑夜，生帝於馮翊波若寺，有紫氣充庭。時有尼來自河東，謂皇妣曰：「此兒所從來甚異，不可於俗間處之。」乃將帝舍於別館，躬自撫養。皇妣抱帝，忽見頭上出角，遍體起鱗，墜帝於地。尼自外見，曰：「已驚我兒，致令晚得天下。」帝龍頷，額上有五柱入頂，目光外射，有文在手曰「王」字，長上短下，沈深嚴重。

堅從小是在尼姑庵裡長大的，跟佛家非常有緣。楊堅在當皇帝之前，北周曾經出現過一次滅佛事件。楊堅登基後，又把佛法恢復起來。

隋文帝稱帝的時候，中國還處在一個分裂時代。南方有一個陳政權；北方則是非常強大的突厥民族。突厥疆域遼闊，東西縱橫萬里，東面到現在的遼東一帶，西面一直到達阿富汗和伊朗。但突厥並不是一個統一國家，也分成不同的部落。其中實力最強的是大可汗沙缽略，還有一些其他別的可汗。楊堅手下有一個外交家叫長孫晟。大家可能不知道這個人，卻很可能聽說過他的兒子長孫無忌。長孫晟的女兒嫁給了唐太宗李世民，就是非常著名的長孫皇后。

長孫晟是個非常厲害的人物。他出使突厥的時候，有一次看見兩只鷹在天空中爭一塊肉，長孫晟就射了一箭，把兩隻鷹都射了下來，所以他一箭貫雙雕。突厥人就對他特別崇拜。很多突厥的貴族都跟他關係很好。長孫晟因此就得到了很多突厥的情報，也瞭解了突厥不同部落之間的矛盾。所以他就給楊堅出了個主意，有點類似于戰國時期的「遠交近攻」。於是隋文帝聯絡西面的阿波可汗和更西面的達頭可汗來牽制東面的沙缽略大可汗，最後沙缽略戰敗，向隋文帝稱臣。

北方的問題解決之後，就只剩下一個比較大的割據政權了，就是南方的陳。這時南陳的皇帝叫陳叔寶，歷史上也稱他為陳後主。陳後主非常喜歡音樂，也非常會享受生活。他特別寵愛貴妃張麗華。張麗華長得非常漂亮。正史記載，她的頭髮又黑又密，非常平順，光可鑒人。她的頭髮梳下來可以象一面鏡子照出人的容顏來，她的眼睛也非常有神采[*4]。所以陳叔寶對她愛如珍寶。

*4 《南史》第12卷：張貴妃髮長七尺，鬒黑如漆，其光可鑒。特聰慧，有神彩，進止閑華，容色端麗。每瞻視眄睞，光彩溢目，照映左右。嘗於閣上靚妝，臨於軒檻，宮中遙望，飄若神仙。

我們知道，通常國君要喜歡一個女人，很可能幹一件事，就是給她修房子。就像是紂王給妲己修鹿台，吳王夫差給西施修姑蘇台，陳叔寶也給張麗華修了一座高臺，其實是三座高閣，給了他三個寵妃。樓臺都是用檀香木打造的，微風吹過，木材本身的香氣可以飄幾里遠。張麗華打扮得像神仙一樣，站在高高的樓閣之上，感覺風景也美、人也美。陳叔寶自己又喜歡詩詞，又喜歡唱歌，所以他就整天在醇酒美人中混日子。可是這時北方楊堅的軍事實力已經非常強大，滅陳也就是彈指之間的事情。

公元588年，楊堅任命次子楊廣為行軍大總管，率領50萬大軍南下伐陳，以高熲為行軍長史(秘書長)，經過了短短兩個多月的時間就滅掉了南陳，統一了天下。

我們下面簡單說一下隋文帝的文治。隋文帝的第一个年號是開皇，是歷史上非常富裕的時代，史稱「開皇之治」。在政治制度上，隋文帝也做了一些重要的變革。

第一個就是開始了科舉選官的制度。也就是在選官的時候，不再根據你的出身來決定你是否有資格當官，而是把官位作為一個大家競爭的目標。所有的人只要讀書都可以來參加考試。也就是除了皇帝這個位置之外，其他所有官位都向所有人開放，通過公平的競爭去選拔人才。

再一個就是隋文帝設計了三省六部制。所謂三省就是尚書省、門下省和內史省。每個省的最高長官都相當於宰相。其中內史省負責起草皇帝的詔命，內史省後來到唐代就改稱中書省。門下省負責審議詔命，如果覺得不合適可以封駁，交回皇帝重新修改。如果審議通過，就把詔書交給尚書省執行，這就是三省制度，相互之間形成權力的制衡。

在尚書省的下面又設了六個部，吏、戶、禮、兵、刑、工，來管理國家某個具體方面的事務。這是隋文帝做的一個非常重要的政治制度設計。後來唐朝也延續了這樣的三省六部制度。

隋文帝非常勤政，也非常節儉。開皇時期，國家儲備了大量的糧食，據說足夠全國老百姓吃五、六十年。据氣象學家說，當時關中的氣候相當炎熱。其實氣溫高有助於糧食生長。隋朝的時候在洛陽城外穿了3000個地窖，每一窖可以放8000石糧食。所以那時國家的經濟是非常富裕的。

隋文帝還完善了府兵制，修廣通渠（大運河的一部分），還修築了一個新的大興城，就是新的長安城。最開始隋朝定都長安，就是西漢時期建的都城。但因為太多的人在那裏住，時間長了水土就變鹹了，不太適合生活了。於是隋文帝又找了一個新的地方，新建了一個大興城。

隋文帝駕崩後，即位的就是他的次子楊廣，也就是後來的隋煬帝。隋煬帝這個人的道德品質很成問題。他本來沒有即位的資格，因為他有個哥哥叫楊勇。但是楊廣就特別會裝。楊堅的正妻獨孤伽羅很有名，就是歷史上著名的獨孤皇后。她妒忌心很強，不許楊堅喜歡別的女人，也很討厭花心男人。但楊勇就很不爭氣，生活不檢點，偏偏不喜歡正妻，而喜歡別的女人。楊廣其實也很好色，但他就有意找一些又老又醜的女人照顧他的起居，這樣就贏得了母親的歡心。當然他中間耍了很多陰謀詭計，我們沒有時間一一去講。後來隋文帝廢掉了楊勇的太子之位。楊堅駕崩後，楊廣就當了皇帝。據說他的父親實際上是被他殺死的，因為死得很可疑。

登基之後，楊廣就露出了他窮奢極欲的本性。他一共當了13年皇帝，做了很多浩大的工程，包括營建東都洛陽。你想建一個城市的工程多麼浩大！哪個地方建宮殿、哪個地方建宗廟、哪個地方建社稷壇、哪個地方是民居、哪些地方做市場等等。整個一個城，從規劃到建成僅用了八個月。所以你可以看到當時的工藝也好或者是規劃管理也好，都是非常先進的。

隋煬帝還開鑿了大運河。這是人類歷史上最長的人工運河。從錢塘江一路向西北修，一直修到洛陽，然後從洛陽又往東北修，一直修到現在的北京，溝通了錢塘江、長江、淮河、黃河、海河水系。工程非常浩大。運河兩邊都種上楊柳，非常漂亮。大運河的開鑿溝通了南北交通，所以稱它為南北交通的大動脈。但是楊廣修運河的主要目的卻是為了出巡和遊玩。

當時在修的時候對河道的寬度和河水的深度都是有要求的，因為楊廣的游船非常巨大，高十幾丈，就像一座宮殿一樣，有120間房間，所以叫水殿龍舟。他出巡的時候自己的大船、皇后的船、百官的船，還有軍隊的船等等舳艫相接，上百里之長。500里之內的州縣都要供給飲食。同時運河兩岸，每40里要修建一座行宮，非常奢侈

除了坐船出巡之外，楊廣還要到草原上去擺一擺威風，震懾一下那些少數民族。他命令宇文愷給自己設計了一座宮殿，叫「觀風行殿」。觀風就是看風景，行殿就是可以走的宮殿。所以宮殿底下是有軲轆的，可以推著走。

隋煬帝畫像

如果我們覺得造一座可以行走的宮殿已經很拉風了，那我們實在是低估了楊廣的想像力。他還讓宇文愷給他修了一座移動的城堡，周長2000步，就跟一座城市一樣，也在草原上

推著走。那些遊牧民族看見一個城市在移動，都嚇壞了，以為是神仙下凡，遠遠幾十里看見那個城池就要下拜。

楊廣每次出巡動用的軍隊都是幾十萬，加上各種各樣的奢侈物資的供應，花費不下於一場戰爭。

除了窮奢極欲之外，隋煬帝還窮兵黷武。他曾經進攻過林邑國（今越南），一直打到金蘭灣一帶。還進攻過琉球（今台灣），還打過吐谷渾（今青海）。他還做了一個非常錯誤的決定——攻打高句麗。他一共打了三次，正是這三次戰爭造成了隋朝的滅亡。

公元612年，隋煬帝第一次遠征高麗。當時動員的軍隊達到112萬之多。軍隊分為幾路，一路從陸路進攻，還有一路從山東出海，跨過渤海灣進攻朝鮮半島的南面。還有一路進攻遼東，過鴨綠江，從西北面去進攻朝鮮半島。

進攻遼東的陸軍有30多萬。不知道當時為什麼沒有專門的後勤保障部隊，而是讓進攻的士兵自己背著糧食。士兵不僅要背糧食，還要背武器、背醫藥，背做飯的鍋、背帳篷等等。所以一個士兵要背的東西就達到3石重，相當於300多斤。你想一個士兵抗著300斤的東西怎麼能行軍呢？於是很多士兵就把糧食就地掩埋，只帶了很少的糧食去打朝鮮。

高麗的指揮官乙支文德看到隋軍隊推進很快，就覺得士兵輕裝前進一定會有糧食供應的問題，於是乙支文德就命令高麗軍隊大踏步後撤，隋軍就在後邊追。越追隋軍的糧食就越少，追過薩水（今清川江）的時候糧食就吃完了。隋軍抵達高麗的都城平壤城下，這時已經沒糧食了。平壤的國王假裝要投降，隋軍隊覺得攻城也挺困難的，就答應了。結果乙支文德率領高麗軍隊突然反撲，隋軍又沒糧食了，於是開始撤退，幾乎一夜之間退回到鴨綠江邊。30多萬人進入朝鮮，回來的只有2700人。所以第一次進攻高麗就這樣失敗了。

楊廣當然覺得這是一個很沒面子的事情，所以又開始第二次遠征高麗。這時有一個負責給他運送輜重的人叫楊玄感，就造反了，由此點燃了遍地的烽火。楊玄感造反後，出現了很多割據勢力，像北方的劉武周、竇建德，洛陽的王世充，江南的輔公祏、杜伏威，還有西面甘肅一帶的薛舉、李軌等等，總之造反隊伍非常多。其中有一支軍隊是從太原起兵的，主帥就是太原留守李淵，也就是後來的唐高祖。

李淵自己最開始並沒有想打，但他的兒子李世民一直勸他。公元617年，李淵起兵，很快就攻入了長安。這時隋煬帝正在江都避禍。江都就是現在的江蘇揚州。隋煬帝特別喜歡江南的景色，同時他覺得北方已經亂亂嚷嚷的，非常危險，就躲到了江南。他這一躲就躲了幾年。他手下的衛兵都是北方人，想要回到北方的家鄉，隋煬帝不讓。後來軍隊發生了嘩變，在宇文化及的支持下將隋煬帝殺死。隋朝也就滅亡了。

公元618年，李淵廢掉了他以前立的一個傀儡皇帝，自己登基，建立了唐朝。關於唐朝的歷史，咱們下一堂課再說。

第十四講 ❖ 中國歷史概述(五) 唐

Chapter. 14　Overview of Chinese History (5) The Tang Dynasty

大家好，我們今天講唐朝。這是中國歷史上的一個輝煌盛世。

十二、唐

大唐的第一個皇帝是唐高祖李淵，但整個江山實際上是他的次子李世民打下來的。李淵稱帝的時候，全國到處都是割據的造反勢力，比如說北方有劉武周、竇建德，西邊有薛舉、李軌，中原一帶有王世充，江南有輔公祏、杜伏威等。這些割據政權在短短的四年內都被李世民平定。

我們都知道李世民，也就是唐太宗，是一個了不起的政治家，開創了貞觀之治。實際上他同時又是一個軍事家、書法家、詩人，也是一個衝鋒陷陣的勇將，是這樣一個全才全能的人。《資治通鑒》中說李世民有一支人數很少的部隊，相當於他的親軍衛隊，都披著黑色的鎧甲，稱為玄甲軍[*1]。每次玄甲軍衝鋒的時候，衝在最前面的就是李世民。他象項羽一樣所向披靡。

*1　《資治通鑒》第188卷：秦王世民選精銳千餘騎，皆皂衣玄甲，分為左右隊，使秦叔寶、程知節、尉遲敬德、翟長孫分將之。每戰，世民親被玄甲帥之為前鋒，乘機進擊，所向無不摧破，敵人畏之。行臺仆射屈突通、贊皇公竇軌將兵按行營屯，猝與王世充遇，戰不利。秦王世民帥玄甲救之，世充大敗，獲其騎將葛彥璋，俘斬六千餘人，世充遁歸。

唐太宗畫像

李世民在洛陽城外和王世充交戰的時候，想看看王世充的軍隊縱深到底有多遠，就率領幾十個騎兵衝入敵陣，從前面殺進去，從後面殺出來，等於穿透了整個敵陣，然後又往回殺。因為他衝得太猛，只有一個叫丘行恭的將軍跟上了他[*2]。也是武德四年，他跟竇建德交戰。竇建德大軍十餘萬，號稱三十萬[*3]。李世民想要窺伺一下敵人的大營，於是只帶了500人離開營地。這500多人他也不都帶著，走到一個地方發現地形比較利於設埋伏，就留一些人在那兒。又到了一個地方，看比較適合設埋伏，就又留一部分部隊。最後自己身邊只剩下四個人，其中一個是尉遲恭。李世民就回頭跟尉遲恭說：「我拿弓箭，你拿著槊，敵人就是有一百萬也奈何不得我們。他如果聰明的話就別來追我；要是來追我，那他就倒楣了」[*4]，真是成竹在胸，豪情滿懷的感覺。

李世民在統一戰爭中的功勞實在太大，李淵覺得賞無可賞，就封他做「天策上將」，並允許他開府。所謂開府就是你可以有私人任命的官吏。所以在天策

*2 《資治通鑒》第188卷：世民欲知世充陳厚薄，與精騎數十沖之，直出其背，眾皆披靡，殺傷甚眾。既而限以長堤，與諸騎相失，將軍丘行恭獨從世民。

*3 《資治通鑒》第189卷：竇建德陷管州，殺刺史郭士安；又陷滎陽、陽翟等縣，水陸並進，泛舟運糧，溯河西上。王世充之弟徐州行臺世辯遣其將郭士衡，將兵數千會之，合十餘萬，號三十萬，軍於成皐之東原，築宮板渚，遣使與王世充相聞。

*4 《資治通鑒》第189卷：癸未，世民入武牢；甲申，將驍騎五百，出武牢東二十餘裏，覘建德之營。緣道分留從騎，使李世勣、程知節、秦叔寶分將之，伏於道旁，才餘四騎，與之偕進。世民謂尉遲敬德曰：「吾執弓矢，公執槊相隨，雖百萬眾若我何！」又曰：「賊見我而還，上策也。」

府中就集中了很多的人才，像房玄齡、杜如晦、長孫無忌、秦瓊、尉遲恭、程知節等人。這就引起了太子李建成的妒嫉。因為李建成雖然是長子，但功勞遠遠比不過李世民，手下的人才也不行。所以李建成就一直對太子的位置缺乏安全感，怕隨時可能會失去。

李世民還有一個弟弟叫李元吉。李元吉就唆使李建成，合謀想除掉李世民。他們設計了很多陰謀，包括給他喝毒酒、騎劣馬等等，但李世民都躲過去了。最後他們想利用李世民遠征突厥的機會，在踐行的宴會上把李世民殺死。後來陰謀敗露。世民不得不奮起自衛，這就是歷史上非常著名的玄武門之變。玄武門之變發生在公元626年，建成和元吉被殺死，高祖李淵禪位給李世民。李世民登基，廟號太宗，年號貞觀，由此開啟了「貞觀之治」的盛世。

李世民剛登基的時候，國家的經濟很糟糕，天災不斷。按照《資治通鑒》的記載，貞觀元年，關中鬧饑荒；貞觀二年，天下鬧蝗蟲；貞觀三年，發洪水。百姓生活很苦，但皇上跟他們同甘共苦，所以百姓心裡也沒什麼怨恨[*5]。到貞觀四年的時候，「天下大稔」，就是大豐收。老百姓吃飯就不用發愁了，於是馬上就出現了一個路不拾遺、夜不閉戶的局面。

唐太宗武功鼎盛，滅了很多的國家，包括東突厥、青海一帶的吐谷渾、西域的高昌和焉耆、北方的薛延陀等。當時在少數民族中，不光是大唐的威望遠震四方，同時這些首領對唐太宗又非常崇拜。因為他打了這麼多勝仗，但對少數民族卻沒有歧視，而是把他們當自己本國的子民同樣對待。他不是打了勝仗就掠奪你的人口和財富，而只是責備這些首領不該造反，甚至還封他們做將軍，有的就留在京城直接做官。那些被搶走的漢人奴隸，太宗都是花錢去贖買。因為他能夠

*5 《資治通鑒》第193卷：（貞觀）元年，關中饑，米鬥直絹一匹；二年，天下蝗；三年，大水。上勤而撫之，民雖東西就食，未嘗嗟怨。

以平等之心對待這些少數民族，因此贏得了他們的衷心擁戴。少數民族的首領叫「可汗」，他們就管李世民叫「天可汗」，就是天上來的王。

唐太宗還有非常多的嘉言懿行，制定了很多很好的政策。他組織人撰修經史，我們現在看到的《二十四史》中有八部都是在太宗時期修撰的；他求賢納諫，鼓勵大臣給他提意見，所以象長孫無忌、魏徵、諸遂良都是很有名的諫臣；他寬簡法律、勤政愛民、弘揚佛法等等。我們知道玄奘去西天取經歸來，太宗親自撰寫了《大唐三藏聖教序》。同時他和大臣之間推心置腹，沒有猜忌，君臣關係非常融洽。

公元649年，太宗駕崩，即位的是他的第九子李治，廟號高宗。李治跟太宗很不一樣。太宗雄才大略，而李治為人柔弱。李治特別喜歡唐太宗的才人武媚娘，就是後來的武則天。他倆的關係不太正常。等到唐太宗駕崩以後，所有原來侍奉過太宗的宮女都要出家做尼姑。在太宗駕崩一周年的時候，高宗到感業寺敬香，看到了出家為尼的武媚娘，於是舊情複燃。高宗又把媚娘帶回宮中。

當時高宗有兩個非常寵愛的人，王皇后和蕭淑妃。二人爭寵，王皇后想借武媚娘之手除掉蕭淑妃。結果武媚娘漁翁得利。中間的過程我們不講它了，涉及到很多宮廷鬥爭的細節。總之，武媚娘為人乖巧聰慧，討人喜歡，但其實她是一個心機很深，殘忍毒辣的女人。

高宗晚年的時候身體不好，眼睛看不見了，所以奏章就由武則天來批復。這樣國家政權就一步一步地轉移到了武則天的手裏。唐朝的都城雖然在長安，但在高宗和武則天當政期間，他們常年住在洛陽。公元683年，高宗駕崩，繼位的是武則天的兒子李顯，廟號中宗。武則天有好幾個兒子，長子李弘是被她下毒毒死的，次子李賢被她逼迫自殺，她自己的女兒也是被她掐死的。她為了鞏固自己的地位，大殺李唐的宗室。她怕大臣心向大唐，不會允許她篡位，於是任用像來俊臣、索元禮周興這樣的酷吏，羅織各種各樣的謀反案，把大臣和李唐家族的人羅織進去殘酷處死。所以她為了得到江山殺人無數。

中宗即位沒多久就被武則天廢了，因為中宗想封他的岳父韋元貞做侍中。侍中是門下省的最高長官，地位相當於宰相。有人就勸他說，封他這麼大的官兒還是得請示一下太后的同意吧，意思就是你媽不同意你就麻煩了。中宗說：我是皇帝，別說封他做侍中，就是把天下都交給韋元貞又能怎樣？結果這話就被武則天知道了。武則天怒氣沖沖地來到中宗面前，當時就把他廢為廬陵王。武則天就又立了她另一個兒子李旦為帝，這就是睿宗。

李旦知道他媽權力慾極強，所以他名義上當皇帝，但他不坐朝，國家大事一律交給他媽處理。即使這樣，武則天還是不滿足。終於在公元690年，武則天廢掉李旦稱帝，那時她已經68歲了，是中國歷史上登基時年齡最大的皇帝。她一共在位15年。武則天改國號為周，因此歷史上稱這個事件為「武周代唐」。

她雖然取代了大唐，但因為她是一個女人，所以在選擇繼承人的時候就出了問題。如果她要選一個兒子即位的話，兒子姓李，等於把皇位還給了李家；但如果要選一個姓武的，最多只能選她兄弟的兒子，就是選她的侄兒。她想來想去，與其給侄兒還不如給兒子，加上當時大唐發生了一場政變，最後她決定讓中宗復位，就是最開始被貶為廬陵王的中宗復位當皇帝。中宗復位一年後武則天就死了。

中宗也是個性格非常軟弱的人。他被貶為廬陵王的時候，武則天有時派人去看他。他一聽他媽派人來就嚇得要死，怕武則天把他給殺了，因為他兩個哥哥就是被他媽殺的。他的皇后韋后就安慰他說：你害怕也沒用啊，日子該怎麼過還得怎麼過呀。所以中宗對韋后特別感激，就跟韋后講：有朝一日如果我能夠再當皇帝，你怎麼做我都不責怪你。所以中宗復位之後，國家的權力實際上就落到了韋后和韋后的女兒安樂公主的手裡。安樂公主是中宗的女兒，特別瞧不起太子，覺得自己應該當皇帝，因為她奶奶武則天當皇帝嘛，她也想當。她就要求中宗封她做皇太女，立為繼承人，中宗也不責備她，一笑了之。

韋后的私生活非常糜爛，跟武三思私通，跟其他別的人關係也不正常。她擔心中宗有一天會責罰她，就買通了一個給中宗做飯的廚師，給中宗烙了一張餅，餅裏邊下了毒藥，就把中宗毒死了。然後韋后就準備學武則天，為稱帝做準備了。結果相王李旦的兒子李隆基發動一場兵變，把韋后和安樂公主都殺掉了。然後李旦再次復位，還稱睿宗。

李旦也是個對權力沒什麼野心的人。他雖然當皇帝，但他非常倚重兩個人，一個是兒子李隆基，還有一個就是妹妹太平公主。太平公主也是武則天的女兒。太平公主也是有野心的，跟李隆基兩個人爭權。李旦不管事，人家問他說這事應該怎麼辦呀？他就說：「問太平否？」去問問我妹妹太平公主吧。那件事怎麼辦，他說「問三郎否？」問我三兒子李隆基吧。後來李隆基又發動了一場政變，幹掉了太平公主。睿宗退位，李隆基就當了皇帝，開啟了大唐的最後一段盛世，就是開元盛世。

李隆基登基之後有一段長達30多年的開元盛世。但因為李隆基當皇帝當的時間比較長，後面當皇帝那15年就是一個亂局，天寶末年就發生了安史之亂。安史之亂是中國歷史上一個特別重要的事件，因為它不僅影響了大唐的國運，包括後面的五代十國，本質上是安史之亂的延續；再到宋代崇文抑武的國策，都是跟安史之亂有關。

說到安史之亂，就要說一下大唐的兵制。大唐在開國的時候實行的是「府兵制」。所謂「府兵制」指的是國家不養兵，而是老百姓出錢當兵，這樣國家沒有過多的軍費開支。具體地說，國家在各地設立一些駐兵的機構，叫做兵府。男丁農忙的時候種地，農閑的時候就在兵府練兵。

如果國家要打仗，就臨時指定一位將軍為行軍大總管，賦予他指揮權。也就是說軍隊的訓練平時是在地方，打仗的時候臨時從全國的兵府中抽調士兵交給行軍大總管來指揮。士兵跟將軍之間沒有特別親近的私人關係，誰也不認識誰。戰爭結束之後，行軍大總管就把兵符交回去，而府兵再散回到各自的家鄉去，「兵歸於府、將歸於朝」。這樣兵和將之間是一種完全分離的狀態，這樣避免某一個將軍利用私人部隊造反。

在大唐府兵制最盛的時候，全國有折衝府大約600多個，其中關內就有285個，府兵26萬人，占全國數量的將近一半。所以當時關中駐兵非常多，即使各地發生叛亂，關中的軍隊也足以擋住他們，這樣就保衛了中央政府的安全。府兵制在高宗和武則天時代開始廢弛。

大唐的疆域非常遼闊，東面的少數民族，像契丹、奚、室韋等都在威脅邊疆的安全。在北部也有一些少數民族，西面又有阿拉伯帝國的崛起，所以大唐為了防禦入侵，就在邊疆上設立了十個藩鎮。藩鎮的長官叫節度使。為了應付邊患，藩鎮需要長期駐軍，如果從別的地方調兵，士兵們思念家鄉就會軍心不穩。於是節度使獲得了在當地招兵的權力、徵稅的權力和地方官吏的任免權，這樣藩鎮就變成了相對獨立的國家一樣。

中央的府兵逐漸廢弛。玄宗時代就召集了一些士兵專門拱衛中央。府兵制就變成了募兵制。所謂募兵制就是雇傭軍，朝廷要發工資的。這批招募的軍隊一共12萬人，稱為彍騎。但因為地方上沒有叛亂，這些都城的衛戍部隊就無事可做，也沒有打仗的機會，所以他們就給將軍修修房子、扛個東西等等做些打雜的事。很快彍騎的戰鬥力就下降到不能打仗的程度。

所以府兵被廢除，彍騎又沒有戰鬥力，大唐的軍隊就出現了一種外重內輕的局面，也就是邊疆上設置重兵，而中央沒有軍隊拱衛。

為了防止節度使造反，高宗時代是有一些規定的，比如說一個節度使只能領自己一個藩鎮的士兵，不能夠兼任很多藩鎮的節度使；節度使跟朝中的大臣不可以有特殊的關係等等。但是到了玄宗時期，這些規定一個個地被廢棄。

我們知道發動安史之亂的是安祿山。他一人就兼了范陽、平盧、河東三镇節度使。范陽就是現在北京密雲一帶、平盧在遼寧一帶、河東在山西一帶。所以遼寧、河北、山西一條線下來都是安祿山在管。安祿山的軍隊數量達到了15萬。這15萬是胡漢混合的軍隊，除了有漢人之外還有很多少數民族，加上長期打仗，當然戰鬥力就非常強。而中央12萬彍騎，已經腐敗得不堪一擊了。

安祿山其實久蓄異志，很多人都知道他會造反，只是唐玄宗不知道。安祿山特別狡猾，知道怎麼去討人喜歡，也特別善於裝傻。他是個300多斤的大胖子，肚子特別大，一直垂到膝蓋上。有一次唐玄宗跟他開玩笑說：你肚子這麼大，裡邊裝了什麼呀？安祿山就說：這裡只有一顆對陛下的赤膽忠心。唐玄宗哈哈大笑。安祿山還特別討好唐玄宗的寵妃楊玉環，認楊玉環做他的母親。其實楊玉環那時30多歲，安祿山已經40多歲了。反正他特別善於搞關係，唐玄宗對他也不加防備。

天寶15年，安祿山在范陽起兵造反。安祿山在東面嘛，中央部隊又不堪一擊，於是朝廷沒有辦法，只能調西北的軍閥，包括哥舒翰、封常清、高仙芝這批人去跟安祿山作戰。當西北的軍隊被調過來應付安史之亂的時候，大唐西邊的領土基本上就全部喪失了，但他們還是沒有打過安祿山。

先是封常清跟高仙芝戰敗，突厥人哥舒翰奉命鎮守潼關。如果潼關能夠擋住安祿山的話，其實大唐就有了勝利的希望。因為如果安祿山長期被擋在潼關，河北各地義兵就會去抄安祿山的後路、斷他的糧道等。這個局面對安祿山來說其實是比較危險的。但是楊玉環有一個族兄叫楊國忠，是唐玄宗的宰相。楊國忠擔心哥舒翰如果在潼關擋住了安祿山，他就等於對大唐有再造之功，這樣哥舒翰就可以當宰相了。那麼楊國忠自己的宰相位置就保不住了。於是楊國忠就在唐玄宗的耳邊進讒言，讓唐玄宗下令，強迫哥舒翰出關和安祿山交戰。哥舒翰明知道出兵一定會輸，但皇帝有命令，他也沒有辦法。當時哥舒翰還生著病，大哭了一場，帶著8萬士兵出潼關。結果中了安祿山的埋伏，全軍覆沒，哥舒翰本人被俘，潼關失守。潼關一失守，長安就危險了。

公元756年6月，一個下著細雨的清晨，唐玄宗帶著他的太子李亨、寵妃楊玉環、宰相楊國忠和一些御林軍，沒有通知大臣，倉皇逃離長安，中間還發生了馬嵬之變，楊國忠和楊玉環都死了。老百姓攔住了皇帝說：「皇上走了，誰來抵禦安祿山的叛軍呢？」唐玄宗就把平叛的事委託給太子李亨。李亨就離開了玄宗，渡過黃河。在郭子儀、李光弼等群臣勸進之下，李亨在寧夏的靈武即位，廟號肅宗，遙尊玄宗為太上皇。這時玄宗已經逃到了四川。郭子儀和李光弼開始平叛，詳情我們不講了，前前後後一共打了七年的時間，到公元763年的時候，終於勉強平定了安史之亂。

安史之亂平息後，大唐就陷入了事實上的分裂。雖然表面上安祿山、史思明、安慶緒、史朝義等等全都死了，但是還有很多他們的部眾。大唐為了讓戰爭很快結束，就採用了一種收買的方法，將這些安史余孽也封為節度使。這些人其實根本就不尊重中央朝廷。所以大唐就陷入了事實上的分裂。一直到公元907年朱溫篡唐，大唐滅亡。

大唐之後就是五代十國和兩宋。這部分內容咱們下一堂課再說。

第十五講 ❖ 中國歷史概述(六) 兩宋

Chapter. 15　Overview of Chinese History (6) The Song Dynasty

觀眾朋友大家好。咱們上一堂課講到安史之亂。這個事件的歷史影響非常深遠。它不僅是大唐由盛轉衰的分水嶺，而且影響了後面的五代十國，以及宋代的國策。公元907年，朱溫篡奪了唐朝的江山，建立了後梁。歷史就進入了五代十國時期。

五代本質上是安史之亂的延續。五代指的是梁、唐、晉、漢、周五個朝代。因為歷史上曾經出現過「梁」，戰國時期的魏國也叫梁國，後來在南北朝時期南方也出現過「梁」，所以五代十國時期的梁就被稱作是「後梁」。另外四個分別叫做後唐、後晉、後漢、後周。

五代非常短暫，加在一起只有53年，而且還不是在一個家族裡傳，而是分別是屬於八個家族，更換了14個皇帝。其中後漢僅僅存在了四年。詳情我們不去講了，因為局面非常混亂。我們在《笑談風雲》的第四部《兩宋繁華》裡，花了很多集詳細講述了五代更迭的過程。

「五代」主要集中在中國的北方，都城有的在洛陽，有的在開封。同時南方還有一些割據政權。大家可以看一下這張地圖，象吳、吳越、閩、楚、南唐等等。這樣的政權一共有十個，所以稱為「十國」。十國中有一個割據政權在北方的，就是定都太原的北漢。在公元960年，趙匡胤在陳橋兵變，結束了五代，開創了北宋。

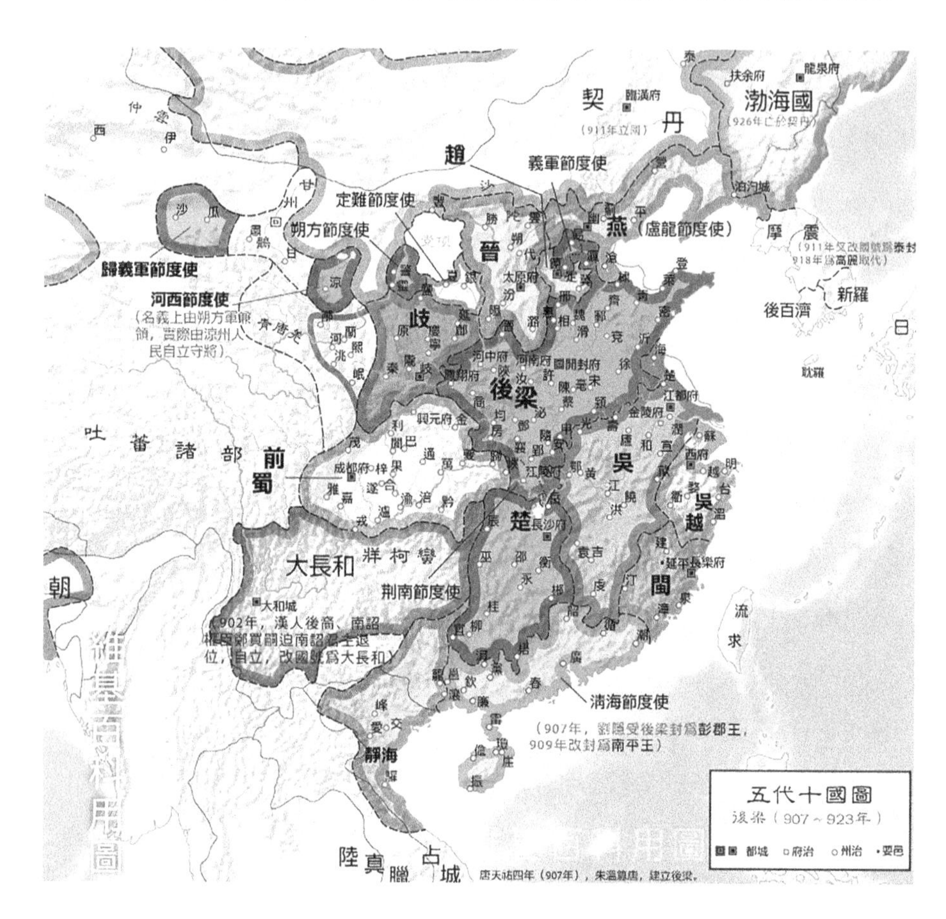

十三、兩宋

兩宋是中國經濟和文化非常發達的時代，也有人說是中國歷史上最富裕的時代。大宋開國的時候吸取了安史之亂的教訓。因為安史之亂的爆發主要是因為大唐的邊疆上兵力很多，而中央的兵力很少，就是「外重內輕」的局面。所以安史之亂爆發時，中央幾乎沒有軍隊能夠進行有效的抵抗，不得不借助西北的藩鎮，甚至還向回紇借兵。宋朝就反其道而行之，把中央的軍隊變得非常強，而邊疆的軍隊就非常弱，這樣就形成了一種「內重外輕」的局面。

趙匡胤稱帝後不久，做了一件非常著名的事，叫「杯酒釋兵權」。他把那些手握重兵的節度使都叫來吃飯。席間跟他們說：「你們乾脆就把兵權交回來，這樣我也不會懷疑你們造反，你們也可以安享晚年，君臣之間就沒什麼猜忌了。」節度使們也很配合地交出了兵權。這樣趙匡胤通過一場宴席，收回了軍隊的控制權。

當時北宋所有的最精銳的部隊都駐紮在都城。這麼多軍隊要吃飯，就有一個糧食供應的問題。當時中國的農業中心已經轉到了南方，如果走水路運輸的話，轉運到開封比較容易，順大運河就過來了。這樣北宋就把都城定在了開封。

開封附近是一個平原，四面無險可守，這也為北宋的滅亡埋下了隱患。北宋的軍隊主要就是禁軍和廂軍，還有些民間的部隊。禁軍指的就是中央部隊，人數非常多，達到80多萬。我們看到在《水滸傳》裏把林沖稱為80萬禁軍教頭，指的就是駐扎在中央的這批軍人。很多軍人都是帶著家屬的，林沖就跟夫人、使女住在一塊。所以整個汴梁城，連軍隊帶隨軍家屬至少得有100多萬。

這麼多的軍隊都集中在中央，那麼邊疆的防務一定會空虛。五代時期，後晉皇帝石敬瑭割讓了燕雲十六州，就是從北京密雲一直到山西大同沿線以及河北的一些地方給遼國。我們知道這裏有燕山到太行山的一片山脈，本來可以作為抵抗入侵的地理屏障。當割讓燕雲以後，遼國的軍隊從京城南下，一路上一馬平川，無險可守。唯一可以守一下的地方就是黃河，而開封就在黃河邊上。等於敵人一進攻就到你家門口了。怎麼辦呢？北宋的國策就是花錢買和平，一個非常典型的例子就是澶淵之盟。

我們可以看一下這張地圖(見183頁)。公元1003年，遼聖宗耶律隆緒和蕭太后帶著大軍二十萬進攻北宋，一路攻城拔寨，一直打到澶淵，就是黃河邊上了。消息傳到京城，宋真宗就害怕了，準備遷都。當時很多大臣也勸皇帝遷都。寇准不同意，堅決主戰。他就跟真宗講：如果皇上御駕親征就一定能夠禦敵於國門之外。真宗不得已，親自北征。當時被遼國包圍的澶州城，有一半在黃河南岸，一半在黃河北岸。真宗皇帝走到黃河南岸的時候，就不想過黃河。寇准拿鞭子抽著給皇帝抬轎子的人，一定要把皇帝抬到黃河北岸去。結果真宗一到黃河北岸，軍隊非常受鼓舞，山呼萬歲。

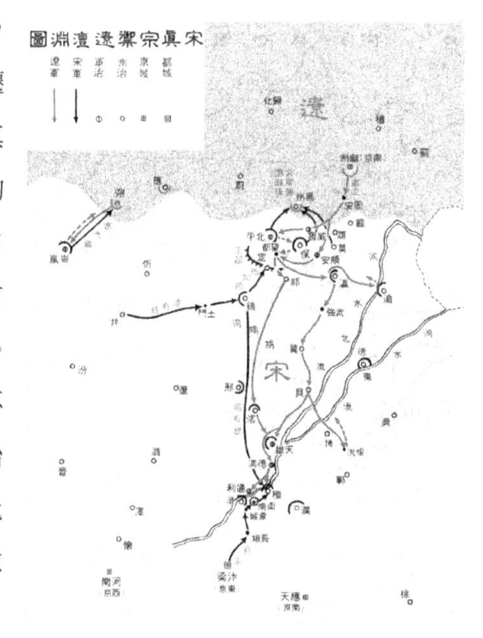

遼國的先鋒官叫蕭撻凜，騎著馬在城外巡視，想看澶州城發生了什麼事。當時宋朝有一種遠射武器叫床子弩。從名字就可以看出來，它不是用人力拉開的弓，而是用絞盤把弓弦拉開，一支箭長度可達一米多，甚至是一米五。這種床弩的射程非常遠，最遠能夠達到1500米，相當於三華里。

蕭撻凜以為自己在宋軍的射程之外。沒想到一枝弩箭射過來，正中額頭，把他從馬上射下來，蕭撻凜就死掉了。因為他是遼國的先鋒，所以對遼國的士氣影響很大。遼國的太后很難過，決定跟北宋講和，這樣雙方就簽訂了澶淵之盟。

議定條款的時候，北宋這邊派過去的官員叫曹利用。出發之前，宋真宗跟他交代說：如果對方要我們割地的話，那是不能答應的，因為這是我們太祖太宗留下來的土地，但賠款是可以的。賠款很難聽，但可以叫賞賜。當年漢高祖跟匈奴之間和親，每年也給匈奴錢，這個叫賞賜。真宗說，給錢可以。但是給多少呢？

真宗給了曹利用一個底線，說每年最多一百萬兩白銀。宋朝的錢比較複雜，有的時候用銅錢一貫，有的時候用絹一匹，有的時候用糧食一石，都相當於是後來的一兩白銀。

曹利用出發之前，寇准就把曹利用叫過去說：我知道皇上要去講和。你去談條件的時候，如果每年賠的錢超過30萬兩白銀，回來我就殺你的頭。曹利用就去了遼國，最後還真的談下來了，就是30萬。

很多人覺得澶淵之盟是一個非常屈辱的條約，但實際上，對北宋來說還是比較划算。因為首先如果雙方打仗，北宋每年的軍費開支就絕不止30萬兩白銀。第二點，雙方約為兄弟之國，基本上雙方平等，不存在屈辱的關係。第三點就是雙方「互市」。「互市」就是做生意，北方沒有太多的東西可以賣給南方，而北宋這邊的絲綢、茶葉、玉器等各種各樣的好東西可以賣到遼國，30萬兩銀子很快就賺回來了。所以澶淵之盟對北宋來說是不吃虧的。

如果僅僅算經濟賬和政治賬當然是沒有問題。但如果你要算軍事賬，倒也確實給北宋和遼國都帶來了嚴重的問題。什麼問題呢？就是北宋和遼國不打仗了，於是雙方的軍備都開始廢弛。到了遼國末年，遼國軍隊的戰鬥力也很差。雙方整整是100多年都沒有打過仗。後來在遼國的北方也崛起了一個民族——女真族，首領叫完顏阿骨打。

女真族主要生活在松遼平原上，就是現在吉林、黑龍江一帶，氣候非常寒冷，所以會出產一些很特別的東西，比如人參、貂皮，還有北珠和海東青。「北珠」是牡丹江裡邊產的一種淡水珍珠，非常圓潤，顏色微微發黃，看起來非常名貴。它是當時很多遼國貴族非常喜歡的一種奢侈品。海東青是一種鳥，體形比鷹還小，但是飛的比鷹還快，可以捕獲天鵝。所以海東青就成為遼國貴族一種身份地位的象徵。打獵的時候，你要肩膀上停一個海東青那就不得了了。所以他們就每年向女真族索取這些東西，女真族不堪其擾。

公元1113年，女真首領完顏阿骨打就造反了。1115年，他在會寧稱帝。女真的人口非常少，但遼國屢次去進攻，都沒有滅掉他們。最後遼國皇帝親自率領70萬大軍進攻女真，還是失敗了。所以當金國反攻之後，遼國迅速崩潰。公元1125年，就在僅僅雙方開戰12年後，遼國就滅亡了。

遼國滅亡之前，女真和北宋曾經簽過一個海上盟約。這時北宋皇帝是徽宗。他有點好大喜功，希望攻打遼國收復燕雲，這樣他可以在歷史上留下英名，所以就決定跟金國合作，讓金國從北方、北宋從南方兩面夾擊遼國。

遼國雖然軍事上不行了，但是打北宋還是綽綽有餘的。當時北宋領軍的將軍童貫，屢次被遼兵打敗。等到遼國滅亡之後，金國覺得北宋的軍隊戰鬥力如此之弱，而且北宋又特別有錢，為什麼不順手把北宋也滅了呢？於是在遼國被滅之後，金兵鐵騎南下，很快就打到了黃河邊上。

宋徽宗就傻眼了。他不想做亡國之君，就想逃跑。別人就跟他講，說如果你要逃跑，開封就很難守得住。而且你帶著這麼多家眷、文武百官還有地圖書籍等等這麼多東西，你走得肯定很慢。所以女真的鐵騎很快就會追上你，到那時陛下就危險了。怎麼辦呢？宋徽宗就想了一個辦法，讓他的兒子即位，就是欽宗皇帝。徽宗讓欽宗守開封，然後說我到鎮江去燒香，求列祖列宗來保衛咱們。這樣徽宗就跑了。

欽宗也想跑，但是他也知道他跑不了，沒辦法，於是就任命一個叫李綱的大臣鎮守東京。李綱用了幾天的時間加固城池，安放火器，經過了一番激戰，還真把開封給守住了。金兵就退去了，徽宗也回到了開封。但後來由於欽宗在戰還是和的問題上出爾反爾，金國很快卷土重來。

這次金兵過黃河的時候，北宋的表現實在讓人嘆息。金兵是北方人，不善於造船，黃河又是一個天險。怎麼辦呢？金兵為了嚇唬黃河南岸的宋軍，就弄了很多羊吊起來，羊腿旁邊放一只鼓。羊在空中會蹬腿嘛，就會敲那個鼓。就這樣敲了一夜，第二天早上看黃河南岸的宋軍已經逃得一個都不剩了。金兵大搖大擺地過了黃河，再一次圍住了開封。

這一次也是因為欽宗首鼠兩端，是戰是和總是猶豫，最後造成了開封陷落。徽宗和欽宗，包括所有皇室，皇子、公主、文武百官基本上都被金兵擄走。這件事情歷史上稱為「靖康之恥」，時間是公元1127年。我們知道岳飛在滿江紅中，有一句話說「靖康恥猶未雪」，指的就是這件事情。

當時所有的皇子全部被抓，只有徽宗的第九子趙構倖免於難，因為他當時正在相州(河南商丘)招募軍隊。徽欽二帝被擄走之後，趙構就在商丘稱帝，廟號「高宗」，這就是南宋的開始。

高宗最開始當皇帝的時候很慘，金兵追擊他。他一路南逃，渡過長江，最開始跑到南京，然後從南京跑到杭州、杭州跑到越州、溫州，最後沒辦法跑到海上等等。反正他一路跑，金兵就在後邊追。追到夏天的時候，天氣一熱，金兵覺得南方呆不了，就撤軍了。最後高宗定都杭州，把杭州改名臨安。「臨安」就是臨時安家的意思，就是我臨時在這住一下，但實際上這一住就是150年。

南宋初年有岳飛抗金。如果我們看岳飛的生平，大部分時間他其實並不是在和金兵作戰，而是用在平息各地的叛亂，像楊幺、張用、李成等等。岳飛把他們一一剿滅。

岳飛是個不世出的奇才。此人文武全才。他的武功非常高，衝鋒陷陣仿佛項羽一樣所向披靡。他的書法非常漂亮，詩詞也寫得非常好，又非常有謀略、會帶兵，是一個道德上的完人。高宗在金兵屢次入侵之後，就讓岳飛北伐。

岳飛北伐最開始非常順利，因為他百戰百勝，像郾城大捷，以幾千的軍隊幹掉了金兀術幾十萬的鐵騎。當時金國統治地區的漢人組成了很多義軍，也在幫助岳飛，所以岳飛很快就打到了離開封只有40里的地方。岳飛當時豪情滿懷，跟士兵們講說「直搗黃龍，與諸君痛飲爾」。「黃龍」是金國的一個非常重要的城市，就是長春附近的農安。但高宗皇帝不希望岳飛真的能夠打到金國的都城，因為那樣就會迎回欽宗（這時徽宗已經死了），那麼高宗要不要讓位呢？所以高宗一天連下十二道金牌詔岳飛班師，正史中也是這麼講的。岳飛非常痛心，歎息著說：「十年之功廢於一旦。」

當時住在黃河以北的百姓們都痛哭流涕，說我們好不容易頂著香盆、帶著糧食迎接王師，沒想到你們這就要撤回去了。岳飛也很傷心，拿出皇帝的詔書給百姓看，說：「吾有詔，不得擅留。」岳飛告訴百姓：「你們如果想渡河的話，我在黃河邊上守著，等到你們都渡過黃河之後我再撤。」這樣岳飛就在黃河北岸待了一段時間，等到所有南遷的百姓全部撤過黃河以後，岳飛才回去。

杭州岳王廟·岳飛塑像

岳飛回去後，皇帝慰勞岳飛，岳飛就拱拱手，什麼話都沒有講，其實也確實無話可講。按照岳飛當時的想法，如果將來皇帝改主意，還是有機會再次北伐中原的。後來岳飛也確實得到了一次北伐的機會，但是也沒收復故土，就又被皇帝叫了回來。

金兵還試圖從陝西南下，但遇到了吳玠和吳璘兄弟的堅決抵抗。當時在陝西和尚原、仙人關一帶雙方也打得非常慘烈，金國也沒有占到什麼便宜。東面這邊打岳飛，就更沒希望了。所以金國覺得既然南宋不可滅亡，還不如簽一個協定。這樣宋金雙方就簽訂了紹興和議，南宋這邊促成和議的人就是秦檜。

當時金國提了一個條件，說如果要簽協議，就一定先殺死岳飛。就這樣秦檜捏造了一個「莫須有」的罪名，把岳飛給害死了。岳飛死的時候年僅39歲，而且他的養子岳雲和部將張憲等人都一塊兒在風波亭遇害。

宋金雙方簽訂的紹興和議規定：南宋每年給金國絹25萬匹，白銀25萬兩，相當於是50萬兩白銀；雙方為叔侄之國，金國是叔叔，南宋是侄兒，所以南宋相當屈辱；雙方劃定邊疆，東面以淮河為界，西面以大散關為界。這樣雙方基本上就進入了和平相處的時期。這個和平時期也維持了一百年的樣子。

在南宋期間，宋金有一些非常短暫的衝突，像金海陵王南伐，在采石磯一帶被虞允文打敗。後來在開禧年間，南宋的韓侂胄也試圖北伐，也失敗了。除此之外，大部分時間雙方都能和平共處。

宋金的和平其實也讓金國軍隊開始衰落，因為你老不打仗嘛。就在宋金都開始過上和平幸福的生活時，在草原上崛起了蒙古族。蒙古部落的首領鐵木真花了一段時間統一了草原，後來他的孫子忽必烈滅亡了南宋。詳細的情況，我們下一講再說。

第十六講 ❖ 中國歷史概述(七) 元

Chapter. 16　Overview of Chinese History (7) The Yuan Dynasty

上一堂課咱們講了一下兩宋。兩宋是中國歷史上經濟和文化最發達的朝代，一共存在了大約320年。公元1271年，忽必烈建立了元朝，在1279年滅亡了南宋。

十四、元

元朝是中國歷史上疆域最大的王朝，也是第一次完全由一個少數民族佔據了整個中國。如果不算四大汗國的話，它的疆域面積大概有1400萬平方公里，也有人說大概有2000萬平方公里。如果加上四大汗國，大蒙古帝國的領土面積達到了2400萬平方公里。這是一個前無古人的龐大帝國。今天我們就把這個帝國的興衰簡單跟大家介紹一下。

當我們說到元朝的時候，我們都說是蒙古人建立的。其實蒙古並不是一個單一的民族。草原上的民族構成非常複雜，有的是東胡人的後代；有的是突厥人的後代，很多蒙古人是突厥和黠戛斯人的後裔。我們知道遊牧民族因為沒有城市，沒有中央政府，所以雖然草原上有很多部落，但互相之間是互不統屬的。鐵木真的一個重要成就就是把草原的各個部落統一了起來。所以我們首先要講一下鐵木真的身世。

在《元史》中關於鐵木真的記載非常簡略，主要的記載都是從忽必烈開始的。鐵木真往上十代的祖先叫孛端察兒，孛端察兒的母親叫阿蘭。阿蘭的丈夫死後，她自己寡居的時候好多次夢到一個金色神人來到了她的帳篷裡，跟她一起睡覺。後來阿蘭懷孕了，就生下了孛端察兒。因為他是金色神人的後代，從孛端察兒開始往下的這個家族的子孫就被稱為黃金家族。黃金家族中間出現過很多英雄人物，像合不勒汗、俺巴孩汗之類的，我們不去仔細地講了，就講一下鐵木真的生平。

鐵木真在少年時代有三個仇家。大家可以看一下這張圖。他的第一個仇家是泰亦赤烏部。泰亦赤烏部的祖先叫做俺巴孩，俺巴孩的孫子叫也速該，也速該的兒子就是鐵木真，所以泰亦赤烏部和鐵木真其實屬於同一個家族，而且血緣關係很近。泰亦赤烏部的首領塔裏忽臺本來是想做蒙古大汗，可是大家都擁立也速該，這就引起了塔裏忽臺的妒嫉。等到也速該死後，為了害鐵木真和他的母親訶額侖，塔裏忽臺就在沒有通知訶額侖母子的情況下舉行了一次祭祀活動。

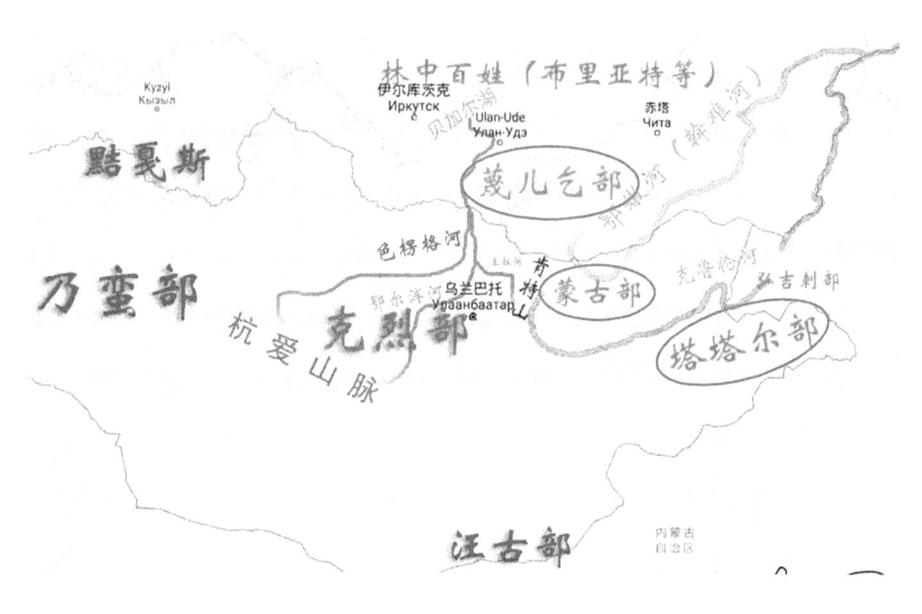

然後指責訶額侖母子為什麼不參加祭祀。實際上是有意陷害他們,結果雙方就吵翻了。

吵翻之後,泰亦赤烏部就把所有的族人全部帶走,只留下鐵木真一家孤零零地在草原上生活。游牧民族之所以一個部落住在一起,就是為了相互照應,因為一家獨自生活是很難的,所以鐵木真少年時代吃了很多苦。

因為鐵木真從小就看起來像個英雄,所以泰亦赤烏部怕鐵木真長大了之後來爭奪汗位,就在一次突襲中把鐵木真給抓起來了。他們想把鐵木真殺死,結果那天正好趕上是蒙古人的一個節日,泰亦赤烏部的族人就都喝醉了。鐵木真用監禁他的木枷砸昏了看守他的人,逃脫了。

他逃脫的過程其實非常驚險。因為他還帶著木枷,草原上沒有馬也很難逃遠。他就在泰亦赤烏部找個地方先藏起來。這個部落裏的人也有同情也速該家族遭遇的。一個叫鎖兒罕失剌的人幫助鐵木真砸開了銬鐐,他的女兒合答安把鐵木真藏在羊毛堆裏,躲過了搜捕。後來鎖兒罕失剌的兒子赤老溫成了鐵木真部下的一員勇將。

鐵木真的第二個仇人是塔塔爾部。金朝中後期,草原上的蒙古部落越來越強大,金國就感受到了威脅。所以金國對於蒙古部落採取一種「屠掠減丁」的策略,就是不定期地到草原上隨機找一些蒙古人殺死。當然蒙古人就很憤怒。蒙古當時的大汗是俺巴孩,就要組織反抗,結果俺巴孩被蒙古的塔塔爾部抓了起來,獻給金國,導致了俺巴孩被釘死在一個木驢上。

鐵木真的父親也速該曾經和塔塔爾部之間發生過復仇戰爭。也速該還抓住了塔塔爾部的首領鐵木真兀格。恰恰在這時鐵木真出世。蒙古人通常都用自己的一個重要獵物或者捕獲的敵人首領給自己的兒子命名,來紀念自己的武功。因為也速該捕獲的塔塔爾部首領叫鐵木真兀格,於是他就給自己的兒子取

名叫鐵木真。所以俺巴孩的後裔也速該和鐵木真家族，跟塔塔爾部之間也是有世仇的。

鐵木真的第三個仇人就是蔑兒乞人。這個事我覺得鐵木真的父親也速該是要負一定責任的。蔑兒乞部首領的弟弟叫赤列都，娶了弘吉剌部的美女訶額侖，結果在娶親回來的路上碰到了也速該。當時草原上是可以搶親的，你要是厲害就可以把你看上的女孩搶走做老婆。也速該就把訶額侖搶走了，由此也就得罪了蔑兒乞人。所以後來蔑兒乞人為了報仇，他們就搶走了鐵木真的老婆，也是弘吉剌部的美女孛兒帖。

鐵木真為了搶回自己的老婆，就聯絡了兩個人，一個是紮達蘭部的首領紮木合，他和鐵木真是結拜的兄弟。還有一個是他父親結拜的兄弟克烈部的脫斡林罕，也有人管他叫王汗。鐵木真在義父和義兄的幫助之下就把他的老婆給搶回來了，但這個時候孛兒帖已經被擄走九個月了。

後面發生過很多事情我們不去一一講它。公元1189年，鐵木真得到了蒙古各部的擁戴，成為蒙古大汗。他後來滅掉了蒙古的各個部落，包括克烈部、乃蠻部、紮達蘭部、蔑兒乞部、泰亦赤烏部等等，最後統一了蒙古草原。

大家看這張地圖，這個地方有三條河，一條河是斡難河，一條河叫色楞格河，還有一條叫克魯倫河。這三條河交匯的地方也是鐵木真出生的地方。公元1206年，鐵木真就在這裏召開大會，被蒙古各部推為整個草原的大汗，並上尊號成吉思汗。成吉思汗的意思就是萬王之王。

成吉思汗稱汗以後開始了對金國的進攻，因為金國曾經殺死過成吉思汗的曾祖父俺巴孩。成吉思汗在金國打得非常順利，但突然之間西方出事了。

當時在蒙古草原的西面有一個強大的國家叫花剌子模。成吉思汗滅掉乃蠻部的時候，這個部落的王子屈出律跑到了花剌子模，準備聯合花剌子模一起進攻成吉思汗。成吉思汗知道此事以後，就把伐金的工作交給了手下的一員大將木華黎，並封木華黎為東方國王。鐵木真自己帶著一部分蒙古騎兵就回到了草原上。

公元1218年，鐵木真組織草原上的部落開始了第一次西征，攻下了花剌子模的都城玉龍傑赤，還有撒馬爾罕城（烏茲別克斯坦的舊都）。當時花剌子模國王阿剌丁並不在撒馬爾罕城中，他一路亡命，從撒馬爾罕逃亡阿姆河，再逃亡波斯的呼羅珊，再往西逃亡巴格達，之後北逃到裏海。蒙古大軍一路苦苦追趕。當時一支軍隊一直追到了高加索山的北面，追到了烏克蘭。這是蒙古的第一次西征，佔據了龐大的領土。鐵木真回軍的時候就把其中一部分領土封給了他的兒子們。

鐵木真回到草原上以後，又開始對西夏用兵。鐵木真滅西夏是在公元1227年夏天，當時西夏國已經無力抵抗，但成吉思汗也生了病，在六盤山中避暑，後來就駕崩在了六盤山。他臨終時告訴部下不要發喪，等待西夏國皇帝來投降的時候就把他殺掉，就這樣滅掉了西夏。

成吉思汗死了以後就有一個繼承人的問題。成吉思汗有四個嫡子，都是大妃孛兒帖的兒子。長子叫術赤。因為當年孛兒帖曾經被蔑兒乞人擄走過，九個月以後才被搶回來。她一回來就生了一個兒子，所以你就搞不清到底是鐵木真的兒子還是蔑兒乞部某個人的兒子。成吉思汗給他起名術赤，意思就是客人。術赤戰鬥非常勇敢，成吉思汗對他也蠻好的。但因為他來路不明，所以他沒有資格做蒙古的大汗。

成吉思汗的次子叫察合臺，跟術赤關係不好。所以成吉思汗要把汗位給術赤的話，察合臺肯定不服，蒙古就分裂了；如果你要給察合臺的話，術赤不服。但這兩個人都跟第三個兒子窩闊台很好。成吉思汗還有個四兒子叫拖雷，跟窩闊台的關係也非常好，所以成吉思汗就決定讓窩闊台繼位。

成吉思汗本人雖然是這個意思，但當時的蒙古大汗是由各部推舉的，也就是要召開蒙古的宗親大會，叫庫利爾台。由於成吉思汗有遺命，大家又都比較喜歡窩闊台，這樣窩闊台就成功當選，繼任為大蒙古帝國的第二任大汗。

窩闊台一生其實有兩個重要的成就：一個是滅掉了金，還有一個就是蒙古的第二次西征。窩闊台稱汗時，金國已經被木華黎滅得差不多了，收縮到陝西和河南一線。1234年，窩闊台徹底滅亡了金國。但是窩闊台沒有馬上進攻南宋，因為西方又出了問題，所以窩闊台不得不回軍，開始了第二次西征。

大家可以看下這張圖。在全世界關於蒙古的歷史記載非常多，除了中國有記載，蒙古自己有記載，很多西方國家都有關於蒙古的記載，因為當時蒙古大軍西征的時候經過了很多國家，所以很多國家都有當時跟蒙古作戰的文獻。

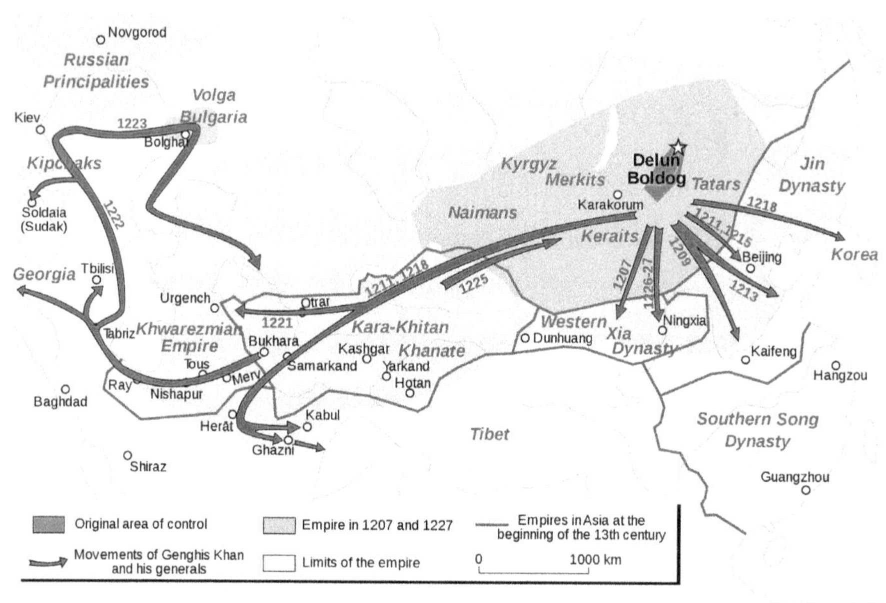

蒙古第一次西征

這張地圖(下圖)的綠線就是第二次西征的路綫,時間是從1235年到1242年,由術赤的長子拔都、察合臺的長子拜答爾、窩闊台的長子貴由和拖雷的長子蒙哥這四個成吉思汗嫡子的長子領兵。一般來說蒙古非常重要的戰事才讓長子出征,所以這件事也稱為「長子西征」。西征的詳細過程我在《笑談風雲》的第四部《兩宋繁華》裡講了很多,這裏不再贅述。

這次西征殺得歐洲屍山血海,一直打到了奧地利的多瑙河畔。當時威尼斯的大公們非常驚慌,這樣敗退下去整個歐洲就全被蒙古人占了。所以他們要求教皇徵召歐洲各國的軍隊組成十字軍抵抗。其實他們即使組成了軍隊,也沒辦法抵抗蒙古的進攻,因為蒙古在滅金的過程中學到了一項非常重要的技術,就是製造火藥和紅衣大炮。這在當時西方是沒見過的。人家是火器,你是弓箭,怎麼打?結果在十字軍剛剛組建好的時候,蒙古人突然一夜之間偃旗息鼓,全部撤退。為什麼呢?因為在1241年11月,窩闊台病逝。病逝的消息大概經過一年才

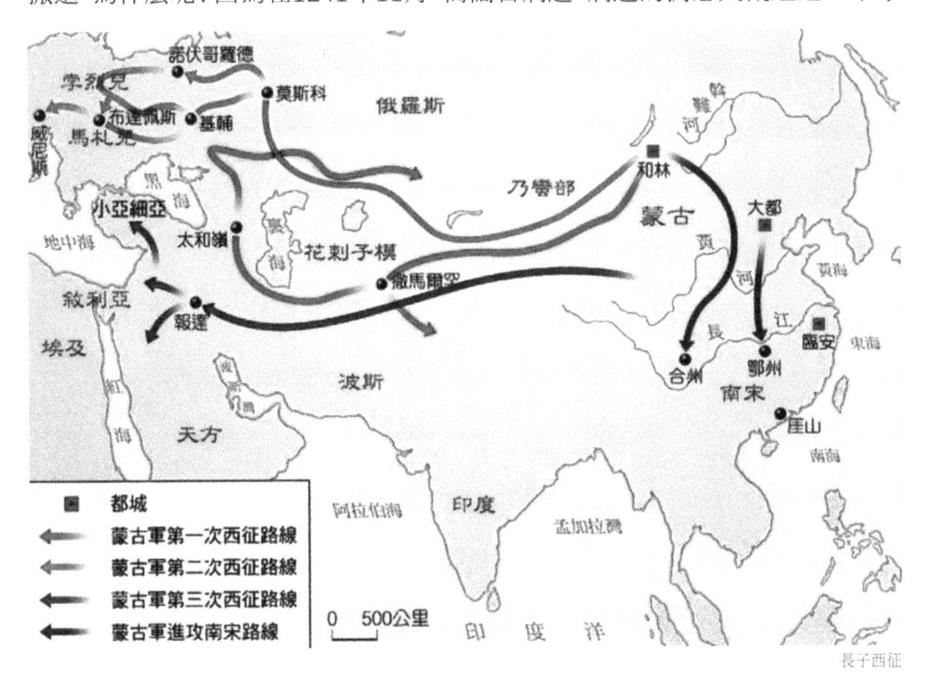

長子西征

傳到前線。由於這些領兵的長子們要回去召開庫利爾台，推舉下一個蒙古大汗的繼承人，所以就回兵了。第二次西征到1242年正式結束。

窩闊台死後，長子貴由即位。貴由在位三年也死了。中間經過一番爭鬥，最後由拖雷的長子蒙哥即位。拖雷的正妻叫唆魯禾帖尼，和術赤的長子拔都關係非常好，所以等於是術赤這一系和拖雷這一系聯合起來對付察合台和窩闊台這一系。拔都的軍事實力很強，當時他的金帳汗國佔據了很多現在歐洲國家的地盤，包括東歐、烏克蘭和現在俄羅斯的一部分。像莫斯科、烏克蘭首都基輔等等，都在金帳汗國的控制之下。唆魯禾帖尼跟拔都聯合以後，就立了蒙哥為蒙古大汗。當然，窩闊台系跟察合臺系還是不太服氣，這就帶來了蒙古的第一次分裂。

蒙哥稱汗以後就開始了滅亡南宋的行動。公元1258年，蒙哥親自率領大軍進攻合州的釣魚城，就是現在的重慶，結果在釣魚山下被飛石擊中，蒙哥就死了。蒙哥還有三個弟弟，都是很厲害的人物，二弟是忽必烈；三弟是旭烈兀，就是建立伊兒汗國的那個人；四弟是阿里不哥，都是英雄。

蒙哥汗打釣魚城的時候，忽必烈當時正在圍困襄陽，本來要打下來了。結果，突然間聽說蒙哥汗駕崩，阿里不哥要稱汗。為了爭奪汗位，忽必烈匆匆北返，跟阿里不哥打了一仗，把阿里不哥給打敗了。1260年，忽必烈就自稱為蒙古大汗，當時他周圍已經有很多的漢人輔佐他了。其實察合臺部和窩闊台部對他稱汗是不認可的。

1271年，忽必烈聽從了劉秉忠的建議，登基稱帝，國號「大元」。他的朝代的名稱來自于《周易》。歷史上一個皇帝在改朝換代的時候，國號通常跟他以前的封地或者封號有關。比如說曹操被封為「魏王」，那麼他建立的朝代就是「魏」；楊堅被封為「隋王」，他建的朝代就是「隋」；李淵被封為「唐王」，於是他建立的朝代叫作「唐」。忽必烈是沒有人封過的，所以他從周易裡邊「大哉乾元」這麼一句話，就抽出「元」字成為了王朝的名字。

忽必烈在1279年滅亡南宋。南宋的最後一個皇帝敗退到崖山(今廣東新會縣)。那地方在海邊,有一個懸崖。最後南宋戰敗,陸秀夫背著小皇帝投海而死,南宋就滅亡了。於是元朝就統一了整個中國。

元朝的統一結束了長達500年的大分裂。其實從公元755年安史之亂後中國一直是分裂的,中間雖然有一個宋,但是宋嚴格地說不是一個統一的國家。元代實現了徹底的統一。

元朝在開國以後一直有些政策上的問題,其中包括對漢人的歧視。元朝把人分為四種,第一等叫蒙古人;第二等叫色目人,所謂色目人指的就是新疆一帶,包括哈薩克斯坦、烏茲別克斯坦,吉爾吉斯斯坦的這一批人,他們的眼珠兒是有顏色的,所以叫色目人;第三等叫作漢人,主要指的是金國佔領區的漢人;第四等叫作南人,指的就是南宋的漢人。所以當時把人分為四等。

在《元史》可以看到明確的記載,漢人是不能做丞相的。元代不僅中央政府有丞相,地方行省也有一套政府,也有丞相。但漢人不能夠做丞相。而且蒙古在進入中原之後一直沒有開科舉。從1272年到1313年,中間42年沒有開科舉,所以漢化程度相對來說是比較淺的。

蒙古人對漢人有一種防範,甚至是仇恨。蒙古最後一個皇帝是元順帝。他當皇帝的時間蠻長的,大概35年。元順帝的丞相伯顏就曾經建議說,漢人太多了,應該殺一些。殺誰呢?伯顏建議殺光張、王、劉、李、趙這五大姓,當然這個事沒有付諸實施。但由此可見很多蒙古人對漢人相當的防範和仇視。

我們知道滅亡元朝的是朱元璋。他是繼劉邦之後又一個布衣起事,滅掉前朝而稱帝的。從劉邦到朱元璋中間的改朝換代都不是農民造反,而是權臣篡位。

這個問題我們以前講過。明取代元，之所以沒有走權臣篡位的路，是因為沒有一個漢人做官能夠做到成為權臣的地步，這也是對元朝歧視漢人的一個旁證吧。

至正十一年(1351年)，元順帝跟大臣們商量要不要治黃河的問題，因為當時黃河決口已經有好幾年了。有一些大臣反對，但丞相脫脫支持，元順帝就讓脫脫負責治黃河的事。脫脫任命了一個叫賈魯的人具體督辦。

在治黃河之前，黃河兩岸就流傳著一句童謠說「石人一隻眼，挑動黃河天下反」，這個話是記載在正史《元史·河渠志》中的。結果在治理黃河的時候，真就挖出了一個獨眼石人。這就好像是預言應驗了一樣，於是很多人就覺得反抗的時機已經成熟了，於是各地都開始造反。

最開始造反的是韓山童和劉福通。韓山童是一個傀儡皇帝，劉福通是主要將領。起事的地點在安徽一帶，在這裏有很多草莽英雄，其中一個就是朱元璋。朱元璋在南方逐步平定了群雄，具體過程在《笑談風雲》的第五部《大明王朝》中講得非常詳細，我們這裏不再重複。

1368年，朱元璋在應天(今江蘇南京)稱帝，建立大明。第二年正月北伐，在1369年的閏七月，攻入了大都。實際上元順帝沒有做抵抗。他會觀天象，說元朝該完蛋了，我就不抵抗了。於是他就打開城門跑回到草原上。朱元璋就完成了全國的統一。

當然元順帝逃到草原上以後，元朝又在草原上存在了一段時間，歷史上稱之為北元。關於大明王朝這一塊兒，咱們等到下堂課再說。

第十七講 ❖ 中國歷史概述(八) 明

Chapter. 17 Overview of Chinese History (8) The Ming Dynasty

大家好，我們今天接著講中國歷史概述的明朝。

十五、明

明朝是漢人所建立的最後一個統一王朝。明朝之前的元朝，是蒙古人建立的政權。雖然它的疆域很大，但相對來說它的漢化程度是比較淺的。中國人過去有句話，叫「胡虜無百年之運」。如果你不認可中華文化，那麼你統治中國的時間不會超過百年。我們看到在宋代的時候，像遼、金都超過了百年，但它們都是漢化很深的。元朝相對來說比較淺，在中國一共統治了88年，就回到了草原上。

1368年，朱元璋在群臣的勸進下稱帝，定都應天，就是現在的江蘇南京。這是中國歷史上唯一的由南向北統一中國的王朝。當然你要說明朝是農民造反建立起來的，確實也帶有這樣的色彩，但更多的是帶有民族自決的色彩。以爭取民族獨立為號召，所以朱元璋在北伐之前發出了一道檄文，打的旗號叫「驅除胡虜，恢復中華」。朱元璋命徐達為征虜大將軍，常遇春為副將，率軍二十五萬北伐。元順帝會觀天象，知道元朝氣數已盡，於是他沒做抵抗就放棄了大都。

朱元璋在位三十一年，他對百姓很好，對官員很嚴酷。在明初的時候有四

明太祖朱元璋畫像

大案，都是大冤案，牽連的人數非常多，一殺人就是上萬人甚至幾萬人。這四大案指的是胡惟庸案、空印案、郭桓案以及藍玉案。我們先講一下胡惟庸案，因為它牽扯到整個中國皇權之下的政治結構的改變，而且跟明朝的滅亡也有一些關係，所以我們還是需要說一下。

胡惟庸是朱元璋的丞相。洪武十三年，胡惟庸案爆發，據說是個謀反案，牽連非常廣。按照《明史》的記載，一共殺了3萬多人。這個事咱們一聽就覺得不太靠譜，因為謀反是要殺頭滅族的，一定是策劃於密室，跟一個小圈子的人商量。一個謀反案牽連3萬多人，那不早就暴露了嗎？所以一看就是個大冤案。朱元璋晚年時期的藍玉案，也是受胡惟庸案牽連而爆發的。胡惟庸案以後，朱元璋就廢除了丞相制度。

明朝以前的各個朝代都設宰相，有的朝代是一人獨相，象隋、唐和宋都是群相制度，當然稱謂不同，可能叫丞相、相國、宰相、同中書門下平章事等等。不管是獨相還是群相，相權都非常重，可以說是皇帝的大管家。甚至漢初的時候，君權和相權並重，很多事丞相就決定了。後面的朝代中，國君也會比較尊重宰相的意見，那是真正的一人之下萬人之上的位置。等到胡惟庸案被廢之後，朱元璋覺得丞相有可能危及自己的權力，於是就廢除了丞相的職位。

宰相原來負責管理的六部，吏、戶、禮、兵、刑、工，現在就由朱元璋直接管理。所有的事情都由六部尚書向皇帝直接彙報。你想每天天下得發生多少大事?朱元璋等於幹了皇帝跟宰相兩個人的活。有人曾經根據《明實錄》做過一個統計,根據明太祖實錄的第165卷的記載,從洪武十七年9月14號到21號,短短的七八天時間裡,平均每天朱元璋要處理的事情達到250件。假如說是兩分鐘處理一件事,250件就需要500分鐘。但報到皇帝那裏的都是大事,你瞭解一下來龍去脈也不止兩分鐘,更何況有些事你未必懂,比如黃河應該怎麼治理,你還得找人諮詢。兩分鐘怎麼夠呢?不用問,我們就知道朱元璋必然會做出很多錯誤的判斷。

朱元璋本人也非常辛苦,所以朱元璋自己寫詩說:「百僚已睡朕未睡,百僚未起朕先起」。大臣們還沒有起床呢,朕已經先起來了;大臣們都已經睡覺了,朕還不能睡覺。皇帝累死累活,都幹不完活兒,更何況明朝到了後期,皇帝開始怠政,像嘉靖、萬曆、天啟皇帝都怠政。帝國這麼多事,皇帝又不幹活兒,到底由誰來決策呢?這就出現了內閣制度。

內閣制度就是從胡惟庸案之後出現的。朱元璋實在忙不過來,沒有辦法,於是在洪武十五年仿照宋朝的做法,設置文華殿、武英殿等大學士的官職。這些大學士官職不高,只有五品。但隨時充當皇帝的諮詢官,同時也兼任太子老師等。因為他們兼做太子老師,所以等到太子登基後,大學士地位就備受尊崇,由皇帝的諮詢官變成了可以提出處理意見,這樣大學士們就組成了內閣,充當了宰相的角色。這種角色轉換,就帶來了明朝的一個弊政,就是太監專權。這個事兒我們一會兒再說。

朱元璋在洪武三十一年駕崩。他的孫子就是朱允炆繼位,歷史上稱之為「建文帝」。

朱元璋本來立了一個太子叫朱標。朱元璋非常喜歡這個兒子,尤其重視太子的教育和培養,一直讓宋濂等當時最有學問的儒生教導太子。所以太子學了很多儒家仁義治國的道理。

朱元璋殺人殺得太多，朱標就不以為然。有一個很有名的故事，說有一次朱標勸朱元璋不要殺這麼多人。朱元璋就把一根長滿了刺的棍子扔到地上，讓他撿起來。朱標顯然就猶豫了一下。朱元璋說：你怕刺不敢拿，我把這些刺都給你去掉了，再交給你，難道不好嗎？現在我殺的都是對國家有危險的人，除掉他們，你才能安穩地當皇帝。朱標回答說：上有堯舜之君，下有堯舜之臣。意思就是大臣們有不法之事，皇帝也有責任。朱元璋大怒，拿起椅子就朝太子扔去，太子只好趕緊逃走。這個故事，不見於正史的記載，朱標是否真的敢頂撞朱元璋也是個問號，但《明史》的記載中，在不同的地方都稱頌太子的仁孝。太子對朱元璋用重典治國是不太同意的，經常得到機會就從輕發落。

朱標身體不太好，洪武二十五年，朱元璋還沒死，朱標就先死了。朱元璋很痛心，就立了朱標的兒子朱允炆作為王儲。

朱元璋一直擔心功臣們會造反，所以就借著藍玉案、胡惟庸案把很多特別能打仗的功臣都殺掉了。那麼這些會領兵的人死了，一旦國家有事，誰來替你守衛邊疆呢？當時草原上的蒙古軍隊還是很強大。所以朱元璋不得不把他的一些兒子封為藩王，替帝國防禦蒙古。其中一個兒子叫朱權，被封為寧王，掌管著8萬蒙古鐵騎，非常厲害，叫「朵顏三衛」。這些蒙古人相當於雇傭兵，為明朝服務的。所以寧王的兵力最強，駐扎在內蒙古一帶。還有一個藩王就是朱元璋的的四兒子朱棣，被封為燕王鎮守北京。燕王的兵力雖然不是最強，但是他最長於謀略。

等到朱允炆繼位的時候，看到邊疆上的藩王這麼強大，非常擔心這些叔叔們會篡權，於是在兵部尚書齊泰和翰林學士黃子澄的勸說之下，開始削藩。所謂削藩就是削減藩王的地盤和軍隊。最後削到了燕王的頭上，燕王躲無可躲，於1399年起兵造反，史稱「靖難之役」。1402年，燕王攻入南京，朱允炆放了一把火，從此下落不明。燕王登基，這就是歷史上非常著名的明成祖。

明成祖朱棣畫像

明成祖的年號是「永樂」，歷史上也稱他為永樂大帝。永樂大帝以他的煌煌文治、赫赫武功開創出明初的一段盛世。一般人當了皇帝之後就不再打仗了，象唐太宗李世民打仗很厲害，有時候會身先士卒，但那是還沒登基之前。李世民登基之後就不再親自打仗了。但朱棣當了皇帝之後曾五次親征漠北，而且衝鋒在前。他的軍隊戰鬥力也很強，還發明了步兵、騎兵和火器同時配合使用的戰法，反正是打得蒙古人看到他就跑，能跑多遠跑多遠。

明成祖後來遷都北京、派鄭和下西洋、編修永樂大典、修大報恩寺、鑄造永樂大鐘等等，可以說永樂盛世直追漢唐。永樂帝駕崩後，即位的是他的兒子仁宗。仁宗在位時間很短，不到一年就駕崩了。接下來即位的就是宣宗，這段時間歷史上稱之為「仁宣之治」。

仁宗和宣宗都是好皇帝，對大臣和百姓都相當仁愛，但是他們二人在位期間制定了一個政策，導致了明朝中後期的一大弊政——太監專權。

朱元璋並不信任太監，他立了一塊鐵牌，規定太監不能干政。歷史的教訓很多，像漢朝和唐朝，都是太監干政。兩個王朝的滅亡也都與此有關。但到了仁宗和宣宗時期開始允許太監讀書。宣宗時期，太監的地位變得越來越高。

宣宗的時候，大學士有了票擬權。什麼叫「票擬」呢？就是當大臣遞上來奏折的時候，大學士可以讀奏摺，然後提出建議。這個建議就是寫一個小紙條，貼在這封奏摺上交給皇帝，意思是說我們認為這個事應該這麼處理，這就叫票擬。宣宗如果同意就用紅筆批「如擬」，意思就是按你們的意見辦。

有時候皇帝太忙，就讓太監來辦這件事。在皇帝周圍服務的太監群體中，有一個專門的部門叫司禮監。司禮監的大太監叫掌印太監，就是拿皇帝玉璽的；排名第二的太監叫秉筆太監。那麼如果皇帝想下一道旨意，他可以口述，讓秉筆太監來寫，寫完之後司禮太監蓋上玉璽，詔書就可以發出去了。所以如果你要是看整個工作流程，你就會發現：如果內閣大學士可以票擬，秉筆太監把它抄一遍；掌印太監可以用璽，皇帝是完全可以繞過去的。

這樣就帶來一個問題，如果皇帝怠政的話，太監就會專權。所以明朝出現了很多專權的大太監，像明英宗時期的王振、明武宗時期的劉瑾、明熹宗時期的魏忠賢等等。

太監專權是明朝一大弊政，還有一大弊政就是特務治國。

朱元璋對手下的大臣一直不信任，於是就設置了一些特務機構，作為他的耳目。明朝的軍事制度叫「衛所制度」，就是把天下分成多少多少個軍事單位，每一個軍事單位叫作一個「衛」，人數是5600人。「衛」裡面最高的官員是指揮使。

那麼皇帝身邊也有這樣的「衛」，這就是錦衣衛。錦衣衛和後面的東廠、西廠和內行廠都是特務機構。他們有自己的監獄。錦衣衛也什麼都打聽，包括菜多少錢一斤，哪個大臣跟哪個大臣之間有矛盾，誰家兒子娶媳婦等等，事無巨細地打探，報告給皇帝。

《明史》中記載了一件非常有名的事。朱元璋手下有個大臣叫宋訥。有一天朱元璋跟他閑聊天兒，問宋訥：你昨天晚上為什麼不高興？宋訥特別吃驚，說我在堂上坐著的時候，有一個小廝拿著瓷器從我的面前經過，手腳不利索，把瓷器打碎了，我很生氣，於是就訓斥這個小廝。朱元璋就從懷裡邊拿出一幅畫來，畫上就是宋訥生氣的樣子。朱元璋說：你沒有騙我。所以就說什麼呢？你在家裡的日常生活都是處在皇帝的監視之下的。

明朝三大弊政。除了太監專權和特務治國之外，就是皇帝怠政。嘉靖皇帝將近三十年不上朝，萬曆皇帝更誇張，整整三十一年不上朝。萬曆是明朝當皇帝時間最長的，一共48年。萬曆登基的時候年齡很小，只有10歲。當時是他的老師、內閣大學士張居正輔政，其實應該是攝政。萬曆皇帝一直很怕張居正，因為張居正對他要求很嚴。等到張居正死了以後，沒人管他了，萬曆就開始不上朝了。官員出現空缺，皇帝也不任命。《明史》中關於萬歷怠政有一個記載，說萬曆三十年的時候，天下十三處巡行御史缺了九處，郡守缺了一半；萬曆三十四年的時候，「二品班內止戶部尚書趙世卿一人，其餘尚書、左、右侍郎，員缺甚多」。相當於六個部長缺了五個，副部長缺得更多。

不光是中央的官員空缺，地方的郡守都缺了一半兒，所以地方政府就沒有人管，很多司法案子沒人審理。一個人一旦被告，古時候是一懷疑你犯了罪，就先關到監獄裡再說。但關進去之後又沒人審，很多人就這樣冤死在監獄中。唯一的希望就是哪天皇帝一高興，大赦天下，他們才可以出去。整個國家的行政效率相當低下。

萬曆除了怠政之外還頻繁對外用兵，包括非常著名的萬曆三大征。萬曆三大征就是在明朝的西北、西南和朝鮮展開的三次大規模軍事行動。西北的戰事是因為寧夏一個叫哱拜的人叛亂。西南的戰事是因為一個叫楊應龍的土司叛亂。還有一個就是在朝鮮作戰，因為日本的関白豐臣秀吉入侵朝鮮，朝鮮國王向明朝求救。後來皇帝派李如松帶著明軍入朝作戰，終於是把豐臣秀吉給打回去了。但是「三大征」幾乎是花光了明朝的庫存白銀。

萬歷朝還有一些其它問題，像東林黨和閹黨之爭，東林黨和其他黨派的爭鬥。當時的士大夫按地域劃分成不同的黨派，互相之間爭來鬥去，很多事情是特別沒有意義的。此外還有礦稅之患。最嚴重的就是萬曆末年努爾哈赤的崛起。

萬曆皇帝駕崩後，他的長子朱常洛即位，廟號光宗。光宗剛剛即位沒多久就死了。再繼位的就是光宗的兒子朱由校，廟號熹宗。熹宗小的時候一直特別不招人待見，也沒讀過太多的書，就喜歡幹木匠活。按照《明史》的記載，他木匠活做得非常好。每次做到高興的時候，大太監魏忠賢就過來問皇上這事怎麼辦、那事怎麼辦，然後熹宗就應付他說：朕知道了，你們自己看著辦，然後接著幹木匠活。這樣國家的大權就落到了魏忠賢的手裏。

熹宗一共在位7年就駕崩了。之後是他的弟弟信王朱由檢即位，廟號是思宗，年號崇禎。崇禎皇帝是個疑心非常重的人。他當信王的時候，別人跟他說讓他進宮當皇帝，他就很害怕。他怕宮裏邊太監算計他，就自己在懷裡揣了幾塊餅，不敢吃宮裏的東西。然後坐著等待天亮登基，不敢睡覺。所以他性格非常多疑。他當皇帝一共當了17年，運氣是非常不好的，各種各樣的天災人禍，加上滿族不斷入侵，最後明朝就在崇禎皇帝的手裏滅亡了。

關於清朝的部分，我們下一講再說。

第十八講 ❖ 中國歷史概述(九)清

Chapter. 18 Overview of Chinese History (9) The Qing Dynasty

大家好。今天我們講中國歷史概述的最後一部分，清朝。

十六、清

清朝的崛起跟明朝的滅亡是並行的，這段時間大概有20多年。

明朝的最後一個皇帝是崇禎，登基的時候年齡也比較小。偏趕上這段時間中國出現了很多問題，天災和瘟疫流行，國內有流寇作亂，關外又有後金虎視眈眈，朝中又有黨爭，各種打擊此起彼伏，最後導致了大明的滅亡。

明朝的滅亡跟崇禎的性格也有關。他為人猜忌多疑，對手下的大臣非常不信任。他當了十七年皇帝，內閣首輔更換得非常頻繁，內閣大臣更換了50多位。而且他做了決定之後常常又反悔。比如說當時農民造反，無論採取招撫的辦法，還是圍剿的辦法都能夠解決問題。當時朝廷並不是沒有錢去安置流民。這些飢民造反就是因為沒有飯吃，你給他們錢和糧食，他們是願意放下武器的。或者你乾脆一上來就下決心用暴力鎮壓，也能把他們鎮壓下去，因為當時崇禎手下有一些人打仗還是很厲害的，像洪承疇、盧象升、陳奇瑜等人，也是把各路造反人馬打得四散奔逃。但是流寇每到走投無路的時候就請求投降，朝廷就接受，之後給他們糧食。過兩天等他們緩過勁兒來，力氣養成了就再造反，然後再鎮壓、再投降、再造反。就這樣反反復複，在崇禎猶疑不定的過程中，這些流寇越做越大，最後李自成在公元1644年的時候攻入北京，崇禎皇帝上吊自殺。

崇禎對國內造反隊伍在剿撫之間游移不定，對東北抵抗滿洲入侵的將領也多有懷疑，最典型的就是誤信皇太極的反間計，殺死了薊遼督師袁崇煥。

我們回過頭來說一下滿洲的崛起。關外本來女真各部互不統屬，相互之間也矛盾重重，但建州部的女真首領努爾哈赤智勇兼備，逐步兼併了女真各部，到萬歷四十四年除了葉赫部還沒有滅之外，關外已經基本統一。公元1616年，努爾哈赤在赫圖阿拉（今遼寧新賓縣）建國稱汗，國號大金，歷史上稱為後金。他的年號是天命，因此又稱為天命大汗。努爾哈赤這個時候羽翼已成，他以七大恨告天，歷數明朝對不起他的事，開始了對明朝的進攻。

大明以楊鎬為經略，匯合朝鮮和葉赫部的軍隊，一共出兵11萬，《明史》上號稱47萬，討伐努爾哈赤。這場戰役，歷史上稱為薩爾滸之戰，是明亡清興的戰略決戰。具體的過程在《笑談風雲》第五部《大明王朝》裡講得非常詳細，我們這裡就略過不講了，最後的結果是明軍戰敗。努爾哈赤則乘勝攻下了開原和鐵嶺，隨後滅掉葉赫部，統一了滿洲。

後金關外統一後，明軍就開始往關內撤。但有一些明朝的將軍，像孫承宗、熊廷弼等人都不主張放棄關外。朝廷就任命孫承宗為薊遼督師，孫承宗讓他手下的將軍袁崇煥去鎮守寧遠。公元1626年正月，努爾哈赤率6萬士兵西渡遼河，圍困了寧遠。當時明朝關外的土地城池已經全部丟光，只剩下寧遠一座孤城，而袁崇煥手下當時只有10000多人，形勢相當危急。但袁崇煥手中有秘密武器，就是從葡萄牙進口的11門西洋大炮。袁崇煥用大炮猛轟努爾哈赤的部隊，結果一炮打在了努爾哈赤的馬前，努爾哈赤身受重傷，下令撤兵。1626年的8月的時候,努爾哈赤駕崩。

努爾哈赤的第八個兒子皇太極隨後即位,史稱天聰大汗。皇太極非常清楚,只要袁崇煥在,「關寧錦防綫」(從山海關、錦州到寧遠這一道防線)就是一道鋼鐵防綫,根本突破不了。所以皇太極就帶兵從蒙古草原上繞了一大圈,從喜峰口進入河北,進而圍困北京。袁崇煥聽說後金的軍隊準備圍困北京,就緊急率領關寧鐵騎進京勤王,在廣渠門下和後金的軍隊發生了遭遇戰。

皇太極使了一個反間計,讓崇禎皇帝相信,袁崇煥和後金之間有勾結。結果崇禎皇帝疑心大起,聽信了謠言,將袁崇煥淩遲處死。袁崇煥就是大明的長城,他死後在關外就再也沒有能和後金作戰的將領了。

1636年,皇太極登基稱帝,改年號為崇德,定國號為清。大清就在這一年正式開國。大清的都城在瀋陽,那時叫盛京。1643年,皇太極突然暴死,他的幼子福臨即位,年僅六歲,這就是順治皇帝。

1644年,李自成的軍隊攻入北京,崇禎皇帝在煤山上吊自殺。臨終前留下遺詔,大意是說:我這個人道德也不好,受到了上天的譴責,但我的大臣們也都有責任,我死後沒有臉面去見我的祖宗,所以用頭髮蓋住我的臉。攻入北京的賊人們可以分裂我的屍體,但是不要傷害我的百姓。寫完他就自殺了。現在在景山公園崇禎皇帝上吊自殺的地方還有一塊碑,那棵歪脖子樹現在還在。這一年是甲申年,歷史上稱之為甲申之變。

李自成進北京之後,手下的很多將士就開始在北京搶劫,其中他的大將劉宗敏把吳三桂的愛妾陳圓圓給搶走了。吳三桂當時正在鎮守山海關,手下的八萬關寧鐵騎是明朝戰鬥力最強的軍隊。最開始李自成想招降吳三桂,吳三桂也同意了,正在帶兵往京城走。後來聽說陳圓圓被搶,吳三桂一怒之下就掉頭回到山海關,下令士兵們給崇禎皇帝掛孝,宣佈要滅掉李自成。這件事因為吳梅村寫的《圓圓曲》而家喻戶曉。詩中說:「痛哭六軍俱縞素,衝冠一怒為紅顏」,說的就是吳三桂表面上給崇禎挂孝,實際上是為了搶回陳圓圓。

吳三桂知道自己的關寧鐵騎打不過李自成,於是向關外的清軍求救。李自成聽說吳三桂造反,親率大軍到山海關跟吳三桂決戰,就在雙方打到難解難分的時候,突然間清軍出現,打敗了李自成。李自成一路退回北京,宣佈登基稱帝。他在北京做了一天皇帝後,放火焚燒宮殿,逃往西安。大約一年以後,在湖北九宮山被清軍圍困,死在了那裡。

明朝的殘餘勢力,以及另一支流寇張獻忠的軍隊,也很快被清軍剿滅。明朝本來在南京還有一個備用政府,但由於內部的黨爭造成明軍無法集中兵力守住長江防綫,很快明朝就丟掉了所有的江山。南明的最後一個皇帝永曆帝逃亡緬甸。最後緬甸在吳三桂的威逼利誘下,在順治十八年冬天,緬甸將永曆帝獻給了吳三桂。第二年四月,吳三桂將永歷帝害死。大明就亡國了。

清朝畢竟是少數民族入主中原,面對人口數十倍於己的漢人,他們的危機感還是很重的。後來順治皇帝開科舉籠絡漢人,同時頒佈了很多漢化的政策,包括皇帝本人祭祀孔子等等,江山才慢慢穩定了一些。順治一共做了18年皇帝,駕崩以後,第三個兒子玄燁即位,就是康熙皇帝。康熙是中國歷史上當皇帝時間最長的,一共61年。

康熙登基時年方八歲,由索尼、蘇克薩哈、遏必隆和鰲拜輔政。索尼年老,很快退休。鰲拜專權,遏必隆與他結為一黨。他們倆聯合使計,把蘇克薩哈殺掉。鰲拜更加囂張,國家大事不由康熙做主。後來康熙設了一個計策,在16歲的時候智擒鰲拜,開始親政。

康熙的文治武功非常顯赫。他親政後不久,三藩做亂。「三藩」就是三位明朝降將平西王吳三桂,靖南王耿精忠和平南王尚可喜,因為他們為清朝打江山立下大功,被封為藩王。藩王的權力跟皇帝差不多,人事任免、軍權、財權什麼都有。康熙當皇帝後,苦於藩王權力太大,遲早會反,於是下令撤藩。三藩乘勢反叛,康熙經過了八年的艱苦戰爭平定了叛亂。

清聖祖康熙帝晚年朝服像

除了平定三藩之外,康熙還派施琅收復了台灣,將台灣納入清朝版圖。他還北面抗擊沙俄的入侵,簽訂了尼布楚條約;三次親征蒙古的噶爾丹叛亂;又在拉薩設置了駐藏大臣。所以你看康熙用兵,北抗沙俄、南面收復台灣、平定三藩,又和蒙古作戰、又設置駐藏大臣,近代的中華版圖就是由康熙奠定的。所以他的廟號是「祖」。開國的皇帝是稱「祖」的,所以你會看到努爾哈赤他是「太祖皇帝」。順治皇帝因為是第一個進關的皇帝,稱「世祖」。康熙也稱祖,是「聖祖皇帝」。除了武功顯赫外,康熙在文化方面也極有建樹,像編寫《康熙字典》和《古今圖書集成》等。

康熙開創了長達130年的康乾盛世。其實「康乾盛世」應該說是「康雍乾盛世」,康熙、雍正、乾隆,中間還有雍正這13年。

乾隆登基時25歲,當了60年的皇帝。到85歲的時候,身體還可以。但他非常崇拜聖祖康熙,覺得他當皇帝的時間不能超過康熙,於是就退位了。他的十五子顒琰即位,就是嘉慶皇帝。乾隆皇帝在宮裏邊做太上皇,又活了四年,駕崩的時候89歲,這是中國歷史上最長壽的皇帝。

清高宗乾隆帝朝服像

乾隆皇帝的運氣特別好，繼承了一個盛世，但他的文治武功也非常顯赫。像他修《四庫全書》，自己又是一個詩人，一個人一生就寫詩4萬多首，字也寫得很漂亮。乾隆六下江南，十次對外用兵，所以他自稱是「文治武功十全老人」。

乾隆當皇帝期間，國際上發生了很多大事。他在位的時間是公元1735年到1796年，當時歐洲和美國已經發生了天翻地覆的變化。

乾隆退位之前20年，也就是1776年，發生了美國的獨立戰爭。大陸軍經過了7年的艱苦戰爭，迎來了美國的獨立。還有就是1789年發生了法國大革命，推翻了君權。

再一個就是西方工業革命的發生。我們知道瓦特在1776年造出來第一台可以實際應用的蒸汽機，隨後就是機器大工業的興起，製造出輪船、火車等。但中國好象是對歐美發生的事情根本不關心，還是沉浸在一片天朝盛世的和平與繁榮之中。1793年，也就是乾隆退位前三年，英國特使馬戛爾尼來華訪問，但在會見皇帝的禮節問題上發生了爭執。中國要求特使見到皇帝要三跪九叩，但馬戛爾尼是天主教徒，按照《聖經》的規定只能夠給上帝雙膝跪倒，而不能給普通人下跪磕頭，所以他就一直不同意。最後這個問題怎麼解決的，雙方說法不一，到底磕沒磕頭我們也不知道，但乾隆皇帝大為不滿，馬戛爾尼提出了很多建議，比如開放通商口岸、在內地傳教、設置使館等等，乾隆一概不許。

乾隆之後的嘉慶一共做了25年皇帝。嘉慶之後就是道光皇帝。道光帝在位時,發生了對中國近代史影響極為深遠的事件——虎門銷煙。

英國在印度設立的東印度公司一直在跟中國做生意,中國可以賣給他們絲綢、茶葉和各種工藝品,歐洲人非常喜歡。但是中國人不怎麼需要歐洲的商品。這樣中國就有巨大的貿易順差,白銀大量從歐洲流入中國。東印度公司於是開始向中國販賣鴉片。道光時期,就有很多人抽鴉片。後來林則徐認為這樣下去會耗盡國家的財富,也讓軍隊失去戰鬥力。在他的建議之下,道光皇帝任命林則徐為欽差大臣,負責銷毀鴉片。

虎門銷煙發生在1839年。當時中國沒有和外國打交道的經驗和國際貿易的經驗,所以很多做法也有值得商榷的地方。英國商人就跟維多利亞女王請求,要求出兵中國。在1840年,鴉片戰爭爆發。

鴉片戰爭的結果是清廷戰敗,雙方1842年在江寧(今南京)簽訂了《中英南京條約》,規定清朝賠償英國軍費2100萬兩白銀,開放廣州、福州、廈門、寧波和上海五處通商口岸;割讓香港等。

鴉片戰爭失敗之後,清廷並沒有把歐洲列強當回事,覺得偶爾戰敗而已,對這些夷狄之國,給點兒錢,事兒就過去了。但是1860年,又發生了第二次鴉片戰爭,英法聯軍攻入北京,咸豐皇帝倉皇逃往熱河,病死在了那裡。英法聯軍進入北京之後,火燒了圓明園。這件事對清政府打擊很大,等於都城失守,皇家園林被燒。這時沙俄又趁機入侵,佔領了中國黑龍江以北、烏蘇里江以東一百多萬平方公里的領土,跟中國簽訂了《璦琿條約》和《北京條約》。

咸豐皇帝病死之後,即位的皇帝就是慈禧的兒子同治皇帝。當時包括兩宮太后慈禧、慈安之內,還有很多有主見的大臣,像曾國藩、李鴻章、張之洞、左宗棠、崇厚等人,都覺得我們跟西方打仗,如果不把武器造好,不把工業水平提升上來，是沒有希望打贏的。於是在1860年開始了洋務運動。

第二次鴉片戰爭前後還有一件事，就是1851年洪秀全造反。洪秀全起兵的時候勢力還比較小，但是發展非常快，很快就打下了南京。洪秀全把南京改名為「天京」，自稱「天王」，建立了「太平天國」政權，1864年被曾國藩滅掉。這一事件於清朝的影響很大，因為之前清朝打仗都是用八旗兵，就是由滿族人負責指揮，當滿族的士兵不夠的時候也用漢人的士兵，叫綠營兵。但是八旗和綠營兵在太平天國的時候，戰鬥力下降到沒法打仗了。於是朝廷就允許漢人自己募兵保衛江山，這樣曾國藩就組建了一支湘軍，李鴻章組建了淮軍等等，由此開了漢人領兵之先河。

同治登基後不久，太平天國的勢頭已經慢慢下去了，這時候跟英法列強也不打仗了，是中國非常難得的一個發展機遇。1861年3月，清廷設置了總理各國事務衙門（簡稱「總理衙門」），這是首個中國的外交機構。洋務運動蓬勃興起，在恭親王奕訢乃至慈禧的支持之下，清廷開始在中國鋪設鐵路、架設電報線，建立工廠生產先進武器，象江南製造總局製造大炮，漢陽兵工廠製造槍械等。清政府組建了四支鐵甲艦隊，包括北洋水師、南洋水師，福建水師、廣東水師，大量購買德國軍艦。當時，清国戰艦的噸位排水量在亚洲排第一位。這讓清國覺得自己是亞洲第一强國。結果1894年遭到了一次重大挫敗。這就是中日甲午戰爭。

日本在明治維新以後，軍隊也发展起来了。日本為了拓展生存空間，入侵朝鮮。朝鮮是大清屬國，於是清政府跟日本開戰。結果清軍戰敗，軍艦都被日本炸沉，只好跟日本簽訂《馬關條約》，割讓台灣，賠償白銀2億兩。當時中國4億人口，要賠償2億兩白銀，數額實在太大。更關鍵的問題是，中國人過去瞧不起日本，隋唐時期日本都是要派遣唐使來跟我們學習的，結果現在日本把我們給打敗了，面子上非常過不去。

所以《馬關條約》簽訂之後,民間就興起了一股力量。有一些知識分子、各地的舉人就搞了一次公車上書事件,就是要求朝廷進行改良,向西方學習先進的政治制度、教育制度等等,這就開了民間問政的先河。等於是大家認為洋務運動的器物引進,購買堅船利炮是不夠的,在制度上也需要進行改良,於是開始了百日維新。

1898年6月11日,光緒皇帝頒佈《定國是詔》,宣佈國家開始要變法維新,做制度上的改良。其實戊戌變法開始的時候,慈禧太后是支持的,但有些事走得太過激進,慈禧覺得這樣下去一方面她自己的權力不保,另外她又擔心漢人掌權會危及滿族人的利益,更擔心中國會被日本和英國控制。再加上譚嗣同去找榮祿,想在天津閱兵的時候劫持慈禧太后,最後計劃敗露,慈禧發動政變,把光緒皇帝囚禁在了瀛臺。戊戌變法就失敗了,前後只有100多天,所以也叫百日維新。光緒皇帝也失去了權力。

戊戌變法雖然失敗了,但要求改良的呼聲已經壓不住了。光緒皇帝不是頒佈詔書要改革教育制度嗎,於是就派了一批留學生到歐美去留學,同時在北京辦京師大學堂,就是現在北京大學的前身。國家雖然已經在一點點地改變,但民間和外國都希望改變更徹底一些,特別是希望在政體上走君主立憲的道路。

1906年,慈禧太后還活著的時候就下詔,考察是否有必要立憲,以及向各國學習如何制定憲法。大清正式立憲是在1908年,頒佈了《欽定憲法大綱》準備走憲政之路。但是清廷頒佈的《欽定憲法大綱》和西方的憲法很不一樣。第一條就說,「大清皇帝統治大清帝國,萬世一系,永永尊戴」,意思就是皇帝永遠當皇帝。雖然名義上是君主立憲,但它更側重用憲法保證君權,而不是約束君權。還規定皇帝可以召集和解散議會,可以隨意徵稅等等,缺乏分權制衡的理念。當然民權也給了一些,比如說老百姓有言論、出版、集會、結社的自由等等。欽定憲法大綱頒佈了不到半年，慈禧就駕崩了，即位的就是清朝的最後一個皇帝溥儀。

老百姓這時候已經等不及了。從1860年的洋務運動到1898年的戊戌變法，再到1908年的大清立憲，經過了器物引進、制度改革，包括憲政頒行，但是大家還覺得清政府的前進速度太慢。終於在1911年爆發了由孫中山領導的辛亥革命，推翻帝制，走向共和，建立了亞洲第一個共和國，就是中華民國。清朝也就至此結束了。

我們對中國歷史的概述就到此為止。從下一集開始我們討論中國的哲學，先從一些對中國影響至為深遠的先秦諸子的學問講起。

第三部分

中國哲學史

（上）

第十九講❖道家思想(一) 老子生平

Chapter. 19　Taoism (1) Life of Lao Tzu

大家好，咱們前面幾講概述了一下中國歷史。從今天開始，我們進入哲學部分，先從道家思想講起。

道家對中國的影響特別深遠。中國的人文初祖軒轅黃帝，就是一位道家的修煉人。所以中國從文明之初就帶有濃重的道家色彩。而佛家是在東漢初年才傳入中國的。也就是說在中華文明最開始2500年到3000年的時間裏，都是以道家文化為主的，包括後來很多先秦諸子的學問，以及魏晉玄學、宋明的新儒家等等都和道家有著非常深的關係，像兵家、儒家、法家等都是從道家的某一點中派生出來的。

一、老子生平

談到道家思想就不能不先介紹一下老子的生平，這在《史記》中是有記載的，但是在學術界還是有很多的討論。《史記》中講老子生活在春秋末期，是楚國人，出生地是現在的河南鹿邑縣，就是現在的河南商丘附近。我們在講《笑談風雲》第三部《隋唐盛世》的時候曾經提到過「睢陽之圍」，就是睢陽太守張巡死守睢陽的故事，非常壯烈和感人。睢陽就是河南商丘。

老子在周，曾經做過守藏室史，所謂「守藏室」就是當時東周的皇家圖書館。古文中「史」和「吏」是混用的，老子可能做的是一些圖書管理工作。孔子曾經專門到周，向老子請教禮。從這個意義上講，老子是孔子的老師。他們之間的對話在《史記》中記載得很簡略，但孔子見完老子回來後很長時間都沒有講話。弟子就覺得很奇怪，問夫子：見了老子後，為什麼是這樣一個表現呢？孔子說，「鳥，吾知其能飛，魚，吾知其能遊，獸，吾知其能走」，就是鳥可以飛的，魚可以在水裡遊，獸能跑。如果要捕獲野獸，可以給它設置陷阱；如果是捕獲游魚，可以用線把它釣上來；對於飛鳥我們可以用箭射下來。但是老子就是一條龍，乘風雲而上天。我見到的老子就是一條龍啊。所以孔子對老子的評價相當高。

《畫老子騎牛》‧國立故宮博物院

《史記》中說老子晚年的時候覺得周王室已經很混亂了，不想再呆下去，於是就離開了周，騎上他的青牛一路向西，青牛就是黑色的牛。當他走到函谷關的時候，守將叫尹喜看到紫氣東來，就是老子頭上有紫色的雲氣，從東面向西面緩緩而來。尹喜知道來的不是一個普通人，就在關前守候老子。他對老子說：「子將隱矣，強為我著書」，就是說你馬上就要隱居了，能不能麻煩你把你的思想留下來呢？這樣老子就留在了函谷關，寫下了《道德經》五千言交給尹喜，然後他飄然西去，不知所終。《史記》中的記載大致如此。

二、學術界關於道家思想的一些討論

但在學術界有一些關於老子生平的討論。有一種說法是老子其實根本沒有見過孔子，還說老子不是春秋時候的人而是戰國時期的人。我簡單給大家講一下。我講他們的觀點並不意味著他講的是對的，其實我不同意這種講法，但是我想跟大家講一下，當你讀書時看到不同的說法，應該如何去分辨它的真偽，或者說你如何能夠在不同的說法之間找到一種能夠調和它們的解釋。

台灣有一位哲學家叫勞思光，寫了一套《新編中國哲學史》。這個人可以說是把中國哲學各家各派流變的過程都瞭解得很透徹。他在第一卷裡面講到老子的時候就提到了一些不同的學術界的說法。他的論證過程很複雜，我簡單地講一下他的三個結論。

第一個結論：他說老子在戰國的時候還不是很出名。在戰國時期有一個叫楊朱的人。他的思想盛行於孟子和荀子之間。至於勞思光為什麼提楊朱咱們一會再講。

孟子生活在公元前372年到公元前289年，孟子之後有荀子，荀子是生活在公元前313年到公元前238年。荀子的時期是戰國晚期，孟子生活在戰國的中期。而在孟子的時代呢，按照孟子自己的說法，叫「楊朱墨翟之言盈天下」，就是楊朱和墨子這兩個人的學說傳得到處都是，當時被稱為「顯學」。大多數人不是學楊朱就是學墨子。當然孟子對此很不以為然。因為孟子是屬於儒家，楊朱屬於道家，墨子屬於墨家。

我們知道，在戰國的時候百家爭鳴，所以持不同學說的學者經常寫文章去抨擊別家的一些觀點。孟子就專門花一些篇幅去抨擊道家的楊朱，和墨家的墨子。但是到了荀子的時候就沒人再提楊朱了。大家肯定覺得很奇怪。如果墨子和楊朱的學問這麼厲害，學的人那麼多，為什麼到荀子的時候就不提楊朱了呢？這就是為什麼勞思光認為，楊朱是生活在孟子和荀子之間。總而言之勞思光認為楊朱的思想到了荀子的時候就已經失傳了。

那麼楊朱到底有什麼思想呢？關於楊朱的著作目前沒有保留下來，我們只能從別人轉述的話中看到楊朱的隻言片語。孟子對楊朱的話非常不滿，簡直就把楊朱視為禽獸。孟子評價楊朱的一句話很有名，說「楊子取為我，拔一毛而利天下不為也」，就是楊朱這個人特別自私，拔他一根頭髮，對天下人都有利，這種事情他也不會幹。當然你要是單看這一句話那是一個自私到極點的人。拔你一根頭髮就能夠對天下人有利，為什麼不幹呢？但是其實如果我們讀這句話，我們並不知道楊朱到底說的是什麼意思。比如說拔一毛，到底是誰拔這一毛？拔的是誰的一毛？沒有上下文。這就變成了一個很令人困惑的問題。所以後世的人對於楊朱這句話有不同的解釋。

清華大學歷史系的秦暉教授，就從「群己權界」的角度來解釋楊朱。秦暉的解釋是這樣的——楊朱所說的拔一毛其實拔的是別人的一毛。這個問題就變成了如果我認為拔掉楊朱一根頭髮就對天下人都有利，那我們是不是就可以去拔楊朱的一根頭髮呢？楊朱的意思是：不可以。因為這根頭髮是我的而不是你的，你不能為了天下人的利益來決定拔不拔我的頭髮；我的頭髮拔不拔只能是我來決定。因為它的所有權歸我。這就是秦暉教授對楊朱理論的一種解釋。他實際上講了一個什麼問題呢？就是說，你不能以「對大多數人有利」為藉口去侵害少數人的利益。比如說，你覺得只要把這個人殺掉天下就太平了，那麼咱們大家就一塊兒投票，走民主的程序來決定把他殺掉。這是不可以的。因為你做事情得是有法律根據的，如果按照法律來講不能這樣幹的話，那就是不能這樣幹。反過來講，如果當事人自己願意，說只要我死了天下人就都得利了，我就自殺吧。如果這個人這樣做了,那是他自己大公無私,這個是值得表揚的。但是別人無權去剝奪他的生命,否則這個社會永遠都可以以大多數人的利益為藉口去剝奪少數人的利益。

就像是共產黨在國內搞政治運動的時候,就經常說有一小撮敵人,5%,我們是大多數,是95%。為了天下太平我們得把這5%幹掉。這5%可能是地富反壞右,有可能是資本家,有可能是「黑五類」,也有可能是別的造反派等等。所以這裡邊就有一個群己權界的問題,你不能為了多數人的利益就可以剝奪少數人的利益,否則沒有人是安全的,因為人人都可能成為少數。

當時林彪批判毛澤東的時候他就講,「今天一小撮明天一小撮,加起來之後就是一大片」,意思就是毛澤東今天迫害這一小撮人,明天迫害那一小撮人,最後大多數人都受他迫害。所以從群己權界的角度來講,你不能夠為了大多數人的利益去犧牲少部分人,這是沒道理的。因為人家的財產、人家的身體那是人家作主,你不能替別人作主。但楊朱到底是不是這個意思,誰也不知道。這只是現代人對他這種思想的發揮。

勞思光的第二個結論是楊朱的思想跟道家有關。在《呂氏春秋》裡面講了這樣四個字,「陽生貴己」。這個「陽」和姓楊的「楊」是古時候通用的。所謂「陽生貴己」就是把自己看得很重,那麼把自己看得很重到底對不對呢?這是一個問題。第二個問題就是把自己的什麼看的最重?也就是「貴己」到底貴的是什麼?如果看《淮南子·氾論訓》裡,我們會看到,這裏對楊朱的解釋就完全不一樣。書中說「全生保真,不以物纍形,楊子之所立也,而孟子非之」。

我這裡給一種我的解釋。楊朱既不是在講「群己權界」的問題,也不是在講一個人應該自私自利的問題,實際上講的可能是「有為」「無為」的問題。也就是說,「拔一毛而利天下不為也」,這裡邊的「不拔」並不是出於一種自私的原因,而是出於一種「無為」的原因。關於為什麼要「無為」，我們到後面再說。

但這裡我想從勞思光的理論出發做一些推衍。楊朱是一個道家人物，其學說在戰國時期曾經是顯學，很多人都知道，那麼到荀子的時候為什麼就沒有了呢？勞思光的解釋是因為在楊朱之後出現了比他的理論更加系統更加完善的理論，那麼之前這個粗糙的理論就拋棄不用了。那麼更加系統更加精妙的理論是誰提出來的呢？就是老子和莊子。這就是為什麼他把老子和莊子的生活年代定在楊朱的後面。勞思光認為學術的發展是一個逐步完善的過程，楊朱的學問沒有了是因為它很粗糙，老子是他後面出現的，所以老子提出的學問就取代了楊朱的學問。這是勞思光的第三個結論。

勞思光的這種說法在邏輯上還是能說得通的。但實際上是不是這樣呢？一件事情為什麼這樣可能有不止一種解釋，我也想說一說我的解釋。

老子本人「道隱無名」。《史記》中說他以「自隱無名」為務，也就是說他是一個隱士。所以他當時不被人所知也很正常。如果他不被人所知，那麼他的思想就很有可能是逐步傳出來的。比如說他在函谷關留下《道德經》，送給尹喜，那麼尹喜可能又經過實踐，然後經過多少代的流傳，一些人只得了其中的一部分，最後一直到戰國時期才系統地把老子的思想傳出來。所以並不是因為老子生活在戰國時期，傳出了一個系統的思想，而是老子是春秋時期的人，他的思想到戰國的時候才系統地傳出來。大家想一想這麼解釋是不是邏輯上也說的通呢？否則為什麼稷下學宮那麼多活躍人物，就沒有老子的大名呢？

再有一個，就算老子和楊朱都是道家人物，楊朱的思想比老子出來的早，你也不能肯定老子就是繼承和發展了楊朱的思想。因為同一件事情可能被不同的人以自己獨特的方式發現。比如說微積分，微積分就是牛頓和萊布尼茲各自獨立研究出來的，所以你不能說萊布尼茲的微積分理論出得比牛頓晚，就認為萊布尼茲就是從牛頓那兒學來的，或者是反之。

還有人在分析《道德經》的成書年代，是靠章句的解釋來定位的。什麼意思呢？簡單的說在《道德經》裡有這樣四個字，叫「萬乘之主」。什麼叫萬乘之主？意思就是有一萬輛兵車的國君。有人就說在春秋時期其實沒有這麼大的諸侯國，最大的也就是千乘之國，也就是有一千輛兵車的諸侯國。萬乘之國是到了戰國時期才出現的。所以老子不可能在春秋時期就描述出來一個戰國時期的景象。

這種說法其實也只是一種解釋。原因很簡單，有一些書是後人在整理的時候添加了很多東西。當然我們認為《道德經》主要是老子寫的，但也不能排除在流傳的過程中有些人向裏邊添加了一些東西。就好比我們看《聖經》，固然有12門徒對耶穌的話語或者事跡的回憶，但也有些內容是後面的信徒寫的。比如說《新約全書》裡邊有保羅的書信，而保羅是在耶穌被釘在十字架以後，特別是迫害基督徒開始以後，才接觸基督教的。但是你不能夠因為裏邊有保羅的書信，就說《聖經》一定是在保羅之後才出現，其實前面的四福音書是早就有了的。所以我想說什麼問題呢？就是如果你僅僅從文本上分析的話，你最多只能給每一章每一節，或者是某一段落定義一個時間上的座標，但是你對整本書到底是什麼時候出現的，還是無法定論的。剛才給大家講了這麼多東西，其實並不是想探討老子生平的本身，而是提出一種思考和分析問題的方法。

三、《道德經》

在2001年10月29號的時候，蘋果的創始人Steve Jobs，他在接受《Newsweek》訪問的時候講了這樣一句話，他說：「I would trade all of my technology, for an afternoon with Socrates.」我願意把我所有的技術換取一個下午的時間，能夠和蘇格拉底坐在一起。

我們覺得Steve Jobs很有能力、很有才華，不光是一個發明家也是一個企業家，他知道他所掌握的僅僅是Technology(技術)，而不是智慧(Wisdom)，所以他願意把他所有的技術拿出來換來一個下午，來聽蘇格拉底那些充滿智慧的話。所以我想說，我們真正需要的是從《道德經》中瞭解老子的智慧。所以我們就不再把精力關注在老子的生平上。而且我們前面舉楊朱的例子，也是說中國人其實有一個習慣，叫「托古」，就是在古代找一個人，然後借用他的嘴來說自己想說的話。比如楊朱的話到底是什麼意思?有的人可能是從政治需要出發才這樣去解釋的。下面我們就說一下《道德經》。

《道德經》的思想非常博大，一共包括八十一章，其中前面三十七章以「道可道非常道」開始，是《道德經》的上卷，也叫《道經》。後面這44章，以「上德不德」開始，是《道德經》的下卷，稱為《德經》。把《道經》和《德經》合在一起，總稱為《道德經》。

讀《道德經》的時候，很多人會覺得裏面很多話非常令人費解，因為老子自己曾經講過四個字，叫「正言若反」。也就是老子在論述的時候，常常給一個你自己完全意想不到的結論，跟你對這個世界的認識是完全相反的。

比如說，老子講「柔弱勝剛強」，這就很讓人覺得費解——我是強，你是弱，你怎麼反過來還比我強呢?老子講關於「柔弱勝剛強」的這段，我給大家念一下，不去具體解釋它。老子講:「人之生也柔弱，其死也堅強」，人出生的時候，大家知道嬰兒是非常軟的，骨頭也軟，抱在懷裡就像是一團肉一樣，他死的時候就手腳都伸直了，所以叫「挺屍」嘛。所以「人之生也柔弱，其死也堅強」。「草木之生也柔脆，其死也枯槁」，草柔軟的時候是活著的，它一旦乾了之後就直了，就死了。「故堅強者死之徒，柔弱者生之徒，是以兵強則滅，木強則折，強大處下，柔弱處上」，強大反而在下面，柔弱反而在上面。一個國家的軍事太強了，也就離被滅亡不遠了。如果一根木頭過於強硬,它就缺乏韌性,也就很容易被折斷。所以老子說「強大處下,柔弱處上」。

老子又在第78章說,「天下莫柔弱于水,而攻堅強者莫之能勝,以其無以易之,弱之勝強,柔之勝剛,天下莫不知,莫能行」。翻譯成現代文,老子說水是很柔的東西,但是它卻能打敗堅強、堅硬的東西。咱們《中華文明史》開頭有一集,講李小龍把功夫比喻成水,其實也是對這句話的體悟或者詮釋。

道家的很多思想都可以從太極圖裡看出來。當我們看這張太極圖的時候,我們可以看到裡面包含著很多中國人非常珍視的價值。比如說「包容」,就是大家可以看到陰魚有一個陽眼,陽魚中有一個陰眼。明明是完全相反的東西,但是我允許你存在在我的裡面,這就是包容。

太極圖

我們還可以從太極圖中看到「和諧」,陰陽雖然性質相反,但是卻和諧地共處在同一個太極中。

我們還可以看到「循環」的概念,因為太極是一個圓,它周而復始、不斷的循環,而且無終無始。

從這張圖裡,我們還能夠看到「相生相剋」。所謂「相生」就是陰極生陽、陽極生陰。我們看陽魚,陽發展到極點的時候,陰就產生了;陰發展到極點的時候,陽就產生了,這就是「相生」。同時我們能夠看到「相剋」,「相剋」就是陰陽之間互相平衡,它們的面積一樣大,保持一種平衡的關係。

我們還能夠看到它們相互之間的轉化,就是陰轉成陽、陽轉成陰。像中國人講的「禍兮福之所倚，福兮禍之所伏」等等都是講這種相反的事物互相轉化。

這裡面包含的內涵很深。咱們後面再慢慢地去講它。

老子講的是高於人的理。高於人的就是神啦。老子講的理其實不是人中的道理。那麼神的理就相當成體系。不同的人在讀《道德經》時，就能夠從中體會出不同領域的指導作用。比如說，有人能夠從《道德經》中學到如何治理國家，就是在政治上他能夠從道德經中得到啟發；有人從《道德經》中能夠學到如何經商；有的人能夠學到如何去處理人際關係；有的人學到的是如何行軍打仗；也有的人學到的是權謀之術。那是因為老子講了一個很高、很大的理，人中的理不過是從這裡派生出來的而已。

《道德經》派生出很多別的思想體系，比如說儒家、兵家、法家等學問都是從道家理論中派生出來的。那些學問都是屬於用。所謂「用」就是應用，那麼道德經真正講的東西是「體」，這是一個本質的東西。我們主要在「體」的層面來探討它，就是老子講這些話，包含的最高含義是什麼。至於說具體的，比如說政治內涵或者其它方面的內涵，我們可能會等到今後在會員網站上講《秦漢史》的時候再詳細地去講。

老子講的是神的理，也就是修煉有關係的東西。我這裏也不想把它講得特別玄乎、特別高深，但是我這裡還是有必要做一下免責聲明。如果你要是不站在修煉的角度去講老子的東西，你是說不到根本的。所以我只能站在我從法輪佛法的修煉中體會出來的道理去談一下我對道德經的認識。這種解釋跟老子的本意是否一樣，我也是不能夠保證的，因為我在佛法修煉中的修煉境界還有限。我只是把我所體會到的東西給大家講出來。如果大家覺得這裡有一些智慧或者真知灼見，那當然很好。如果大家覺得你不同意我的觀點那也沒有關係。老子到底講的是什麼，按我來看只有真正修煉的人才能夠懂。所以如果大家要是有興趣的話,可以看一看《轉法輪》或者是法輪大法相關的著作,那樣你再看很多比如說先秦諸子的學問或者一些別的哲學,你可能都會覺得他們講得很簡單,知道他到底在說什麼。

今天咱們簡單地講了一下關於老子的生平和《道德經》是一本什麼樣的書。從下一節課開始,我們會具體討論一些道家的思想。

第二十講❖道家思想(二) 道可道非常道

Chapter. 20 Taoism (2) "The Tao, may be discussed; it is not the common Tao"

上一堂課講了一下老子的生平和《道德經》是一本什麼書，今天咱們開始來討論《道德經》中一些具體的章句。這張圖列出了一些要點，今天不可能一下子把它都講完，只是給大家看一下我們大概討論的範圍。

- ❑ "道，可道，非常道"
- ❑ 《道德经》中谈到的道如何生成宇宙
- ❑ 《道德经》中谈到的相生相克和相互转化的问题
- ❑ 《道德经》中谈到的修道、无为、去执着
- ❑ 《道德经》中谈到的治国方法
- ❑ 道、儒、兵、法家的关系问题
- ❑ 老子和庄子

第一個就是老子在《道德經》開篇的第一句話，「道，可道，非常道」，這句話到底是什麼意思。然後我們會談一下《道德經》中所談到的「道」是如何生成宇宙

的？聽起來很玄學的一個內容。咱們今天大概也就談到此為止。接下來的課中，我們會談到《道德經》中所提到的一些宇宙的其它特點，比如說相生相剋、相互轉化；我們還會談到關於「修道」、「無為」這些概念到底是什麼意思；還會談到《道德經》裡面提到的治國方法，這跟現實政治是有關係的；還會簡單的說一下道家、儒家、兵家和法家他們之間的關係；最後我們會講一下關於老子和莊子。老子和莊子在後世被並稱為「老莊」，但其實老子和莊子講的完全不是一回事。

一、「道，可道，非常道」

我們先說第一個問題，就是關於「道，可道，非常道」。我們首先說一下這個「道」。這個「道」到底是什麼意思呢？在英文中把它翻譯成the Way。The Way就是道路的意思。當然這麼翻譯，在字面上是比較準確的，但是並沒有說明這到底是一條什麼樣的路。為什麼這個路，這個Way就叫作The way，就是那唯一的道路呢？

其實《道德經》裡面所講的「道」是一條通往天國的路，所以這就是為什麼老子把「道」看得如此之重。也就是說，走在這樣的路上就是通向天國。那麼這個過程就是修煉。其實「通往天國的道路」這個概念在基督教中也有，像耶穌就曾經跟他的門徒講：我就是道路、真理、生命，若不借著我，沒有人能到父那裡去。也就是說：我就是那條道路，你得跟著我才能去天國。

當然這個「道」在別的地方還有別的含義的。先秦諸子都把他們所傳的東西稱為「道」。比如《孫子兵法》說：如果你要想知道打仗是不是能打贏，你要看五個方面，道、天、地、將、法。孫子說的「道」指的是「主孰有道」，也就是國君是不是一個有道之君，是不是得民心。但是很顯然孫子所說的「道」並不是關於修煉的，而只是說政治上是不是清明。

古時候還有一句話叫「盜亦有道」，就是盜賊也有他必須遵從的原則。當然盜賊遵從的原則肯定是跟修煉無關，所以「盜亦有道」這個「道」也跟老子所講的「道」完全不同。

儒家也把孔子所講的東西稱為「道」。孔子講：「道之不行，乘桴浮於海」；韓愈說：當老師的人是「傳道、授業、解惑」，這裡「傳道」傳的顯然不是老子的「道」。所以不同的人都把他們所認為的原則或者真理稱為「道」。但是老子所講的「道」跟別人是不一樣的。這就是為什麼老子講「道，可道，非常道」。「非常道」的意思就是我的「道」和你們平常所聽到的「道」，是完全不一樣的。

不僅如此，老子說「道，可道」，就是說這個「道」我是可以給你講一講。「可道」的「道」表示我可以跟你說一說，聽我慢慢道來。但是我說的這些詞的概念跟你平常理解的概念不一樣，所以你從字面上就不太能夠知道我到底在說什麼。那麼既然老子的「道」和儒家、兵家都不一樣，那老子講的「道」到底是什麼呢？

首先，老子所講的「道」是宇宙產生的原因。老子在《道德經》第二十五章裡面講了這樣一段話：「有物混成，先天地生，寂兮寥兮，獨立而不改，周行而不殆，可以為天地母」。翻譯成現代漢語：老子說有一個東西「先天地生」，在天地之前就已經有了。祂非常寂寞。為什麼呢？因為沒有別的存在，只有祂自己。祂「獨立而不改」，「獨立」用英文來講就是stand alone，「不改」就是祂永遠不變。「周行而不殆」，是說祂是一個循環，而且永遠都不停止。「可以為天地母」，是這個東西產生了天地，所以祂是天地的母親。所以大家可以看到，老子提到了一個先於天地而存在的東西，而且從其中產生了天地。老子後面說，「吾不知其名」，我不知道應該管祂叫什麼，「字之曰道」，我就把祂叫作「道」。

把這段話連起來讀，大家可以看到，老子講的「道」，其實就是天地之母，或者說由「道」中產生了天地。老子說我不知道應該叫它什麼，就起了個名字叫作

「道」;「強為之名曰大」,我也可以勉強給它起個名字叫作「大」,這個「大」就跟「道」是一個意思了;這個「大」也可以叫作「逝」,「逝」也可以叫作「遠」,「遠」也可以叫作「反」。就是老子給「道」起了一串名字。大家可能會覺得這個概念好像是相當複雜,甚至有些混亂。但如果你真懂修煉,你會覺得非常簡單。其實修煉是要「反」,就是你要返回去,返回到你真正的生命產生的地方。生命真正的來源不是這個世間,但具體是什麼地方我不能講,大家看《轉法輪》就知道了。

後面老子說:「故道大,天大,地大,人亦大,域中有四大,而人居其一焉。人法地,地法天,天法道,道法自然」。後面這四句話特別有名,「人法地,地法天,天法道,道法自然」。老子認為天地間有四個東西最大:道是一個,天是一個,地是一個,人是一個,有四個東西很大。人為什麼大呢?因為按照過去佛教的說法,人都有佛性在,人人都可以修成佛,所以人身才非常可貴。所以,老子這裡面其實是告訴了你一個問題,就是說,如果人能夠按照天地的這種規律去生活,去修行,那麼最後你能夠得道。我個人理解,其實老子講的這句話是這樣一個意思。

大家如果再讀這段話還可以看到,老子在這裡遇到了語言表達的障礙。因為老子說,我想給你描述一下什麼叫天地之母,是從什麼裡面產生的天地,但是呢,我實在找不到一個準確的詞,所以我就給祂起個名字叫作「道」。老子遇到了什麼困難呢?大家可以從日常生活中得到一點啟示。

比如我想給你解釋一個概念。這個概念叫作「甜」。可是當我在給你解釋什麼叫「甜」的時候,我很難用語言去描述它。我總不能跟你說「甜」是很刺眼的,因為「刺眼」是視覺,而甜是一種味覺,跟視覺互相之間沒有關係,我們沒辦法用一個東西的明暗亮度來描述甜。然後,我也沒有辦法說甜是很刺耳的,或者說甜是一種很優美的聲音,這也不對,因為我也沒有辦法用聽覺來給你描述什麼叫甜。我也沒辦法用觸覺來描述甜,我說甜是一種很粗糙的感覺,或者甜是種很細膩的感覺,這個也不準確。我也沒有辦法用嗅覺來描述甜,說甜是很香的,甜是聞起來很臭的,這都不對。也就是說,人五種感官,視覺、聽覺、嗅覺、觸覺和味覺,這五種感官互相之間是不能代替的。換句話說,如果你要想知道什麼是甜,你只有一個辦法,就是親口嘗一嘗。當你吃到糖,或者當你吃到冰淇淋的時候,你就知道什麼叫作甜了。這種感受用文字無法描述。甜這個東西只能夠通過你親自品嘗來得到,你才會建立這樣的一個概念。

但是「道」這個概念介紹起來卻很麻煩。為什麼呢?因為它無形無相,不可琢磨。你的五種感官完全感覺不到祂到底是什麼樣子。所以,也就沒有辦法讓你真正去瞭解祂。只好通過各種各樣的語言,想辦法繞著圈說,試圖給你建立這樣一個概念。最後,老子說既然你感覺不到,祂無形無相,所以你乾脆也就別管祂是什麼了,反正就有那麼一個東西,我就管祂叫作「道」。這種語言障礙是在描述超越人類的那種存在的時候所必然會遇到的。不光是老子遇到,在佛家中也會遇到。

我們知道禪宗有個說法,叫「不立文字」。為什麼不立文字呢?這個當然禪宗可能是有點兒走極端了,但是它「不立文字」的本身也是因為它覺得用文字沒辦法給你描述什麼叫作禪或者什麼叫佛法。

禪宗有一個非常有名的故事。釋迦牟尼佛在靈山講法的時候,座下許多弟子在那兒聽法,釋迦摩尼佛拿出來一朵花給大家看,大家都不知道釋迦牟尼佛是什麼意思,只有大迦葉尊者看到了之後暗暗笑了一下,被釋迦牟尼佛看到了。釋迦牟尼佛就接著講了這樣一番話:「吾有正法眼藏,涅槃妙心,實相無相,微妙法門,不立文字,教外別傳,付囑大迦葉」。大家注意這八個字,「不立文字,教外別傳」,就是它不是靠文字來傳法,而是菩提之道,以心傳心。就那一瞬間,大迦葉笑了一下,佛陀就已經把他要跟大迦葉講的話一下傳給他了。這就是以心傳心。這種傳法的方法不是靠著佛陀用語言來講，是佛教之外單傳的一支，所以叫作「教外別傳」，而且「不立文字」。所以禪宗後來一直在講以心傳心。當然禪宗實際上是不是真的不立文字呢？也不是。因為六祖慧能在涅槃以後，他的言論就被門人法海總結成了《六祖壇經》。你不立文字的話，怎麼還有《六祖壇經》呢？

關於慧能的事跡，咱們後面講到佛教簡史的時候再說。但《六祖壇經》裡講了這麼一個故事，也順便在這裏給大家講一下。

慧能到湖北黃梅縣的東山寺去求法的時候，寺院的主持是禪宗的五祖弘忍。慧能得法成為六祖以後，就回到了廣東韶州的曹侯村。當時沒有人知道他已經得到了達摩的衣缽了。當地有一個儒生叫劉志略，對慧能非常尊重。劉志略有一個姑姑，是個尼姑，這個尼姑的名字叫無盡藏，經常去念大般涅槃經。慧能在那兒聽著。他一聽就知道念的是什麼意思，然後就給劉志略的姑姑講解到底佛說這句話是什麼意思。有一次，無盡藏就拿著佛經問六祖某句話什麼意思。六祖說：我不認識字。尼姑就很奇怪，說：「字尚不識，焉能會義」，你連字都不認識，你怎麼會知道到底在講什麼呢？六祖慧能回答說，「諸佛妙理，非關文字」，真正的理不在文字的表面上[*1]。

所以佛教中有一個非常有名的故事叫「手指月」，就是有個人向高僧請教佛法，這位和尚就把月亮指給他看，說你看這是我的手指，那邊是月亮。什麼意思呢？他是說，我用手指把月亮指給你看，但是你不要把我的手指當成是月亮。就是說：你不要執著於文字本身。這可能是禪宗不立文字的本意：就是你真正需要瞭解的是佛法的內涵，而不要執著在文字的本身上。

---

*1　《六祖壇經》 機緣第七：師自黃梅得法。回至韶州曹侯村。人無知者。有儒士劉志略。禮遇甚厚。志略有姑為尼。名無盡藏。常誦大涅槃經。師暫聽。即知妙義。遂為解說。尼乃執捲問字。師曰。字即不識。義即請問。尼曰。字尚不識。焉能會義。師曰。諸佛妙理。非關文字。尼驚異之。遍告里中耆德雲。此是有道之士。宜請供養。

這就是我對「道、可道、非常道」這幾個字的理解，對不對大家自己去判斷，我也不去下結論。我的個人理解，宇宙產生的原因，也就是天地之母，叫作「道」。這個「道」是可以言說的，但它的內涵，跟一般人提到這個詞的時候的內涵是不一樣的。

二、道如何生成的宇宙？

剛才我們說到「道「中產生了宇宙，那麼怎麼產生呢？我們再看一看《道德經》中的這句話：「天下萬物生於有，有生於無」。這句話也是很讓人費解，什麼叫「有生於無」？

我們再看《道德經》中的幾段話。第一段：「道生一，一生二，二生三，三生萬物，萬物負陰而抱陽，沖氣以為和，人之所惡，孤、寡、不穀，而王公以為稱」。「道生一」，「一」是什麼呢？「一」是無極。「一生二」，「二」是什麼呢？二是太極，就是陰陽。「二」生「三」，「三」是什麼呢？有人說是「三才天地人」，也有人說是陰、陽，加上陰陽相和之間的中間狀態。這個我們先不管它。後面說「萬物負陰而抱陽，沖氣以為和」，任何的物質中都有陰陽兩種因素，這就是宇宙產生的原因，你可以說宇宙裏的萬物產生於陰陽。

後面又說：「道生之，德畜之，物形之，勢成之，是以萬物莫不尊道而貴德」。簡單地講，萬物都是從「道」中產生的，所以一定要尊重「道」。

再往下說：「無名天地之始，有名天地之母」，也就是把「天地之始」就是開天闢地之前的那個時刻稱之為「無」，之後那個時刻稱之為「有」，有了天地之後就有萬物，所以天地是萬物之母。

我不知道這樣說大家是不是明白了。我感覺可能仍然有些費解。我們再把下面這兩句話講清楚，大家可能就知道老子到底在講什麼了。這句話是「天下萬

物生於有，有生於無」。還有一句在《道德經》第14章裡，老子說：「視之不見名曰夷，聽之不聞名曰希，搏之不得名曰微」，就是你看不見的東西叫做「夷」；你聽不到的東西叫作「希」；你摸不到的東西叫作「微」。對這三類東西，你沒有辦法去詰問它、探究它。這樣這三個東西就混而為一。「其上不皦，其下不昧」——在它之上不再有光明，在它之下不再有黑暗；「繩繩兮不可名」——綿延不斷；「復歸於無物，又歸於無，是謂無狀之狀。無物之象，是謂惚恍。迎之不見其首，隨之不見其後。執古之道，與禦今之有。能知古始，是名道紀」。我覺得大家可能都會聽糊塗了。老子講的這些概念聽起來是很複雜，其實說穿了很簡單。

我們從日常生活經驗出發打一個比方。比如你買了一個西紅柿，放在廚房裏。這只西紅柿非常完好，看不到任何腐爛的痕跡。你把它放在那兒，一天兩天沒事，但一個禮拜兩個禮拜以後，這只西紅柿就會開始腐爛了。為什麼會腐爛呢？就是因為各種各樣的細菌就從西紅柿裡面生出來了。在腐爛之前有沒有細菌呢？也有。為什麼你覺得沒有細菌呢？就是你一開始拿西紅柿的時候，你覺得沒有細菌呢？因為你看不到，你管它叫做「無」。但它其實並不是真正的「無」，它是「有」，只不過是你看不到而已。

所以說什麼意思呢？就是我們在看物質的時候，比如說我們看我面前這張講檯，覺得它是「有」，因為我們能看得見摸得著。但是這個「有」是從哪來的呢？是從「無」裡邊來的。這個無可能就是構成原材料的一個個分子，按照一定的規律排列組合，形成了這樣一個講檯。

也就是說什麼呢，就是你所看到的東西叫作「有」，你看不到的東西就叫作「無」，但是那個「無」並不是真正的沒有，而是「微觀中的有」，是因為看不見摸不著，你才覺得「沒有」。

我這麼說可能大家會產生一個聯想，就像神一樣，你看不見摸不著，你認為祂沒有。祂其實是「有」，但祂不是我們這個空間看得見摸得著的「有」，祂是看不見摸不著的那種微觀中的「有」。

所以這個宇宙是怎麼產生的？如果我們把《道德經》中那幾句話連起來講就很簡單。就是宇宙中有一種微觀的東西，你看不見摸不著，咱們假如說把它叫作物質；同時有一種規律，這種規律叫作道。是這個「道」把這些物質組合起來，就生成了這個宇宙。

當這個宇宙生成的時候，你能夠看到它了，你覺得這個宇宙是「有」；這個宇宙生成之前，你看不到它的時候，你覺得是「無」，但它其實並不是「無」，而是微觀中的「有」。微觀中的那種物質你看不見摸不著，那種規律你也看不見摸不著，所以你稱它為「無」。我不知道我是不是講清楚了。我理解，老子他講的就是這樣的一個含義。

其實我們在學物理的時候，也能夠知道，宏觀世界的規律和微觀世界的規律是不一樣的。比如說在宏觀世界裡，起主導作用的就是兩個分支：牛頓的力學還有麥克斯韋的電磁學。宏觀世界中的運動基本上都可以用它來解釋。到了微觀世界的時候，你會發現經典力學和電磁學就不適用了。

你想啊，如果電磁學適用的話，兩個質子都帶著正電荷，在原子核裡面應該是同性相斥，就排斥開了，它們怎麼能夠結合在一個原子核裡呢？所以後來就發現，微觀世界不光是有電磁力和萬有引力，還有強相互作用力和弱相互作用力。然後在宏觀世界中的經典力學，到了微觀世界發現就不起主導作用了。就像牛頓第二運動定律F=ma，但當物質以接近光速運動的時候，公式右側的質量是會變化的。而且在宏觀世界裡面任何一個物質的位置是確定的。但到了微觀世界，粒子的位置和速度、自旋狀態等都是一個概率。這個問題我們在第四堂課講過，這裏不再重複了。這裏要說的是，宏觀世界的原理和微觀世界中的原理

是完全不一樣的。

那麼有沒有一種原理能夠把宇宙中最宏觀到最微觀的物質全部說清楚呢?愛因斯坦曾經做過這樣的努力,他想通過「統一場論」把它解釋出來,但沒有成功。

其實我知道,真正能夠把宇宙從宏觀到微觀全部說清楚的東西,過去道家就把它叫作「道」,佛家就把它稱為「佛法」。

今天講的這些內容只是我作為一個在佛法中修煉的人的個人看法,層次很有限。大家如果真正想知道到底老子講的是什麼,還得去看修煉相關的書。我推薦大家去看看《轉法輪》。

關於道家的思想,我們今天就先簡單的講這麼兩條,剩下的我們下一堂課再說。

第二十一講❖道家思想(三) 相生相剋

Chapter. 21 Taoism (3) Mutual Generation and Mutual Restriction

大家好。上堂課我們講了一下老子的「道」到底是什麼,以及「道」是如何生成宇宙的。今天我們講道家的另外一個重要思想,「相生相剋」。

三、相生相剋

「相生相剋」的理在太極圖上就可以看出來,當阴走到鼎盛的時候就會生出阳,阳走到鼎盛的時候就會生出阴。也就是說,一個事情走到極端的時候就會走向自己的反面,這就是相生。就像老子說,「禍兮福所倚,福兮禍所伏」,就是福禍之間是相互轉化的。

中國人都知道一個成語「塞翁失馬焉知非福」。它就是講在邊塞上有一位老者,很會算命。有一天他的馬無緣無故跑到了胡人那裡,當然別人就會過來安慰他。但這位老者說:「你怎麼知道這不是一件好事呢?」過了一段時間,他的馬不但回來了還帶回來很多胡人的馬,別人又過來祝賀他發大財了。但是老者說:「你怎麼知道這不是一件壞事呢?」因為他家裡有很多馬,他的兒子喜歡騎著玩兒,結果從馬上摔下來,摔折了大腿。別人又過來安慰他。但老者說:「你怎麼知道這不是一件好事呢?」又過了一年,胡人大舉入侵,所有的年輕人都要拿上弓箭騎著馬去作戰，去打仗的人死了90%，可是他的兒子因為腿瘸了，所以父子因此得以保全[*1]。

這個故事非常有名，就講了一個道理：好事和壞事是可以互相轉化的，就像陰陽可以相互轉化一樣。

中國有很多的成語，比如說否極泰來、剝極而復、盛極而衰、樂極生悲等等。這些成語中間都有一個「極」字，就是走到頂峰。我把它概括成為一個句式，就是「A極而B」，A走到極端的時候就會變成B，而A和B是正好相反，悲喜、福禍等等。

這樣的教訓在歷史中非常多。再給大家舉個例子。這個故事是關於秦國的丞相李斯。我們知道李斯的出身是比較低微的，一個上蔡的小吏，最開始是給人管倉庫，後來遇到了當時的大儒荀卿。荀卿曾經做過稷下學宮的祭酒，相當於齊國最高學府的校長，後來又做過蘭陵令。李斯去跟荀卿學習，學成後，去投靠了秦國當時最有權勢的人——丞相呂不韋。再後來因為《諫逐客書》得到了秦始皇的賞識。總而言之他這一輩子從一個社會最底層的小吏做起，平步青雲，最後做到了一人之下萬人之上的丞相位置。

《史記·李斯列傳》裡有這麼一段話：李斯的大兒子叫李由，在三川郡做郡守，相當於現在的省長。後來李由有一次度假回家，李斯就在家裡舉行了一次宴會，當時來的都是非常有權勢的人，很熱鬧，「門廷車騎以千數」。而且當時李斯被秦始皇寵信到什麼程度呢？李斯的兒子娶的都是秦始皇的女兒，李斯的女兒

*1　《淮南子·人間訓》：近塞上之人，有善術者，馬無故亡而入胡。人皆弔之，其父曰：「此何遽不為福乎？」居數月，其馬將胡駿馬而歸。人皆賀之，其父曰：「此何遽不能為禍乎？」家富良馬，其子好騎，墮而折其髀。人皆弔之，其父曰：「此何遽不為福乎？」居一年，胡人大入塞，丁壯者引弦而戰。近塞之人，死者十九。此獨以跛之故，父子相保。

嫁的都是秦始皇的兒子，雙方這樣多重聯姻，所以李斯的地位是沒人可以挑戰的。一般人看到這種情況都會覺得這一輩子很美滿、心裏很得意，但是李斯看到這樣的盛況，產生了一種深重的危機感。李斯歎著氣說：我這樣一個地位普普通通的人，皇帝不知道我能力有限，把我提拔到這樣一個位置上，現在我的富貴到了頂點。我聽我的老師荀子說過，人生最忌諱的就是走到了頂點，我都不知道我會死在什麼地方了[*2]。

所以你會看到，李斯的想法是中國古人一個非常典型的思維方式——居安思危。果然沒過多久李斯就遭遇大禍，被趙高陷害，在監獄裡面被嚴刑拷打，被誣衊謀反，最後被腰斬於咸陽郊外。

《史記》中說秦二世二年七月（公元前208年的七月），李斯受了五種酷刑，包括割鼻子、剁腳趾、臉上刺字之類的，最後被腰斬於咸陽市。李斯從監獄中出來，被綁縛刑場。這時他的長子，就是三川郡的郡守李由已經在前線戰死。李斯回過頭來看著他的二兒子說：「吾欲與若復遷黃犬俱出上蔡東門逐狡兔，豈可得乎！」意思是我特別想和你再牽著咱們家的黃狗，從上蔡的東門出去追兔子，這就是非常典型的普通人的快樂，但這樣的日子再也沒有了！然後父子抱頭痛哭。而且被秦二世滅了三族[*3]。這就是一個非常典型的盛極而衰的故事。

很多中國人在懂得了這樣的道理後，都會做一件事情，叫作「功成身退」。歷史上這種事情也很多，像寫下《孫子兵法》的孫子功成身退，范蠡功成身退，還

*2 《史記·李斯列傳》：（李）斯長男由為三川守，諸男皆尚秦公主，女悉嫁秦諸公子。三川守李由告歸咸陽，李斯置酒於家，百官長皆前為壽，門廷車騎以千數。李斯喟然而嘆曰：「嗟乎！吾聞之荀卿曰『物禁大盛』。夫斯乃上蔡布衣，閭巷之黔首，上不知其駑下，遂擢至此。當今人臣之位無居臣上者，可謂富貴極矣。物極則衰，吾未知所稅駕也！」

*3 《史記·李斯列傳》：二世二年七月，具斯五刑，論腰斬咸陽市。斯出獄，與其中子俱執，顧謂其中子曰：「吾欲與若復牽黃犬俱出上蔡東門逐狡兔，豈可得乎！」遂父子相哭，而夷三族。

有張良、後來唐太宗時期的賢相長孫無忌、房玄齡等等，都是「自懼盈滿」，就是覺得自己的功勞太大了，地位太高了，就想要退休。

范蠡畫像

春秋末年，范蠡苦心深謀20幾年，終於幫助越王滅掉了吳王。但等到事情做成了以後，他就跟他的同事文種講了這樣一番話：「蜚鳥盡，良弓藏；狡兔死，走狗烹。」天上沒有鳥了，弓箭就可以放起來了；外面沒有兔子了，獵狗也就會被殺來吃掉了。之所以過去越王重用我們二人，是因為他有一個強大的敵人吳王。現在吳王已經死了，所以我們兩個也就沒有用了。我們就像是那條追兔子的黃狗一樣，也該被殺了，所以范蠡就決定離開越王。他說：「越王為人長頸鳥喙，可與共患難，不可與共樂，子何不去？」意思是越王脖子很長，嘴像鳥一樣往前突出，這樣面相的人只能夠共患難，不能夠共富貴。為什麼你不跟我一塊兒逃走呢？

但文種沒有走，范蠡走了。范蠡保全了自己，而且後來在齊國做生意做得非常大，改名陶朱公。而文種覺得越王對他的賞賜配不上自己的功勞。越王也知道文種的心裡不滿。後來文種就乾脆稱病不朝，就不去見越王。有一天文種在家裡謊稱生病，越王來到他的家裡聊了一會兒天。越王說：「子教寡人伐吳七術，寡人用其三而敗吳，其四在子，子為我從先王試之。」就是說你教我七招去滅吳國，我只用了三招吳國就滅了，還剩下四招還在你這，請你帶著這四招到地下去幫助我以前的那些先人們繼續跟吳國幹。然後勾踐就給文種留了一把劍。文種一看就明白了，就是想讓我死嘛，於是文種就自殺了。

這就是老子在道德經中講的，「富貴而驕，自遺其咎，功遂身退，天之道」。為了避免走到自己的反面，就必須見好就收。否則一個東西走到頂峰以後，就必然走向自己的反面，這就是「相生」，陰極生陽，陽極生陰。

那麼同時陰陽又有一種「相剋」的關係。相剋就是互相的平衡和制約。

中國文化是非常注重平衡的。比如說中醫講人有五臟，五臟分屬金木水火土，五行中哪個都不能太過，互相之間要達到一種制約和平衡的關係。

所以你看中國古代的很多皇帝都是非常聰明的人，像漢武帝、唐太宗，但他一定要設置諫官。所謂「諫官」就是專門跟皇帝唱反調的，專門給皇帝提意見的人，像汲黯和魏徵。明明皇帝做事兒很有章法、很有道理的，但就需要有人不斷跟皇帝唱反調，指出皇帝的問題。當然他說的也不見得對，但是一個皇帝需要不斷聽到反對自己的聲音，做事情才不至於太過，這也是屬於相生相剋之間的一種平衡。

其實你看人也是一樣。一個人如果健康，他身體裡邊各個器官各個組織互相之間是非常平衡的，不會出現一個器官強盛到把別的器官都壓制住。人為什麼得了癌症會死，就是因為癌細胞是沒有什麼東西能夠制約它的，所以它就無限地瘋長瘋長，最後把整個身體的養分耗光，或者是堵住了人什麼器官的內分泌通道等等，最後就造成死亡。所以癌症細胞本身並沒有毒性，它主要就是失去了制約，所以最後等於佔據了人體所有的養分和資源，這個人也就死了。這就是失去制約後的一種表現。

如果你拿道家的相生相剋、追求制約和平衡的道理來看，美國的政治設計就非常合理。你會看到它的立法、行政和司法三權分立，互相之間能夠達到一種制約和平衡。而像中共這樣子的一個極權主義社會，把所有一切異議的聲音全部消除，所有反對它的人全部消滅，其實是違反了相生相剋的道理。那麼這個社會就失去平衡了。在沒有制約的情況下，共產黨佔據了中國的所有資源，像癌細胞一樣的瘋長瘋長，最後它也只能是歸於死亡。這就是我們從道家的理來看現實的生活。

這個相生相剋的理就注定了事情是一正一反同時出現的。老子說：「天下皆知美，斯惡已；皆知善之為善，斯不善已。故有無相生，難易相成，長短相形，高下相傾，音聲相和，前後相隨」。是非、美醜、善惡、對錯永遠都是一對兒一對兒出現的。

老子還說，「大道廢，有仁義；智慧出，有大偽；六親不和，有孝慈；國家昏亂，有忠臣」。什麼意思呢？說一個家庭出現了孝子慈父，這個家庭一定是出了問題。非常典型的例子就是舜。

《史記·五帝本紀》裡講到別人向堯推薦舜作為繼承人的時候，說舜的父親固執，母親愚昧，弟弟兇狠，但在這樣的家庭中，舜仍然能夠和他們搞好關係，所以舜具備孝悌友愛的美德。舜的父親給舜找了個後媽，生了個兒子叫象。舜的父親叫瞽叟，是個盲人，喜歡小老婆和小老婆的兒子，就經常跟舜找茬，舜也不跟他一般見識，「小杖則受大杖則走」[*4]，就是你要是拿小棍子打我，我就抗著，反正你也打不傷打不死；你要拿大棒子打我，那我就跑，不能讓你給我打傷了，因為還要留著這個身體繼續來侍奉父母。後來他的父親想把家產全部留給自己的小兒子，就讓舜去用泥塗抹糧倉，結果舜爬上屋頂之後，父親在底下放火要燒死他，舜拿兩個斗笠做成個降落傘一樣跳下來，沒有受傷。後面還找其它機會要殺死他。但是舜卻一直保持了對父親的孝和對兄弟的友愛，所以大家說舜真是一個大孝子啊[*5]。反過來講，如果舜的父親對舜非常好，舜做出任何孝順父親的舉

*4　《後漢書·崔寔傳》：舜之事父，小杖則受，大杖則走，非不孝也。

動，大家都不會覺得怎麼樣，無非是人之常情。恰恰是他的父親對他非常不好，這樣才顯出舜的道德非常高尚。這就是老子講的「六親不和，有孝慈」，孝子慈父一定是出現在家庭非常困難，或者矛盾非常多的環境中。

後面老子還說「國家昏亂，有忠臣」，就是當君主非常昏聵愚蠢，或者驕奢淫逸等等，才會凸顯出誰是忠臣。

《舊唐書》中有一段唐太宗李世民和魏徵的對話。唐太宗跟魏徵說：魏徵你真是個大忠臣。魏徵回答說：臣不想做一個忠臣，我想做一個良臣。李世民就問魏徵：忠臣和良臣還有區別嗎？魏徵說有，良臣就是像「稷(堯帝時期的農官，周人始祖)、契(殷人始祖，輔佐大禹治水)、咎陶(堯帝時期的治獄官)是也」，反正就是古代比較有名的大臣，他們幫助帝王成就一番事業，名留青史。魏徵說：這些屬於良臣。什麼叫忠臣呢？「龍逄、比干是也」。龍逄是桀手下的一個大臣，因為向桀死諫，最後被夏桀殺了。比干是紂王的叔叔，也是向紂王死諫，結果被剖心。所以龍逄、比干被後世認為是忠臣。為什麼呢？因為他們碰到了像桀紂這樣的暴虐帝王，而像稷、契、咎陶就沒有人說他們是忠臣，只說他們很能幹，是良臣。所以魏徵講，「良臣使身獲美名，君受顯號，子孫傳世，福祿無疆」，國君把國家治理很好，他們自己也沒有什麼禍患，而且傳之子孫，大富大貴，這叫良臣。什麼叫忠臣呢？「忠臣身受誅夷，君陷大惡，家國並喪，空有其名，以此而言，相去遠矣」。忠臣就是國君是個大壞蛋，作惡越來越多，自己因為死諫被殺，最後國君

*5 《史記·五帝本紀》：舜父瞽叟盲，而舜母死，瞽叟更娶妻而生象，象傲。瞽叟愛後妻子，常欲殺舜，舜避逃；及有小過，則受罪。順事父及後母與弟，日以篤謹，匪有解。……堯乃賜舜絺衣，與琴，為築倉廩，予牛羊。瞽叟尚復欲殺之，使舜上塗廩，瞽叟從下縱火焚廩。舜乃以兩笠自捍而下，去，得不死。後瞽叟又使舜穿井，舜穿井為匿空旁出。舜既入深，瞽叟與象共下土實井，舜從匿空出，去。瞽叟、象喜，以舜為已死。象曰：「本謀者象。」象與其父母分，於是曰：「舜妻堯二女，與琴，象取之。牛羊倉廩予父母。」象乃止舜宮居，鼓其琴。舜往見之。象鄂不懌，曰：「我思舜正鬱陶！」舜曰：「然，爾其庶矣！」舜復事瞽叟愛弟彌謹。

自己也亡了國，空留下一個忠臣的名字。所以忠臣和良臣一看就相差太遠了[*6]。這也就符合了老子講的「國家昏亂，有忠臣」。

我們看到岳飛就被視為一個忠臣，那是因為他生逢一個亂世，宋朝丟失了半壁江山，高宗不斷掣肘，不讓他去北伐中原，秦檜又不斷陷害他，在這樣的情況下岳飛還能精忠報國，所以被視為忠臣，甚至被後世視為偶像、聖人。

我們可以想像一下，如果岳飛要錢，高宗就給他錢；岳飛要兵，高宗就給他兵，像秦檜、張俊、万俟卨等等都跟岳飛很配合，岳飛北伐中原迎回了被擄走的欽宗（那時徽宗已經死了），洗雪了國恥。那樣的話，岳飛最多只是一個良臣。大家不會像現在對他如此緬懷、讚譽和紀念。所以你看到歷史上有很多人打仗跟岳飛一樣戰無不勝，像唐朝名將蘇定方、裴行儉、薛仁貴等等，都是這種戰功赫赫的將軍，但是他們都沒有岳飛這樣的地位。為什麼呢？因為只有國家昏亂的時候才有忠臣。雖然那些唐朝將領在高宗時期建功立業，開疆拓土，但是因為他們沒有受到岳飛經歷的這種陷害，所以名聲也就沒有岳飛這樣顯赫。

今天給大家簡單講了一下關於相生相剋的道理。今天就說這麼多了，咱們下次節目再見。

---

*6　《舊唐書》第71卷：徵再拜曰：「願陛下使臣為良臣，勿使臣為忠臣。」帝曰：「忠、良有異乎？」徵曰：「良臣，稷、契、咎陶是也。忠臣，龍逄、比乾是也。良臣使身獲美名，君受顯號，子孫傳世，福祿無疆。忠臣身受誅夷，君陷大惡，家國並喪，空有其名。以此而言，相去遠矣。」帝深納其言，賜絹五百匹。

第二十二講❖道家思想(四)
反向思維、無為

Chapter. 22 Taoism (4) Reverse Thinking and Wu Wei

大家好。上一堂課我們講了一點「相生相剋」的道理。明白這個道理，大家就知道當一個事物走到頂峰後，就會走向自己的反面。這也就派生出中國人的一種思維方式——反向思維。

四、反向思維

《道德經》中說，「大成若缺，其用不敝；大盈若沖，其用不窮。大直若屈，大巧若拙，大辯若訥。」這裏的句式是「大A若B」，其中A和B又是相反的。比如「大巧若拙」，就是一件事做得特別巧，但看起來又好像是非常笨。

給大家講一個故事。曹操被封為魏王，需要指定接班人。他的兩個兒子，世子曹丕和臨淄侯曹植為此明爭暗鬥，就都想方設法討好曹操。裴松之注《三國志》的時候講了一件事。有一次曹操要帶兵出征，百官都到閱兵場上去送曹操。頭一天晚上，曹植寫了一篇非常漂亮的文章，讚美父親的功德。左右都覺得這個文章寫得好，向他投去贊許的目光，而曹操本人也非常高興。可是曹操這一高興，曹丕就不高興了，因為明顯弟弟在父親心目中的地位又提高了一點嘛。而曹丕也沒寫文章，沒做這樣的準備。怎麼辦呢？所以「世子悵然自失」，感到很失落。這時他的顧問吳質就趴在他的耳邊講了這樣一句話,「王當行,流涕可也」,說父王要出征了,你只要哭就可以了。於是曹丕就開始哭,父親年齡大了,真是捨不得,戰爭很危險,父親一定要注意呀等等,痛哭失聲,顯得真情流露。結果把曹操也給感動了,百官們跟著曹操一起流下眼淚。《三國志》後面還描述了一下大家的心理反應。「於是皆以植辭多華,而誠心不及也」,說是大家都認為曹植文章華美,但沒有曹丕對父親的孝心那麼真誠[*1]。

你會看到什麼呢?曹植就屬於非常聰明非常有才華的人。這種聰明和才華不是人人都有的。但曹丕「大巧若拙」,用了人人都會的一招,人人都能夠做得到的事情,看起來非常愚笨,卻最為巧妙,把曹操也給感動了。這就是一種反向思維,像這樣的事情在中國的歷史上很多。有時候你不吱聲不說話,「大辯若訥」,反而好像你的沉默是最有說服力的。

這種反向思維在《道德經》中被視之為王者之道。老子說:「江海所以能為百谷王者,以其善下之,故能為百谷王」,之所以所有的河流小溪最後都會流入海中,是因為海把自己放的比所有的江河都要低。大海就像是所有水的王者,百川歸海,不是因為它特別高所以大家仰慕它、流向它,而是因為它低。後邊老子講「是以聖人欲上人,必以言下之,欲先人,必以身後之,是以聖人處上而人不重,處前而人不害,是以天下樂推而不厭,以其不爭,故天下莫能與之爭」。也就是說如果你想處在眾人的上位,你首先應該謙虛,你想走在眾人的前面,你先要走在眾人的後面,這樣沒有人認為你擋了他們的路;即使把你推到高位上去,他們也沒有壓力,於是大家都願意推舉他。可以想像一下,假如說咱們這一堆人裏要選

---

*1 《三國志·卷二十一》中裴松之引《魏略》註:《世語》曰:魏王嘗出徵,世子及臨菑侯植並送路側。植稱述功德,發言有章,左右屬目,王亦悅焉。世子悵然自失,吳質耳曰:「王當行,流涕可也。」及辭,世子泣而拜,王及左右咸歔欷,於是皆以植辭多華,而誠心不及也。

一個人做領導。現在有兩個人選，一個非常嚴厲苛刻，一個非常謙和和尊重他人。第一個人再有能力，大家也不會喜歡，因為自己會很有壓力。第二個人，大家卻都願意服從他，因為沒有壓力。這就是老子說的「聖人處上而人不重，處前而人不害，是以天下樂推而不厭」。

後面老子說「以其不爭，故天下莫能與之爭」，因為他不跟別人爭，所以也就沒有人能和他爭。這也是一種非常典型的反向思維。我們想要得到一個位置，通常都是靠努力和爭鬥，把別人都打敗了，但老子告訴你，有的時候你後退一步反而效果會更好。

唐太宗在位時曾經發生過一件事。我們知道唐太宗開創了貞觀之治，是一位賢明仁愛的君主，但他的家庭一直是有問題的。他登基之前發生了「玄武門之變」，就是因為他的長兄和三弟要害他。後來唐太宗立他和長孫皇后的長子叫承乾，為太子。結果承乾人品很差，幹了很多壞事，唐太宗屢次容忍他，並不斷派當時非常有名的儒生去做他的老師，希望用聖人的教誨化除他的戾氣，但承乾一直不思悔改，最後和侯君集等人準備發動政變。唐太宗發現後，廢掉了承乾。這時，太宗心中最理想的繼承人是他的四兒子，魏王李泰。李泰是個文學之士，和很多當時的名士關係也非常好。

唐太宗在廢掉承乾後，曾跟他有一個談話。承乾說：「我已經是太子了，只要我等一等就可以做皇帝，為什麼要謀反呢？就是因為老四李泰，不斷地設置各種各樣的陰謀想要跟我爭皇位，我實在等不及了，就謀反了。」唐太宗後來有一次和很多他最信任的臣僚，像長孫無忌、房玄齡、李世勣、褚遂良在一塊兒開會，唐太宗說：「我三子一弟，所為如是，我心誠無聊賴！」我的兒子和弟弟都這樣，讓我實在是太傷心了。當時太宗甚至拔出刀來要自殺，褚遂良抱住了唐太宗，把刀奪下來。長孫無忌就問太宗：「到底陛下有沒有下決心立哪個兒子做太子呢?」唐太宗回答說:「我欲立晉王」,也就是第九個兒子李治。長孫無忌說:「謹奉詔;有異議者,臣請斬之!」[*2]就是陛下做決定太英明了,如果要有人反對的話,我請求把他斬首。

李治的性格非常柔弱,承乾跟李泰爭位,他也沒什麼動作,因為跟自己沒關係嘛。

唐太宗為什麼立李治呢?他自己說:「因為李泰和承乾兩個人在爭皇位,如果我給李泰的話,就會給大家一個印象——太子之位是可以通過陰謀來得到的。以後如果還有太子做得不對的時候,同時還有一群藩王在盯著這個位置想要爭奪的話,這些人就永遠都失去繼承資格。這就作為一個定例,永遠都這麼辦」。然後太宗又說:「如果魏王李泰被立,承乾就死定了,晉王李治也活不長。如果將來是李治當皇帝,李泰和李承乾這兩個兒子就都可以保全。」[*3]

所以你會看到,在這個激烈的充滿了陰謀和背叛的宮廷鬥爭中,只有一個人沒參與。他就是李治。他就是「不爭」。最後皇位反而落在了他身上。當然這個事兒後來也給唐朝造成一些麻煩,因為李治太柔弱,做事不夠決斷,加上他喜歡武則天,最後唐朝的江山就落到了武則天的手裡。我們講這件事這裡邊只是說李治因為沒有爭奪,所以反而得到了這個位置。

---

*2　《資治通鑒》第197卷:承乾既廢,上御兩儀殿,群臣俱出,獨留長孫無忌、房玄齡、李世勣、褚遂良,謂曰:「我三子一弟,所為如是,我心誠無聊賴!」因自投於床,無忌等爭前扶抱;上又抽佩刀欲自刺,遂良奪刀以授晉王治。無忌等請上所欲,上曰:「我欲立晉王。」無忌曰:「謹奉詔;有異議者,臣請斬之!」上謂治曰:「汝舅許汝矣,宜拜謝。」治因拜之。上謂無忌等曰:「公等已同我意,未知外議何如?」對曰:「晉王仁孝,天下屬心久矣,乞陛下試召問百官,有不同者,臣負陛下萬死。」

*3　《資治通鑒》第197卷:是日,泰從百餘騎至永安門;敕門司盡闢其騎,引泰入肅章門,幽於北苑。丙戌,詔立晉王治為皇太子,御承天門樓,赦天下,酺三日。上謂侍臣曰:「我若立泰,則是太子之位可經營而得。自今太子失道,藩王窺伺者,皆兩棄之,傳諸子孫,永為後法。且泰立,則承乾與治皆不全;治立,則承乾(645年在流放地黔州鬱鬱而終)與泰(652年在流放地病死)皆無恙矣。」

類似這樣的教導在《道德經》中非常多。老子說:「上善若水,水善利萬物而不爭,處眾人所惡,故幾於道」。在道家看來,最好的東西就是水,因為水一直往下流,就是有謙下之德,而且不與萬物相爭,總是處在大家都不喜歡的地方,最低最髒的地方,所以水就體現了「道」的美德。

老子又說,「曲則全,枉則直,窪則盈,弊則新,少則得,多則惑」,當你有意把自己放在一個很低的位置,最後你得到的反而是最好的。下面又說,「將欲歙之,必固張之;將欲弱之,必固強之;將欲廢之,必固興之;將欲取之,必固與之。」比如想把一個國家打敗,我不是想方設法去削弱它,反而是要想辦法加強它。這就像是太極圖一樣,你在往頂峰走,還差一點,我把你推到頂峰,剩下就不用我管了,你自然就走到下坡路上去了。「將欲弱之,必固強之」,很多人從這裡看到的是一種權謀,看到的是兵法。

有時候想達到一個目的,你可能需要做一個相反的動作。比如說我希望賣一個東西給你,那就是把你的錢賺到我的兜裏,那麼我可能先給你一些小的樣品,可以讓你先試一下。逛超市的時候,大家可能經常會看到有很多食物是可以免費試吃的。你一吃覺得很好,可能就買了,這就叫「將欲取之,必固與之」。

五、修道、無為、去執著

「無為」是道家一個非常重要的概念。老子經常講「無為」,到底是什麼意思呢?我的師父,法輪大法的創始人在《洪吟》中有一首詩叫《無為》。那是天機。我就不在這裏引用了。大家可以自己去找來讀一下。

我只能說下自己的理解。人只有去掉執著的時候,才能夠真正達到一種無為的境界。無為並不是沒有行為,而是你在做事的時候,並沒有抱著非常強烈的一定要達到某一種目的的心。就是說,你雖然做,但你心中沒有執著。這樣才達到了「無為」的標準。這只是我的理解啦。

西方哲學中也有一種說法，「閒暇是智慧的來源」。它真正的意思可能是說，如果你能做到心很靜的話，智慧就會源源不斷地湧出。這個感覺跟「無為」好像有點像。當你「無為」的時候，你就會心靜如水，反而這時會產生很多智慧和靈感。東西方的哲學在這裏是相通的。

老子曾經講過，人世間一切都是無常的。所謂「無常」的「常」就是恒久、永遠的意思。老子說，「故飄風不終朝，驟雨不終日，孰為此者？天地，天地尚不能久，而況於人乎？」暴風驟雨的持續時間都不會很長。咱們要看到某個時刻，雨下得非常非常大，我們都知道這樣大的雨很快就會停，或者變小，這就叫「飄風不終朝，驟雨不終日」。老子問：誰刮的風，誰下的雨？是天地。連天地下大雨都不會長久，何況於人？

既然人世間「無常」，那麼你想得到「常（恆久）」怎麼辦呢？你只能超越人世間才能找到。老子說，人要想得到「常」（永恆），就必須返本歸真。在《道德經》的第四十章裡，老子說，「反者道之動」。如果你要想「得道」，你必須得反著走、往回走，回到你生命產生的那個地方或者狀態才能夠真正的得道。

老子說「致虛極，守靜篤；萬物並作，吾以觀復」。「復」就是回到你原來生命產生的地方。那個地方不在人間，而在天上。老子接著說：「夫物蕓蕓，各復歸其根，歸根曰靜，靜曰復命，復命曰常，知常曰明」，我不去一個字一個字地解釋了。明白了我剛才說的道理，你看這裏老子說的就很明白。當你達到返本歸真的時候（「歸根」），你才能夠達到清淨就是「歸根曰靜」。到了那個地方的時候，你就能夠達到永恆了，就是「復命曰常」。所以，這裡，老子其實是講了一個返本歸真的道理，也就是人修煉的道理。

那麼怎麼才能夠達到返本歸真呢？老子回答說：「要去掉執著，而且要一直堅持的做下去」。

「執著」就是一些不好的心。因為《道德經》是大覺者的話，不從修煉的角度去看，是看不懂的。我只能簡單地從我一個法輪功修煉者的角度談我對修煉的認識，真正的天機大家需要自己去看《轉法輪》或者我師父的其他著作。

老子說：「其安易持，其未兆易謀；其脆易泮(「泮」就是散掉、解體的意思)，其微易散。為之於未有，治之於未亂。合抱之木，生於毫末；九層之台，起於累土；千里之行，始於足下。」老子講一個東西的出現，比如說「合抱之木」一棵很粗的樹，你要張開雙臂才能抱過來，但它是一點點長出來的；「九層之台起於累土」，一個很高的臺子是一鍬土一鍬土墊起來的；「千里之行始於足下」，你想走到千里之外，你也得一步一步這樣走。也就是說，你要返本歸真的話，想回到你原來生命產生的地方，你得一點一點地去磨煉。

怎麼磨練呢？老子說，「為學日益，為道日損，損之又損，以至於無為」。「為學日益」是說：如果你要想做學問，每天就要多學習一些東西，你的學問就不斷地增長；「為道日損」，如果你要修道，就每天要損失一點東西。損失什麼東西呢？老子後面說，「損之又損，以至於無為」，要損到「無為」的境界。

損什麼東西可以損到無為？失去什麼東西可以失到無為呢？執著。

當你每天把不好的思想去掉一點、再去掉一點，最後就能夠達到「無為」的程度。達到無為狀態，你也就真的就得道了。老子說：「是以聖人無為故無敗，無執故無失」。如果你真的做到「無為」，你就不會失敗；你心裡沒有執著，你就不會有過失。

但是做到「為道日損」而且一直堅持下去很難。老子說：「民之從事，常於幾成而敗之，慎終如始，則無敗事」。一般人做事情，總是馬上要成功的時候，突然間就失敗了。為什麼呢？因為到快要成功的時候，他可能突然間就放棄了。所以老子說「慎終如始，則無敗事」，你要像開始的時候那樣虔誠、謹慎、努力，一直到最後結束，這樣你才不會失敗。

老子的這些話，站在修煉的角度來理解，就是你要無執，而且一直要堅持這樣的狀態，堅持到底，「慎終如始，則無敗事」。

當人在修掉執著之後，人真的會達到清靜無為，那麼這個時候智慧就會源源而出。去掉執著也有一些表現。老子說：「見素抱樸，少私寡欲」，去掉你的私心，去掉你的慾望。

老子說：「五色令人目盲；五音令人耳聾；五味令人口爽；馳騁畋獵，令人心發狂；難得之貨，令人行妨；是以聖人為腹不為目，故去彼取此」，看的東西多了會眼花繚亂；聽的東西多了會滿耳噪聲；好吃的吃多了，你對美味也就麻木了；總去娛樂打獵，會讓人心發狂。所以老子告訴你要「見素抱樸，少私寡欲」。

老子還告訴你：「不出戶，知天下；不窺牖，見天道。其出彌遠，其知彌少，是以聖人不行而知，不見而明，不為而成。」不用離開你的家，就可以知道天道。「其出彌遠，其知彌少」，你在人世間尋求，走得越遠，你的智慧反而會變得更小，因為真正的智慧在你的心中。當你無執無失的時候，當你的心清靜的時候，你才會找到真正的智慧。

上面這些內容只是我個人認識，談得也很深了，不知道我是不是把一些問題說清楚了。大家如果覺得有興趣，或者覺得挺有道理的話，可以去看一看《轉法輪》，那樣大家對修煉會有更深的認識。

六、治國

《道德經》裡既然講的是「道」，它就包羅萬象。有的人從中看到了兵法，有的人從中看到了怎麼經商，有的人看到了怎麼為人處事，當然也有人看到如何治理國家。

老子在談到治國方法的時候說：「古之善為道者，非以明民，將以愚之。民之難治，以其智多。故以智治國，國之賊；不以智治國，國之福」。我不去一個字一個字解釋，簡單地說，古代那些真正明白什麼叫作大道的人，他們不是想讓老百姓變得聰明，而是想讓老百姓變得愚。這個「愚」翻譯成蠢，是不準確的，大概就是變得笨兮兮的。後面老子還講，「大道廢，有仁義；智慧出，有大偽」。

如果你要看看我們當今所生活的世界，各種各樣的學說太多了。比如關於經濟，到底應該實行古典經濟的自由主義呢，還是應該是凱恩斯主義呢；多元文化好呢，還是秉持某一種信仰，比如純淨的基督教文化好呢；文化馬克思主義更對一點，還是原來的傳統更對一點呢；藝術到底是現代派好，還是傳統好呢？

反正各種各樣的學說非常多。當各種各樣學說都出現的時候，它就是一個真偽並存的世界。老子說「智慧出，有大偽」，當人們認為自己很聰明的時候，就會發明出各種各樣非常錯誤甚至非常極端的學說。所以真正的聰明不是表現在這個社會上理論很多，而是整個社會真正處於「見素抱樸，少私寡欲」的狀態。沒有那麼多的學說，老百姓的思想也沒有那麼活躍。當他的思想沒有那麼活躍的時候，他就會很清靜。這時候他的智慧就不是從外面學來的，而是從他的自心產生出來的。

這樣說很多人可能會覺得，老子就是在講「愚民」，讓大家變笨嘛！所以有人就說中國的傳統文化很成問題，他想人變笨嘛。

但如果你要真的去看西方文化，你發現它也是這個觀點。按照《聖經》的記載，上帝為什麼要把亞當和夏娃攆出伊甸園？因為他們吃了不能吃的東西。什麼東西呢？智慧樹上的果子。也就是說，當他們吃了這個果子之後，開始有智慧的時候，上帝就說你們不能在伊甸園再呆下去了。這裡面的道理，跟我剛才講的老子說的東西是相通的。

那些東西方真正的覺者，就是那些神，其實對這個世界的看法是非常相像的。並不是說人聰明就是好事情，人的腦子很活躍就是好事情。你越執著這個世間的學說，你就離真理越遠。

你看老子說：「不尚賢，使民不爭；不貴難得之貨，使民不為盜；不見可欲，使民不亂，是以聖人之治也，虛其心，實其腹，弱其志，強其骨，恆使民無知、無欲也。」你看跟《聖經》講的是不是挺像的？

柏拉圖不也說嗎？真知來自於回憶，是你對「理念世界」的回憶。其實也就是你返本歸真的時候，想起來了天國的景象，得到了天啓的智慧。老子也好、上帝也好，柏拉圖也好，他們實際上都在告訴你：真理不在人間，而在神的手中。

那麼人類社會的理想狀態應該是什麼樣的呢？

老子的理想社會是「小國寡民」，就是國家很小、人很少，互相之間是一個熟人社會，不用太多的法律，靠人與人之間的倫理，誰跟誰都認識，所以大家都互相照顧，你對我好我對你好。這就是老子心目中的理想社會。我們現在生活的社會是一個陌生人社會，我們連隔兩個房子住的人姓什麼都搞不太清楚。

在一個熟人社會中，人和人之間的關係親近、緊密，可以靠倫理來維繫。對於這樣的社會，治國之道崇尚「無為」。老子說「治大國，若烹小鮮」，治理一個國家就像是烹飪小魚小蝦一樣。小魚小蝦在烹飪的時候不能亂翻，你總是翻來翻去，肉就碎掉了，必須慢慢煎慢慢熬。所以「治大國若烹小鮮」，簡單的講就是治國要無為。

老子還提到治國的不同境界：「太上，不知有之，其次，親而譽之，其次，畏之，其次，侮之」。最好的治國方法是大家根本就不知道有人在管理這個國家，這是最高境界，無為而治。就像我們呼吸空氣和喝水一樣，你不會每天想我在呼吸空氣，我在喝水。聖人的存在就像空氣和水一樣，他給你需要的東西，但你卻幾乎感覺不到他的存在。

比這個差一點的就是「親而譽之」，就是大家都贊美這個國君真好，對我們真好，這是第二等境界。其次呢？「畏之」，嚇得要死，看見他就躲，他說什麼我們都照著做，要不然後果很嚴重，這就是「畏之」。有一些威權社會就是這樣。這還不是最糟糕的。最糟糕的是「侮之」，就是大家都罵他。

共產黨社會就是這樣。不光是大家都罵它，共產黨有時候專門雇人罵自己。為什麼呢？它雇人罵自己，罵它的人就積累了一定的信譽。大家會覺得這人共產黨都敢罵，很勇敢，很有正義感啊。然後等關鍵時刻，共產黨需要什麼的時候，這些長期罵共產黨的人就會跳出來支持共產黨。大家覺得這人長期罵共產黨，最討厭共產黨，現在連他都說這件事情對共產黨沒好處，那可能真的就是沒好處。其實在中共申辦2008年奧運會的時候，或者給中共永久最惠國待遇的時候，美國政府和國會就諮詢一些長期罵中共的人，說應不應該給中共機會辦奧運呢？應不應該跟中共做生意啊？有些可能是糊塗，有些就是跟中共私下有交易的，所以就有長期靠罵中共積累了很多信譽的人，到了關鍵時候，就說了中共最想讓他們說的話——應該讓中共辦奧運會，應該跟中共做生意，應該把人權和貿易脫鉤等等。中共長期讓一些人罵自己，到關鍵時刻讓他們幫中共達到目的。「侮之」就是治國最差的境界。

老子說：「故失道而後德，失德而後仁，失仁而後義，失義而後禮」。在老子看最重要的是「道」，失去「道」以後再講「德」，失去「德」之後講「仁」，失去「仁」之後再講「義」。這也是老子認為的不同的治國境界。

我們知道儒家是講仁、義、禮、智、信，而老子認為到了「義」這個境界的時候，社會已經不太行了。其實你看美國，我們都覺得還不錯，美國其實已經到了「信」的階段了。美國是一個信用社會，這可能就是人類社會能夠維繫的一個相對比較好，但已經是很低的階段了。

今天給大家講了很多關於反向思維、「無執」，什麼叫「無為」等等，這些概念都是跟人的修煉有關。我只是作為一個修煉者談了一點個人看法。今天咱們就講這麼多了。

第二十三講❖道家思想(五)
道家與諸子、莊子

Chapter. 23 Taoism (5) Taoism, the Other Schools of Thought, and Zhuangzi

大家好。咱們上幾次課講了一下老子的生平和我個人對《道德經》中一些章句的理解。今天我想講一下道家和其他諸子百家的關係問題。我覺得諸子百家的思想其實都跟道家有些關係，因為那時候佛家思想還沒有傳入中國。在司馬遷的時代，當學者談到百家學說的時候，也覺得這些思想可能是來自於道家，只不過諸子各自做了發揮和演繹。有的發揮方向上還比較正確，有的發揮完全是對道家思想的誤讀，最後就變成了相當錯誤甚至邪惡的學說。

七、道、儒、兵、法家的關係問題

老子說：「以正治國，以奇用兵，無事取天下」。「以正治國」就是治理國家應該走正道。我覺得這個原則被儒家得到了，儒家講「仁政」，對百姓要仁愛，這是符合天道的。從《史記》的記載中我們也知道，孔子曾經向老子問禮，所以他的一些思想很可能是本於老子的。

同時在太極圖中，我們可以看到陰陽生剋變化無窮，兵家就從中得到了很多啟示。那些詭詐的謀略，是符合「以奇用兵」的原則的。

老子還講「以無事取天下」。如果君主能夠無為，天下就會太平。在漢初的時候，採用「黃老之治」，文景時期國君講無為，並沒有發動大的戰爭或者加強中央集權，對於那些專橫的諸侯只是稍加約束，同時跟匈奴之間延續和親政策，儘量避免戰爭，同時也沒有做什麼大的工程，所以在文景時期基本上是處於道家「無為而治」的狀態。

秦用法家，統一了天下。其實在我看來，法家跟兵家非常相像。在《史記》中也把老子和韓非做了一個合傳，叫《老子韓非列傳》，表明司馬遷也認為法家的東西跟道家有關。在我看來，法家實際上是把兵家的詭謀，就是在戰爭中欺騙敵人的陰謀詭計，用於處理人際關係和君王駕馭臣下，所以法家是對於老子的一種誤讀。因為在老子看來，用兵打仗不是一個國家的常態，只有在極不得已的時候才能夠訴諸戰爭。所以我們看到老子論兵的時候說，「以道佐人主者，不以兵強天下，其事好還，師之所處，荊棘生焉，大軍之後，必有凶年」。軍隊走過的地方，荊棘會生長；經過長期的戰爭後，農業的收成就會不好，因為農業對播種、灌溉等農時是非常敏感的，而戰爭會打亂農時。同時戰爭中會有很多人非正常死亡，他們的怨氣會在天地之間鬱結，轉化為一些不正常的自然現象，所以老子說「大軍之後，必有凶年」。

老子還說：「兵者，不祥之器，非君子之器。不得已而用之，恬淡為上，勝而不美，而美之者，是樂殺人也。夫樂殺人者，不可得志於天下矣。」前面講的很清楚，用兵打仗是不吉利的事情，不是君子的工具，不到了萬不得已的時候，是不要動用軍隊的。即使是你真的取得了勝利，你也不應該誇耀自己的功勞，否則就等於說你是一個殺人狂，像這樣的殺人狂不可得志於天下。

所以在老子看來，兵家的東西是不能夠長久使用的。但是法家把兵家的詭謀作為了一種常態。人和人之間耍心眼，或者是君王駕馭臣下等等都是用這樣的陰謀詭計，這就背離了「道」。因為道家講得很清楚，陰謀詭計不可持久，所以真正以法家治國的政權,也難以持久。秦就是用法家治國,只統一了15年的時間就滅亡了,這就很像老子講的「夫樂殺人者,不可得志於天下」。

當然在《道德經》中,老子也談到了一些權謀類的東西。就像我們上堂課引用的「將欲歙之,必固張之;將欲弱之,必固強之;將欲廢之,必固興之;將欲奪之,必固與之。」今天不再重複了。

韓非子

韓非子在《喻老》中講了一個故事。韓非子是法家人物了。這個故事記載在《史記·老子韓非列傳》裡面,很能說明「將欲奪之,必固與之」的思路。故事說:「昔者鄭武公欲伐胡,乃以其子妻之」,就是當時鄭國的國君鄭武公想要跟胡國作戰,在打仗之前先把自己的女兒嫁給胡國的國君。鄭武公有一天問群臣「吾欲用兵,誰可伐者?」我要對外打仗、開拓疆土,應該打哪個國家呢?大臣關其思說「胡可伐」,應該打胡國。估計他可能猜到了鄭武公的心思。結果鄭武公就把關其思殺了,說「胡,兄弟之國也,子言伐之,何也?」胡是我的兄弟之國,你讓我去打胡國,到底是何居心?後面說「胡君聞之,以鄭為親己而不備鄭」,胡國的國君聽到這件事後,以為鄭國的國君跟自己非常親近,你看他把女兒嫁給我,把建議打我的大臣給殺了,於是對鄭國就不做防備。後面說「鄭人襲胡,取之」,於是鄭國人就攻打胡國,因為他沒防備,所以就把胡國吞併了。這個故事就是「將欲取之,必固與之」,就是我要搶奪你的土地,但我先把女兒嫁給你。這種東西其實是兵家的詭謀,用在人與人之間的關係上,我覺得是相當不道德的。

八、莊子生平

最後我們想說一下莊子，因為一般人在談到道家的時候，經常把二人並列，稱為「老莊」，給人感覺好像莊子跟老子的地位相等。其實在我個人看來，莊子跟老子的學說根本就不是一回事。下面我們簡單地介紹一下莊子。

莊子是蒙人（今安徽蒙縣）。這個地方在戰國的時候屬於楚國。莊子的工作是漆園吏，就是有一個花園是長漆樹，樹幹裏的東西可以提取出來做漆。莊子就在這裏照料漆樹。他的生活年代和梁惠王、齊宣王同時，也就是戰國初期到中期時的人。

《史記》中說莊子「其學無所不闚，然其要本歸於老子之言」，就是說莊子很博學，但他主要的思想都來自於老子。莊子的口才極好。《史記》中說「故其著書十餘萬言，大抵率寓言也」，就是莊子很善於講故事，用這些故事去闡述他的

莊子

思想。我們知道，老子是不會給你講故事的，只是講一些理論。莊子為了闡明他的理論，就經常會用故事來說明。

莊子非常不喜歡儒家，所以他寫了像《漁父》、《盜跖》、《胠篋》等文章，「以詆訿孔子之徒」，就是這些文章主要是為了諷刺儒家的思想。

比如說他有一個理論，我給大家講一下，其實我完全不同意他說的。他的一篇文章叫《胠篋》。「胠篋」就是撬箱子的意思。莊子說：「聖人不死，大盜不止」。在莊子看來，只要這個世界上聖人還沒有死光，就會有很多盜賊。他舉了個例子說，比如你家裡有很多錢、有很多珠寶等等，你怕這些東西丟失了，就把它們都放在箱子裏邊，然後一層一層的上鎖加封條，生怕它們掉出來，這樣一般的賊就沒有辦法偷到這些財物。可是如果來了一個大盜，他可以把你整個箱子都扛在肩上，大盜還生怕你這個箱子鎖得不牢，好東西掉出來了。

他用這個故事來說明什麼問題呢？他說聖人經常喜歡把這個國家治理得特別好，其實你是在給那些竊國大盜準備條件。然後莊子就舉了個例子。我們在講「中國歷史概述」的時候，曾經提到過一件事，叫「田氏代齊」。就是春秋時期封給姜子牙的齊國到戰國初年的時候被田氏大夫田成子給取代了。莊子說齊國就很喜歡儒家的東西。因為齊國和魯國地理上挨在一起，魯國是儒家思想非常繁盛的地方，所以齊國也受了儒家影響，被治理得非常好，結果來了一個竊國大盜田成子把齊國都給偷走了。你之前治理齊國都是為了給後面盜取齊國的田氏積累財富和治國經驗等等。所以他用這個故事來說明，聖人做的很多事情是為那些大盜做準備的。

我完全不能認同他的話。也許從相生相剋的理出發，這個世界上有好人、有壞人，有聖人也有大盜，但並不是聖人造就了大盜。事實上，從齊景公開始齊國就已經不行了，並不是莊子說的什麼齊國繁榮昌盛，所以才被田氏取代。恰恰是齊國不行了，才被田氏取代的。所以我覺得莊子的說法，其實是詭辯。他的很多思想大概都是這種思路。

從莊子的一些言論來看，他對這個世界的認識，包括對道家思想的解讀，我覺得是相當有偏差的。但很多人都很喜歡莊子，因為莊子思想非常奔放，他的言論汪洋恣肆，文筆非常優美，所以很多文人和藝術家都喜歡莊子。但是如果你真正研究哲學思想，你會發現莊子講的跟老子講的根本不是一回事兒。

所以《史記》中說，「然善屬書離辭（善於連綴和鋪陳文辭），指事類情（說明事物，描摹情狀），用剽剝（攻擊和駁斥）儒、墨，雖當世宿學不能自解免也，其言洸洋自恣以適己，故自王公大人不能器之」，大概就是我剛才講的那個意思。莊子特別能說，誰也說不過他，所以一般的人也沒法用他。

後來楚威王聽說莊周很有能力，於是派了一位使者帶著1000斤黃金去見他，說你如果能夠到楚國，楚王願意拜你為相。莊子跟楚國的使者說：「千金，重利；卿相，尊位也」，你給我這麼多錢這麼高的地位，那是對我很重視了，謝謝謝謝，但是呢，「子獨不見郊祭之犧牛乎？養食之數歲，衣以文繡，以入大廟」。古時候人在祭祀的時候，最高等級的祭品叫「太牢」，就是用全牛、全羊和全豬三牲祭祀天地或者祖先。這種用於祭祀的牛在一出生之後就對它呵護備至，給它身上披著帶著很好看的花紋的飾品，給它吃的草料也非常的精細，就這樣養它幾年的時間，它好像日子過得很爽。但是，等到它要被宰殺的時候，「雖欲為孤豚，豈可得乎」，就是想做一頭耕牛，終日勞作但能保全性命，都已經沒有機會了。就是你之前過的那個好日子，最後你得用命去還。

莊子接著對這個使者說，「子亟去，無汙我」，你趕快走，不要玷污我的情操。「我寧遊戲汙瀆之中自快，無為有國者所羈，終身不仕，以快吾志焉」，我願意像一個烏龜一樣，拖著我的短尾巴在爛泥裏邊打滾，覺得很痛快，所以我一輩子都不會出來做官的。所以你會看到莊子有點遊戲人間的感覺，不願意去操心國家大事。從莊子的話來看，你可以知道他以狂人自居。實際他也就是一個很狂很狂的人。

因為他講的東西聽起來像有理，其實難免落於詭辯。有一個很有名的故事，就是莊子鼓盆而歌。故事說莊子的老婆死了，惠子過來看望和安慰他。惠子就是惠施，也是戰國時期很有名的人，是「名家」的代表人物。惠施發現莊子正在地上坐著，張開兩條腿，面前放一盆，一邊敲盆一邊唱歌。惠施就很奇怪。惠子曰：「與人居，長子老身，死不哭亦足矣，又鼓盆而歌，不亦甚乎！」惠子說你和你太太一起生活了這麼多年，她幫你把孩子養大，現在年齡大了、死了，你不為她痛哭流涕，已經讓人覺得你很不一樣了，你現在又一邊敲著盆一邊唱歌。老婆死了還這麼高興，難道不是太過分了嗎？

莊子回答說：不是。其實我老婆剛死的時候，我也是有點難過的，但是後來我想一想呢，發現我的老婆從來就沒有出生過。因為我的老婆在出生以前是沒有形的，沒有這個人身嘛。她不但沒有形，連氣都沒有，只是天地之間一種無形無象的存在，後來這種無形無象的存在變成了氣，氣又變成了形，然後才變成了我老婆。現在我老婆死了，只不過是回到了她原始的樣子而已。既然她從來都沒有生過，她怎麼會死呢？所以我也不把她的死當做一回事了。

表面上看起來莊子好像看穿了生死，覺得生跟死是一回事，實際上我覺得他很大程度上是在詭辯。也就是說，在莊子看來生死是差不多的，不光生死差不多，大小差不多、美醜差不多、善惡差不多、是非也差不多。

莊子有一篇非常著名的代表作叫《齊物論》，所謂「齊物論」就是「齊物」和「齊論」。什麼叫「齊物」呢？就是什麼東西都一樣。我這支手機和我用的講檯是一樣的，這個講檯和我身上穿的衣服是一樣的，我的衣服和我的襪子也是一樣的，我的襪子跟椅子也是一樣。總而言之，在莊子看來所有的物品全都是一樣的，這就叫「齊物」。大家聽覺得他說的對嗎？不太對，是吧？

除了「齊物」之外還有「齊論」，所謂「齊論」就是你有你的看法，我有我的看法，我們的看法好像不一樣，但其實我們的看法都一樣。所以你看莊子講：「物無非彼，物無非是，故曰：彼出於是，是亦因彼，方生方死，方死方生； 方可方不可，方不可方可；因是因非，因非因是，是亦彼也，彼亦是也，彼亦一是非，此亦一是非。」反正就是在他看來，這個就是那個，那個就是這個，沒有什麼區別。這樣就無所謂美醜，無所謂是非，也無所謂善惡了。所以你看莊子講，「物固有所然，物固有所可，無物不然，無物不可，故為是舉莛與楹，厲與西施，恢恑憰怪，道通為一。」他說什麼意思呢？「莛」是一根小草的莖，那是很柔弱的東西，和蓋房子用的那個大柱子（「楹」）其實是一回事。「厲與西施」是說一個頭上長了癩的很醜的女人，跟西施其實是一回事。所以在他看來美醜是一回事，強弱是一回事，「恢恑憰怪，道通為一」，不管有多麼奇怪的事情，其實它們都是一回事。

然後他就又講了一個故事。這個故事特別有名，現在已經是一個成語了，叫「朝三暮四」。

莊子說：有一個狙公，「狙」就是猴子，「狙公」就是一個養猴子的人。狙公跟猴子商量如何安排猴子的伙食，這個食物叫「芧」，就是橡樹的果實。狙公跟猴子們講「朝三而暮四」，早上給你們三個芧，晚上給你們四個，行不行？結果「眾狙皆怒」，猴子們一聽都很生氣。狙公說：那好那好，早上給你們四個，晚上給你們三個，怎麼樣？於是猴子們都很高興。

莊子的意思是：「朝三暮四」和「朝四暮三」對這個養猴子的人來說，付出的成本是一樣，但猴子們不知道，所以它們一會高興一會生氣。然後莊子說「是以聖人和之一是非」，因此聖人就把「是」和「非」混在一塊兒的，沒有「是」也沒有

「非」。

這種說法其實我覺得很成問題。因為在莊周看來,所謂的陰和陽也是一回事,是非、善惡、美醜,所有相反相對的東西都是一回事,那當然也就沒有什麼大小、強弱、好壞之分,也就沒有陰陽之分。但是你看老子講道家思想,他是非常強調陰陽的,是把陰陽兩分的。莊周就走得很極端,非常極端。

「莊周夢蝶」是一個特別有名的事。莊子做夢的時候夢見蝴蝶。他醒來的時候就想:我剛才做夢變成蝴蝶的時候真是太自在了,在天地之間飛行,心中沒有憂慮,現在我醒了,到底是莊周做夢夢見了蝴蝶呢,還是蝴蝶做夢變成了莊子呢?其實看來莊子和蝴蝶也是一回事。他用這樣的一種態度去對待世間的萬物包括生命,所以萬物無別,這就跟儒家非常不一樣。

儒家看人是有分別的,看物品也是有分別的。所以儒家講什麼呢?儒家講「愛有差等」。就是你對一個人的感情其實是有分別的。儒家講「親親而仁民,仁民而愛物」,就是一個正常的人,首先應該最親近自己的親人;你把親人照顧好了,如果還行有餘力,才可以把這種關愛推廣到別人身上,也就是「老吾老以及人之老,幼吾幼以及人之幼」。當你把「人」都照顧好了之後,下一步你就開始可以去愛惜「物品」。所以這個愛是一層一層由近及遠的。對待自己的親人是「親愛」,對待其他別的人是「仁愛」,對待物品是「愛惜」。所以在儒家看來愛有差等。

但是莊子不看這個,覺得大家都一樣。儒家認為物品也是有別的。孟子曾經跟一個叫許行的人有過一次辯論。孟子說:「你怎麼能夠把鞋無分大小價格都一樣呢?布和帛是兩種不同的材質,怎麼能只要長短一樣價格就一樣呢?這是不行的。」其實我們從生活經驗中也知道,你買一件比如說Boss的西服,跟買一個其他普通的西服,價格肯定不一樣。所以儒家認為萬物也有別,而人和人之間的感情也是有分別的。

可是莊子「齊物」。當然這也可以有一種從修煉人角度的解釋，也就是說，如果一個人真能夠超脫世間，可能看世間的這些事都無所謂。你真正能夠做到「天地與我並生，而萬物與我為一」的時候，你真的可能也這麼看。但是那種境界是一種自然的狀態，而且是在「出世」，也就是超越世間以後才能夠達到的。而當你在世間生活的時候，你不能夠違背世間的這層理。你老婆死了，你敲著盆高興地唱歌，怎麼看都覺得不太對的。

在莊子看來，如果你能夠達到「齊物」的境界，有無所謂是非，你就可以「逍遙遊」了。

像《齊物論》中說的：「天下莫大于秋毫之末，而泰山為小，莫壽於殤子，而彭祖為夭」，意思就是說，天下最大的不是泰山，泰山反而是小的，什麼大呢？我的一根汗毛比泰山還大。彭祖活了800歲，這不算長壽，比他長壽的是那出生幾天就死了的小孩。也就是說在莊子看來，什麼長壽短命，什麼大小，好壞、是非、善惡，全都失去了意義。這個可能會帶來一個結果，就是「道德相對主義」。

莊子的《天下篇》裡說，「不譴是非以與世俗處」，就是管它什麼好壞呢！當我沒有了是非分別的時候，我就可以在這個世上生活了。

莊子的時代早已是一個禮崩樂壞的時代，有很多非常黑暗的事情，強國欺淩弱國，有力量的人欺負沒有力量的人，在上位者去壓榨那些在下位的人，富人去壓榨窮人。如果你有一個基本的道德判斷，在這樣的一個世界中生活會感到很痛苦。其實就像在中國大陸一樣，共產黨的邪惡統治之下，總有很多不平的事情。如果你的道德感非常強，可能就覺得人生非常痛苦。而莊子就說沒有什麼道德善惡，大家都差不多，也沒有什麼對錯可言。如果你真這麼想，你也可能就不存在道德上對你心靈的折磨。當官的迫害老百姓，那其實可能跟老百姓迫害當官的也差不多。如果你抱著這樣一種想法的話，那就真的變成了犬儒主義。

所以你看法家「指鹿為馬」。如果你是儒家，你就不能接受，鹿就是鹿，馬就是馬，人是有原則的，你會覺得撒謊你心裡邊過意不去。如果在莊子看來鹿和馬也差不多，在上位的人如果「指鹿為馬」，那在下位者叫「難得糊塗」。明明是一頭鹿你非說它是馬，莊子會認為你說得對，鹿和馬也差不多，這樣其實就泯滅了是非善惡了。這就會導致犬儒主義。

在極權主義國家，可能會有很多人喜歡莊子，你就這樣麻痹自己的道德混日子，還能夠裝出一副很超脫、什麼都看得開的樣子。其實真的迫害臨頭的時候，這些人也就超脫不起來了。

所以我覺得莊子和老子非常不同。我也因此不認可把老莊並列、說莊子發揚了老子的什麼學說等等。

關於道家學說咱們就講這麼多了。下一堂課，我們開始講儒家的思想。

第二十四講❖儒家思想(一)
孔子生平(上)

Chapter. 24 Confucianism (1) Life of Confucius (1)

大家好，上幾次課我們講了道家的思想，主要是就《道德經》中我認為非常重要的一些章句談了一點個人看法，今天我們開始講儒家。

儒家思想對中國的影響非常之大。我覺得在先秦諸子的學說中傳得最長遠、最系統的，對世俗社會影響也最大的可能就是儒家。我認為這裡一個很重要的原因就是儒家非常重視教育。一種學說如果要想跨代承傳，就必須依賴教育。而孔子就是中國歷史上的第一個私學教師，收了很多門徒，把自己的學說通過教育的方式，包括後世的太學、國子監等官辦機構，以及察舉、科舉等選官方式，一代代地傳下去。在儒家思想剛剛出現的時候，在孔子、孟子的時代，真正將他們的話奉為圭臬的並不多。但由於他們堅持教育，使得大量儒生進入政府，儒家思想就變成了官方的主流思想。

一、孔子自述的生平

我們首先說一下孔子的生平。孔子（公元前551年9月28日～公元前479年4月11日），名丘，字仲尼，是中國古代的思想家、教育家，也是儒家學派的創始人。孔子出生于魯國的陬邑（今山東曲阜），是宋國大夫叔梁紇的次子。宋是殷人後裔，武王伐紂建立周朝後，封紂王的哥哥微子啟到宋國，微子啟死後，弟弟微仲繼位，而孔子是微仲的第十四世孫。孔子自述為殷人[*1]。

孔子畫像

孔子三歲的時候，父親就死了，所以家裡的生活非常困頓。他曾經做過「委吏」，就是管理倉庫的小公務員；還做過「乘田」，就是負責管理牲畜。孔子自述說：「吾少也賤，故多能鄙事」，意思是我從小地位就很低，因此會做很多卑賤的工作。孔子認為自己的能力不是天生的，而是生活磨礪的結果，而這些能力是那些貴族們不需要的。在《論語·子罕》中有一段話：「太宰問於子貢曰」，太宰（官名，具體是哪一國太宰不詳）問孔子的學生子貢，「夫子聖者與？何其多能也？」意思是你們的老師是聖人吧？怎麼會這麼多東西啊！子貢回答說，「故天縱之將聖，又多能也」，我們的老師就是一個天生聖人，所以他的知識面非常廣、能力也非常強。「子聞之曰」，孔子聽到這個問答之後說，「太宰知我乎！吾少也賤，故多能鄙事，君子多乎哉？不多也」，我因為小的時候生活困苦，所以才能夠幹很多雜活兒。「君子多乎哉？不多也」，君子需要這麼多技能嗎，是不需要的。君子就指當時的貴族。

---

*1　《史記·孔子世家》：夏人殯於東階，周人於西階，殷人兩柱間。昨暮予夢坐奠兩柱之間，予始殷人也！

在《論語·為政》中,孔子對自己的成長過程有一個自述,已經成為一段名言了。現在很多人在談到自己年齡的時候,都採用了孔子的這種說法。「子曰:吾十有五而志於學,三十而立,四十而不惑,五十而知天命,六十而耳順,七十從心所欲,不逾矩」。

孔子說「吾十有五而志於學」,意思就是我十五歲的時候開始立志學習。孔子是非常喜歡學習的。在《論語》中,有很多關於孔子好學的記載。比如孔子說「學而時習之」《論語·學而》),學了之後還要經常複習一下。在論語述而中說,「學而不厭」《論語·述而》),學起來從來都不覺得厭倦。孔子還說,「我非生而知之者,好古,敏以求之者也」(《論語·述而》),我的這些知識都不是一生下來就有的,因為我特別好學,而且非常努力,所以才得到了這些知識。有一次孔子還跟學生們講:如果別人問你們的老師是一個什麼樣的人,你們就回答說,他「發憤忘食,樂以忘憂,不知老之將至」(《論語·述而》),學習的時候忘記了吃飯,也忘記了憂愁,也忘記了自己已經是一個年齡很大的人了,所以孔子是一個終身學習者。孔子還說,「十室之邑,必有忠信如丘者焉,不如丘之好學也」《論語·公冶長》),一個十戶人家的小村落,其中就會有人像我一樣道德高尚,但是可能找不到一個像我這樣好學的人。

那麼學習的目的是什麼呢?首先是要做一個有道德的人。《論語·學而》上說:「子夏曰:賢賢易色,事父母能竭其力,事君能致其身,與朋友交言而有信,雖曰未學,吾必謂之學矣」。子夏是孔子的弟子。他說「賢賢易色」,就是看重一個人的道德而輕視長相,盡心地孝順父母,盡力地獻身國家,交朋友言而有信,這樣的人即使說自己沒有受過教育,我也認為他已經受過良好的教育了。所以說,受過教育的一個非常重要的指標就是你要有高尚的道德。

孔子說「三十而立」,「而立」到底是什麼意思呢?孔子的意思是他到三十歲的時候就懂得了「禮」。為什麼這樣理解呢?這就有一個故事了[*2]。

《論語·季氏》裡說:「陳亢問於伯魚」,意思是陳亢問伯魚一個問題。伯魚是孔子的長子,他姓孔,名鯉,字伯魚。因為他出生的時候,魯國的國君送孔子一尾鯉魚,所以孔子就給他起名叫作孔鯉。陳亢問了個什麼問題呢?「子亦有異聞乎?」意思是你爹有沒有跟你說什麼沒跟我們講過的話呢?陳亢覺得你是孔子的兒子嘛,他可能會給你吃小灶,教你一些不傳給我們的東西。孔鯉回答說沒有(對曰:「未也」)。但有兩件事我可以跟你講一下。

有一次,我的父親一個人在庭院裡站著(「嘗獨立,鯉趨而過庭」),他說我就快步地從我父親面前經過(「鯉」是孔鯉自稱,古時候稱呼自己的時候稱名,朋友之間稱呼字),「趨」就是小步快走。這種禮節咱們一般人也都知道,假如說咱們看到一個非常尊敬的人站在那跟別人說話,為了不打擾他,我們行個禮,然後低下頭來趕快走過去,這就叫「趨而過庭」。結果孔子看到了孔鯉,就叫住了他,說兒子你過來,我問你件事,「學《詩》乎?」有學《詩經》嗎?孔鯉說還沒有開始(對曰:「未也」),孔子說:「不學詩,無以言」,你不學《詩經》怎麼會說話呢?咱們知道一個人如果讀了很多文學或者經典,談吐就會文雅。所以孔子跟兒子說:沒有讀《詩經》,你怎麼會說話呢?於是「鯉退而學詩」,孔鯉就退下來,按照父親的交待,開始學習《詩經》。

他說這是一件事。還有一件事,也是有一天,我父親又在院子裡面站著,我又「趨而過庭」,又被我的父親叫住,我父親問我說,「學禮乎?」有沒有學禮呢?這個禮就是禮節的意思。孔鯉說:還沒有。孔子說:「不學禮,無以立」。你不學禮

---

*2 《論語·季氏》:陳亢問於伯魚(孔子長子)曰:「子亦有異聞乎?」對曰:「未也。嘗獨立,鯉趨而過庭。曰:『學《詩》乎?』對曰:『未也。』『不學《詩》,無以言。』鯉退而學《詩》。他日,又獨立,鯉趨而過庭。曰:『學禮乎?』對曰:『未也。』『不學禮,無以立。』鯉退而學禮,聞斯二者。」陳亢退而喜曰:「問一得三。聞詩,聞禮,又聞君子之遠其子也。」

怎麼在社會上跟人打交道呢?於是孔鯉又退下去學習禮。

然後孔鯉跟陳亢講,「聞斯二者」。你要說我父親給我吃過什麼小灶的話,那就是這麼兩件事——問我是否學詩;問我是否學禮,學了詩才可以談吐優雅,學了禮才知道怎麼樣跟別人打交道。

孔子講「不學禮,無以立」,就是你不學會「禮」就沒有辦法在社會上立足。那麼孔子說自己三十而立,應該是說自己在這個時候懂得了禮,懂得了如何跟人打交道。「陳亢退而喜曰」,陳亢對話完了之後很高興,說我問了一個問題,得到了三個答案,要學詩、要學禮,而且君子其實沒有給他的兒子吃什麼小灶。所以孔子在15歲的時候開始學習,到30歲的時候懂得了禮。

孔子四十的時候就「不惑」了。什麼叫「不惑」呢?為什麼孔子說自己40歲的時候不惑呢?因為孔子在40歲時懂得了智,就是仁、義、禮、智、信的「智」,孔子40歲的時候懂得了智。因為孔子在《論語·子罕》裡說,「智者不惑,仁者不憂,勇者不懼」,只有一個有智慧的人,在遇到問題的時候才不會困惑,而孔子40歲的時候就不惑了。

孔子到50歲的時候懂得了天命,「五十而知天命」。孔子對於「天命」是非常重視的。孔子在《論語·季氏》裡說「君子有三畏」,作為一個有道德的人會畏懼三樣東西——「畏天命、畏大人、畏聖人之言」,就是他對天命存有敬畏,他知道那東西是他改變不了的,他只能順天而行;「畏大人」,就是對地位比他高的人要心存敬意;還有一個是「畏聖人之言」,聖人講的話他要遵從,要保持敬畏。小人正好相反,「小人不知天命而不畏也」,小人不懂得天命,所以也就不知道尊敬天命;不懂得尊重大人,而是「狎大人」;「侮聖人之言」,聖人說的話跟沒聽見一樣,當耳邊風。孔子50歲的時候懂得了天命的道理。「天命」的概念因為說起來很複雜,我們到後面講儒家思想的時候會詳細地去講。

孔子在周遊列國的時候，曾經到達過一個地方叫「匡」。《論語·子罕》說：「子畏於匡」，就是孔子在匡地遇到了危險。當時孔子很自信，當然一些學生可能會比較害怕，孔子說「文王既沒，文不在茲乎？天之將喪斯文也，後死者不得與於斯文也，天之未喪斯文也，匡人其如予何？」。意思是說，周文王已經不在了，但是他開創的文化不就是在我這裡嗎，如果按照天命，這個文化不該滅絕的話，那我就不會有事，匡人就拿我無可奈何。這就是孔子對於天命的態度，他覺得他有天命在身，在沒有完成來到人世間的使命之前，他是不會有事的。

孔子把60歲稱為「耳順之年」。有人解釋「耳順」就是無論別人說什麼，孔子都不會感到生氣，都能夠坦然的接受，這就叫耳順；同時不會被五花八門的言論所干擾，總是平心靜氣，這就達到了耳順的境界。當到了這個境界的時候，一個人已經寵辱皆忘，就是你對他好或對他不好，他已經不在意了，個人修為已經達到很高了。

最後到70歲的時候，孔子說「七十從心所欲不逾矩」。那時候，孔子隨便做什麼事都是符合道的，不會再做什麼錯事了。這就是孔子對自己的評價。

二、孔子出仕前的重大事件

孔子生活的時代是一個禮崩樂壞的時代。周天子失去權威，諸侯霸淩天子，而且很多國家的諸侯又聽命於大夫，大夫又聽命於家臣，也就是社會秩序完全顛倒了。當時魯國的三家大夫掌握了國政，分別是季孫氏、叔孫氏和孟孫氏（「孟」指的是小妾的長子，正妻的長子叫「伯」），其中季孫大夫的實力最強。季氏曾經做過一件讓孔子極為憤怒的事，叫「八佾舞於庭」。什麼叫「八佾舞於庭」呢？就是當時的人祭祀祖先的時候有「樂舞」儀式。所謂「樂舞」就是有人演奏音樂然後跳舞，但對於跳舞的規模是有嚴格規定的。周代是「禮治」社會，「禮」就是等級秩序，不同級別的貴族能夠觀看的樂舞規模是有差異的。天子用「八佾」，就是天子祭祖的時候,用八八六十四人組成一個方陣跳舞。諸侯「六佾」,用六八四十八個人的方陣來跳舞。大夫是「四佾」,就是只能有四八三十二個人組成方陣來跳舞。那麼季氏大夫應該是用「四佾」,結果他用了八八六十四個人,就是「八佾舞於庭」。孔子對這種僭越行為非常憤慨,就講了一句特別有名的話,「八佾舞於庭,是可忍也,孰不可忍也」,意思是季孫氏竟然盜用天子的禮儀,要是這件事我們都能夠容忍,還有什麼不能容忍的呢?這句話變成了一個成語叫「是可忍孰不可忍」。當然這句話也有人翻譯為:他連這種事都能夠忍心做得出來,還有什麼做不出來的呢?

孔子覺得魯國的政治很黑暗,在魯國也沒有出仕的機會,就離開了魯國到達齊國。你會發現當時的人很有意思,他們不強調愛國主義——我愛魯國,我得在魯國待著。相反,那時候的人沒覺得非呆在父母之邦不可,各個國家都差不多。孔子就離開魯國到達齊國。

當時齊國國君叫齊景公。他向孔子請教如何治理國家。孔子說:很簡單,只有八個字,「君君,臣臣,父父,子子」。這是什麼意思呢?國君就是國君,兒子就是兒子,大臣是大臣,父親是父親。有人說這是鼓吹專制,其實不是。孔子在這裡講了儒家一個非常重要的概念——就是每一個人應該各安本分、各盡職守。

所謂「君君」指的是國君要像國君的樣子,「臣臣」指的是大臣要像大臣的樣子,「父父、子子」就是父親像父親、兒子像兒子。什麼叫國君像國君呢?就是做一個國君你得有國君的道德風範,作為大臣有大臣的道德規範,具體地說就是「君仁、臣忠」,國君對大臣要仁愛,大臣對國君要忠誠。這就是「君君臣臣」,君臣各守本份,國家也就太平了。父親要慈愛,兒子要孝順,父慈子孝,家庭也就和睦了。所以孔子實際上講的是每一個人應該各盡自己的本分,符合對你這個身份或職位的道德要求。

孔子還對齊景公說「政在節財」，意思是治理國家一定要節儉，不能夠收很高的稅。

在《論語·顏淵》中講過一個故事。魯哀公有一次和孔子的弟子有若對話，「哀公問於有若曰，年饑，用不足，如之何」，意思是今年收成不好，我的錢就少，那怎麼辦呢？

大家知道在春秋時期，中國的錢幣很少，大量地鑄造銅錢是在戰國時期。春秋時期主要都是實物交換，就是以物易物。國君是不需要給大臣發工資的。為什麼呢？因為當時國君會給大夫分封土地，就是給你一塊兒封地，這塊兒地叫井田，其中大約九分之一屬於公田。上面長出來的農作物就全都歸你。所以其實每個大夫是自己養活自己。國君給你的就是土地，不發工資的。那麼國君的收入來自於哪兒呢？那時候的稅也不是錢，就是百姓上交一些糧食。所以魯哀公問有若說：糧食打得不夠，應該怎麼辦？「有若對曰『盍徹乎』」。「徹」就是十分之一的意思。就是你的稅率降到十分之一，讓百姓把十分之一的收成給你。哀公回答說：「二，吾猶不足，如之何其徹也」？意思是我現在從老百姓交收成的20%給我，我還覺得不夠呢！只有10%的稅率怎麼能夠呢？有若回答說：「百姓足，君孰不足？百姓不足，君孰與足？」意思是如果老百姓富裕的話，您怎麼會不富裕？如果老百姓不富裕，您又怎麼會富裕呢？

從這段對話，我們可以看到儒家有兩個特點，第一個特點：藏富於民；第二個特點：降低稅率。

儒家這個觀點其實跟西方古典的自由主義經濟是非常吻合的。美國的保守派主張通過減稅來藏富於民、刺激消費、發展經濟。

我們知道，二戰以後，美國長期處在一種戰爭或者是准戰爭狀態，40年代是二戰，50年代是韓戰，60年代是越戰，期間還一直有跟蘇聯的冷戰，所以整個國家的經濟運轉有一大部分是用於加強軍力。危機總是會導致政府擴張權力，比如強迫一些企業去生產它要的軍需物資，於是政府對企業的生產的干涉也就越來越大。這其實嚴重傷害了美國經濟的活力。到了70年代末期，美國就出現一個情況，就是高通脹與高失業並存——貨幣貶值很厲害，同時失業率又非常高。

這時候里根成為了美國的總統。里根曾經和經濟學家拉弗談話。拉弗在一張餐巾紙上給里根畫了一根曲線，就是非常著名的拉弗曲線。拉弗曲線是說如果政府的稅率是零的話，政府收到的錢就是零；但如果政府的稅率是100%，也就是老百姓創造的財富全部被政府拿走，那麼老百姓也就沒有了創造財富的動力，於是他們也就不去創造財富，這時政府收到的稅也是零。在兩個零中間，你應該能夠找到一個合理的稅率，使得老百姓他們能夠有最大的收益，同時政府也能夠收到最高的稅，這就是拉弗的理論。

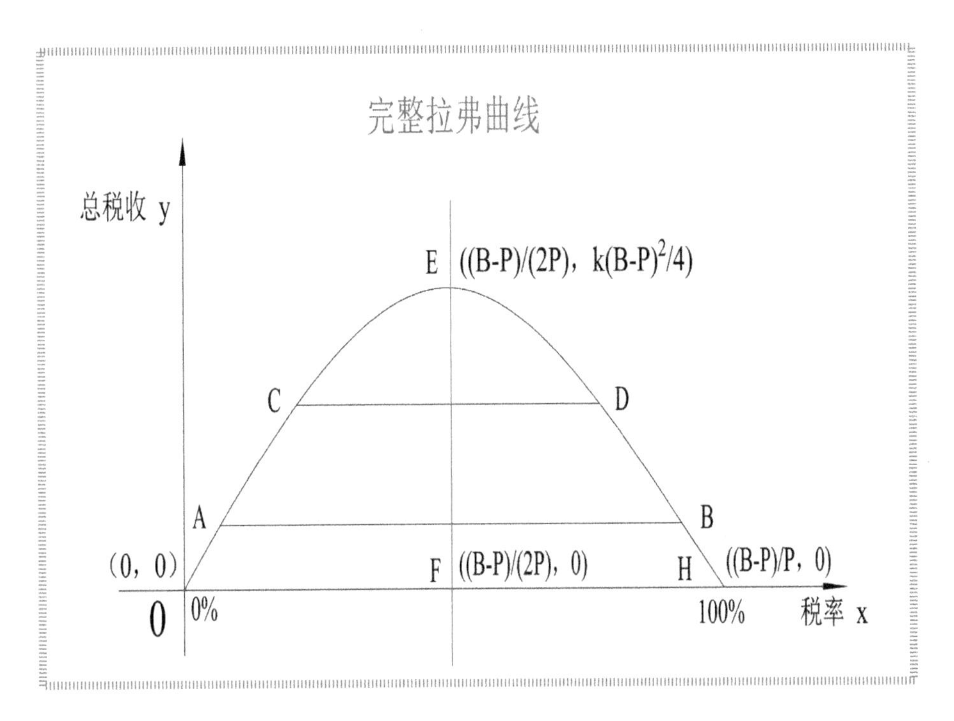

里根深受啟發，很快就決定改變美國當時那種高稅收和高通脹的狀態。1980年的時候里根和卡特競選總統，在跟卡特辯論的時候，里根說衰退的定義是你的鄰居沒有工作，蕭條的定義是你自己沒有工作，復甦的定義是讓卡特沒有工作，意思是等我上台之後經濟就好了。

所以等到里根當選之後，他在1981年就職的時候講了一段非常有名的話：「在目前的危機中，政府不能解決問題，它本身就是問題所在」。他接下來就抨擊了美國的稅收制度，說：我們的稅收制度懲罰輝煌的成就，人民辛勤勞動卻不能換得公平的報酬。後來他又說，我們的立國之本靠的就是工廠、農田和商店裡賺錢回家的人，現在我們剝奪人們的權利太久了，不讓他們自己處置創造的財富。我們絕不能用徵稅的手段來管制經濟或促進社會變革，我們試過那種做法，那是行不通的。

所以里根一上台就要做一件事——大規模減稅。他在就任總統第一次內閣會議上，做了一個非常短暫的發言，只有三句話。他說：「女士們先生們，我痛恨通貨膨脹，我痛恨稅收，我痛恨蘇聯，去努力工作吧」，然後就離開了會議室。

里根說他痛恨通貨膨脹，其實也就是不喜歡凱恩斯的那一套政府深度干預經濟的理論。他痛恨稅收，是痛恨政府拿走人們創造的財富。他說痛恨蘇聯，他痛恨蘇聯不只意味著他痛恨蘇聯的極權主義政治制度，他也痛恨蘇聯的經濟政策。蘇聯搞的就是計劃經濟，由政府來包辦一切。於是里根開始大規模的減稅，他把個人所得稅，就是personal income tax的最高稅率從70%減到了28%。你想你掙100塊錢，卻要把70塊錢交給政府，那你還有工作賺錢的動力嗎？里根把它減為28%；還把企業的所得稅從46%減為33%。當時很多人都覺得里根瘋了，說你本來政府就沒有稅收，現在你把稅率降下來，那稅收不是更低了嗎？但其實不是。當你降低稅收的時候，你刺激了人們去勞動和生產的願望，他們就會創造出更多的財富。所以儘管稅率減少了，但是經濟活力增加了，創造的財富增加了，所以反而政府的財政收入會增加。

里根的直覺是對的。他降低稅率刺激經濟是需要一段時間讓市場和社會做出反應的，所以在82年、83年的時候，美國的經濟變得更加糟糕，很多人都覺得里根完蛋了。但是在1984年，里根再度競選總統的時候，美國的經濟已經觸底反彈。那一次里根贏得了全美50個州中49個州的選舉人票，成為美國歷史上勝選差別最大的總統。他不僅讓美國擺脫了滯脹的泥潭，而且財政收入從1980年的5170億美元，增加到1990年的1.03萬億美元，成長了幾乎一倍，並且啟動了美國長達25年的經濟繁榮。

給大家講這段歷史，是想說明什麼問題呢？就是我覺得東西方比較正的理念，在對很多問題的看法上都是非常相似的。孔子說「政在節財」，他的弟子說不要收那麼高的稅，跟美國的自由經濟理念是不謀而合的。

公元前516年，孔子從齊國返回魯國。當時魯國的政權仍操在季氏大夫的手中，而季氏又受控於自己的家臣陽貨，孔子不滿這種政不在君而在大夫，「陪臣執國政」的狀況，不願出仕，不願意趟政治這淌渾水。那麼孔子做什麼呢？《史記·孔子世家》說孔子「退而脩詩書禮樂，弟子彌眾，至自遠方，莫不受業焉」。就是孔子開始研究學問，大量招收學生。孔子說：「不義而富且貴，於我如浮雲」，如果通過一種不道德的方法獲得富貴，對我來說就像是浮雲一樣，我是不在意的。

就在孔子的學校辦的紅紅火火的時候，發生了一件事，季氏的家臣陽貨被趕走了。於是孔子時來運轉，很快就在魯國出仕了，而且當到了司法部部長。那麼孔子出仕後又做了哪些工作呢？我們等到下堂課再說。

第二十五講❖儒家思想(二) 孔子生平(下)

Chapter. 25 Confucianism (2) Life of Confucius (2)

大家好。咱們上一堂課講了孔子生平的前一半，咱們現在接著講孔子生平的後一半。

三、出仕和周遊列國

公元前501年，孔子51歲。這一年魯國季氏大夫的家臣陽貨被逐。孔子覺得魯國的政治開始有希望了，於是出仕做官。孔子最開始被任命為中都宰，「中都」是地名，中都宰就是中都的地方官，相當於一個小縣城的縣長。孔子做了一年，把這個地方治理得非常好。於是孔子被升為「司空」，就是負責國家工程的官員。後來孔子再被升為大司寇，大司寇就相當於司法部部長。

魯定公十年(公元前500年)，齊景公和魯定公在夾穀有一次外交活動。因為齊國大而魯國小，魯國以前經常受到齊國的侵略。在夾穀之會上，齊國的大夫想用武力逼迫魯國割讓土地，而孔子作為負責接引賓客的儐相，義正辭嚴地指責齊景公失禮。齊景公羞愧地讓夷人退下。不但如此，齊國還歸還了以前曾經侵佔的魯國三塊土地。

魯定公12年(公元前498年)，孔子為了加強國家的力量，抑制三桓(「三桓」

是當時三家比較強大的大夫，分別是季孫、叔孫和孟孫氏)，提出了「墮三都」的計劃。魯國的大夫之所以敢欺負國君，是因為大夫有自己的城，有屬於自己的家甲(私人部隊)，所以無論是經濟實力還是軍事實力都比國君要強大。

孔子為了削弱這些大夫的實力，要求他們把自己的城牆拆掉。孔子的理由是按照古制「家不藏甲，邑無百雉之城」，意思就是作為大夫來講，不應該有自己的私人部隊，你家的圍墻周長不能超過三百丈。所謂「百雉之城」的「城」在當時是「牆」的意思。所以萬里長城其實是修了一萬里的牆。一雉指的是長三丈高一丈的城牆。也就是說大夫不能夠有長三百丈，高一丈的這種城牆。於是季孫、叔孫和孟孫三大夫的城墻被拆除，加強了國君的權威。

孔子在治理國家短短三個月後，國家就呈現出繁榮的局面，而且老百姓的道德普遍提高。所以在《史記·孔子世家》說：「與聞國政三月，粥羔豚者弗飾賈」，就是說賣粥、賣餅、賣豬肉的都童叟無欺，真不二價；「男女行者別於塗」，男人和女人在走路的時候分開兩邊不亂；「塗不拾遺」，一個東西掉在地上沒有人去撿，因為大家都不貪財；「四方之客至乎邑者不求有司，皆予之以歸」，各地來到魯國的人，包括外交官，不需要找有關部門去要求給他們糧食，老百姓就把他們照顧得很好，賓至如歸。所以當時的魯國一片欣欣向榮。

魯國一強大，齊國就擔心了，因為兩個國家是挨著的。齊國就擔心魯國會來吞併自己的土地，就開始琢磨怎麼辦。一般來講，你看別人把自己國家搞得這麼好，你就跟著學，把自己也搞好不就完了嗎？齊國不是，一開始它想主動割讓一些土地給魯國。這就是《孔子世家》說的：「齊人聞而懼，曰孔子為政必霸，霸則吾地近焉，我之為先並矣，盍致地焉？」齊國的大夫黎鉏不同意主動割地，說「請先嘗沮之；沮之而不可則致地，庸遲乎！」他說咱們先別著急，咱們先想辦法給孔子一些挫折，「沮」就是沮喪、阻擋的意思，不要讓孔子在魯國主持政事。如果我們要是能夠把孔子趕走的話，魯國不就衰弱了嗎？那我們就安全了。如果不能夠把孔子趕走，到那時我們再把土地給魯國也不遲啊。

「於是選齊國中女子好者八十人，皆衣文衣而舞康樂，文馬三十駟，遺魯君。」齊國就選了八十個漂亮的女人，給她們穿上漂亮的衣服，教她們一種叫作康樂的舞蹈。再加上30輛裝飾漂亮的馬車，由120匹馬拉著，送給魯國國君。

從這個記載你也會看到，當時國和國之間送的禮物不是錢，而是漂亮的女子、馬、玉之類的。「陈女乐文马於鲁城南高门外，季桓子微服往观再三，将受，乃語魯君為周道游，往觀終日，怠於政事。」把這些漂亮的舞女和馬車擺在魯國的南門外，季桓子大夫覺得太好看了，一次一次地去看，還勸國君魯定公也去看。魯定公一看就被迷住了，於是就不願意去操心國家的政事了。

桓子卒受齊女樂，三日不聽政；郊，又不致膰俎於大夫。孔子遂行，宿乎屯。

子路就跟孔子說：魯國已經沒什麼前途了，「夫子可以行矣」，咱們走吧。孔子說等一等，「魯今且郊，如致膰乎大夫，則吾猶可以止。」魯國馬上就要開始郊祭了。所謂「郊祭」就是在郊外祭祀祖先，郊祭完了以後，國君應該把祭肉分給大夫們吃。孔子的意思是：我要看一看魯國國君郊祭的時候是否還守禮，我也看一看我能不能夠分到祭肉。結果那天郊祭的時候，魯君因為沉迷於女樂，郊祭的時候應付了事，而且三天不上朝，祭肉也不分給大夫。孔子一看沒希望了，禮儀已經廢了，所以就離開了魯國。這就是《孔子世家》說的「桓子卒受齊女樂，三日不聽政；郊，又不致膰俎於大夫。孔子遂行，宿乎屯。」這一年孔子55歲，開始了他顛沛流離的生活。這就是眾所周知的孔子周遊列國。

孔子帶了顏回、子路、子貢、冉有等大概十幾個弟子離開了父母之邦，一共在外邊漂泊了14年，期間歷經艱辛，絕糧陳、蔡，到69歲才重新回到魯國。

孔子絕糧陳蔡是因為當地人誤認為孔子是他們的仇人楊虎，因為他倆長得比較像，就把孔子和弟子們包圍起來了。孔子這群人沒飯吃，餓了好多天。「從者病，莫能興」，跟從孔子的人都生病了，情緒很低落。但「孔子講誦弦歌不衰」，孔子還繼續給弟子們上課，彈琴唱歌，闡述仁義的道理。

給大家講這個故事是想說什麼呢？每一個想在人世間走正道的人都很難。耶穌被釘在了十字架上，蘇格拉底飲毒酒而亡，孔子也是遇到了很多困苦，所以教人走正道真的是非常難。其實我們看到美國現在也一樣，你真的想讓美國回歸傳統，現在都要受到很大的壓力、排擠和打擊的。在這種情況下，很多人沒有勇氣堅持。當時耶穌被釘在十字架上的時候，十二個門徒中猶大本身就是叛徒，另外那十一個門徒也是逃得乾乾淨淨。彼得甚至三次不認主，別人問彼得說：你不是耶穌的門徒嗎？彼得說我不認識他。又有人說：我看到你和他在一起，彼得還是否認。一共否認了三次。所以在這樣的困苦之中，真正能夠堅持自己的信念是非常難的，孔子的弟子當然也不例外。

當時孔子在彈琴唱歌，講述仁義道理的時候，子路就很不高興。「子路慍见曰，君子亦有窮乎?」這個「窮」不是指人沒有錢，當時沒錢叫「貧」，走投無路叫作「窮」。子路問「君子亦有窮乎」，就是君子難道也有走投無路的時候嗎?這個問題，我們很多想做一個好人的人可能都問過自己。我想在社會上做一個好人，可是到處碰壁，難道做好人也有走投無路的時候嗎?孔子回答說:「君子固窮，小人窮斯濫矣」，君子在走投無路的情況下，仍然能夠堅持自己的原則。這才是君子。小人遇到這種情況就無所不為了，只要能夠解決目前的困境，可以放棄一切原則，這就是小人。

孔子知道弟子們不高興，於是就把弟子一個一個叫過來，問他們是如何看待現在的困境的。最開始當然他問的就是子路了，「詩云『匪兕匪虎，率彼曠野』，吾道非邪?吾何為於此?」不是犀牛也不是老虎，不是野獸卻徘徊在曠野之中，孔子問:難道我做錯了什麼嗎?為什麼會遇到今天的困境?子路你說說吧。子路說:我們遇到困境是咱自己不好啊，「意者吾未仁邪?人之不我信也，意者吾未知邪?人之不我行也。」子路的意思是說:看來夫子你也不咋地，因為你的仁德不夠，所以人家就不相信你;你的智慧不夠，所以人家就不照你說的辦。孔子回答說「有是乎!」是這樣嗎?「由」，他叫著子路的名，他名仲由、字子路。孔子說:「阿由!譬使仁者而必信，安有伯夷、叔齊?使知者而必行，安有王子比干?」如果一個人有了仁德有了智慧就可以橫行天下，為什麼伯夷叔齊會餓死在首陽山，為什麼會有王子比干剖心而死這樣的事兒呢?所以不是我們有問題，像我們這樣堅持道德遇到困難的，歷史上也很多啊!這一考驗就看出來了，在困境中，子路對老師失去了信心，開始指責老師，他說是孔子不行。

子路就出去了，子貢進來了。孔子又問了子貢同樣的問題，說:阿賜，我問你一下，「匪兕匪虎，率彼旷野，吾道非邪?吾何为於此?」問了同樣的問題。子貢的回答很有意思。子貢回答說:「夫子之道至大也，故天下莫能容夫子，夫子蓋少貶焉?」說老師您的道德太高尚了，高尚到天下人都沒有辦法容納你，怎麼辦

呢？請老師把自己的道德降低一點兒，這樣就能夠被天下人所接受了。所以子貢的問題是不能堅持自己的原則，他知道自己的老師好，但是他不能堅持原則，希望夫子和光同塵，與世俗浮沉，這樣你不就沒事了嗎？你把自己的道德降低到跟俗人們一樣，你不就可以在社會上混得大受歡迎嗎？孔子說，「賜，良農能稼而不能為穡，良工能巧而不能為順，君子能脩其道，綱而紀之，統而理之，而不能為容，今爾不脩爾道而求為容，賜，而志不遠矣！」什麼意思呢？孔子說：一個好的農民很會種莊稼，但是不能保證有好的收成，因為還有天災嘛；一個能工巧匠可以做出很漂亮的東西，但又不能保證每個人都滿意；一個君子修養自己的道德但是卻不能被人所接納，這很正常。你現在不想去提升自己的道德，而只想著怎麼被那些道德低下的人所接納，阿賜，你的志向太不遠大了！

當然子貢還是很崇拜孔子的。《史記·孔子世家》記載，子貢曰：「夫子之文章，可得聞也。夫子言天道與性命，弗可得聞也已。」顏淵喟然嘆曰：「仰之彌高，鑽之彌堅。瞻之在前，忽焉在後。夫子循循然善誘人，博我以文，約我以禮，欲罷不能。既竭我才，如有所立，卓爾。雖欲從之，蔑由也已。(我竭盡全力，仍然象有座高山矗立眼前。我想攀上去，但覺得無路可走。)」達巷黨人曰：「大哉孔子，博學而無所成名。」《論語·子張》中，子貢贊美孔子說：「譬之宮牆，賜之牆也及肩，窺見室家之好。夫子之牆數仞，不得其門而入，不見宗廟之美，百官之富。得其門者或寡矣。夫子之雲，不亦宜乎！」

子貢聽完之後也出去了。孔子又召見顏回，這是他最得意的門生了。孔子說：阿回，我問你一個問題。因為是同樣的問題，我就不重複了。顏回怎麼回答呢？顏回說：「夫子之道至大，故天下莫能容，虽然，夫子推而行之，不容何病，不容然后见君子！」顏回說老師的道德太高尚了，天下人都容不下，但是儘管這樣，夫子仍然努力推行自己的主張，他們不接受我們又有什麼了不起？他們不接受我們，才顯得我們道德比他們高尚，才顯得我們是君子啊！顏回接著說，「夫道之不脩也，是吾醜也，夫道既已大脩而不用，是有國者之醜也，不容何病，不容然後見君子！」如果我們的道德不能夠提升，那是我們應該感到慚愧的；如果我們道德很高尚，可各國國君卻不能用我們，那是他們的問題。他們不容我們又有什麼呢？不容我們，我們還堅持自己的道，這樣才顯出我們是君子啊！孔子非常滿意，欣然而笑，「有是哉顏氏之子！使爾多財，吾為爾宰」。

你會看到當孔子遇到困境時弟子的三種反應：一種反應是子路，懷疑老師，你也不咋地嘛；第二種是子貢，他不懷疑老師，但是覺得咱們何必堅持呢，乾脆跟他們一塊兒混日子就完了；只有顏回的信念非常純正，他知道老師的「道」的價值，他也知道不管怎樣我們都要守住我們的道。如果我們守不住是我們的問題，守得住卻不能被人接受，那是他們的問題。所以孔子就覺得顏回是他的知音了。

孔子周遊列國14年，在魯哀公11年（公元前484年）回到魯國，5年以後（公元前479年）孔子病逝。孔子病重的時候，子貢來見他。這時候子路已經在一場政變中死掉了。「孔子方負杖逍遙於門」，孔子拿著拐杖在門口這兒走。孔子非常悲涼地跟子貢講，「賜，汝来何其晚也？」阿賜，你怎麼現在才來呀？然後唱到「太山壞乎！梁柱摧乎！哲人萎乎！」泰山將要崩壞了，樑柱將要摧毀了，聖人就要死去了，於是流下眼淚。孔子跟子貢講，「天下無道久矣，莫能宗予」，天下無道已經很久了，沒有人能聽從我的主張。「夏人殯於東階，周人於西階，殷人兩柱間。昨暮予夢坐奠兩柱之間，予始殷人也。」夏朝人停尸在東面的台階上，周朝人停尸在西面的台階上，商朝人停尸在兩個廊柱之間。孔子說：「我昨天晚上做夢，夢見我坐在兩個柱子之間，這是殷人祭奠的禮節，看來我快要死了，因為我的祖先是殷商人。」又過了七天以後，孔子病逝。

四、孔子與六經

孔子非常注重古代文獻和史料的整理，給後世留下了一些非常偉大的著作。孔子說自己，「述而不作，信而好古，竊比於我老彭」。「述而不作」就是我是闡述或者記述古代的文獻典籍，但是我不創作什麼，我也不寫我自己的主張。但其實他還是寫了，這本書就是中國的第一部編年體史書《春秋》，也就是魯國的國史。孔子還給《周易》做了注釋，修訂了《禮》和《樂》這兩本書，又編輯了《詩經》和《尚書》。

所以經過孔子的修訂編輯，形成了儒家的六經，就是《詩經》、《尚書》、《禮記》、《樂記》、《周易》和《春秋》。後來《樂記》丟失了，就變成了五經。所以叫「四書五經」，其中「五經」就來自於孔子。

五、作為教師的孔子

孔子不但是一個思想家，還是一個教育家。孔子的身份是「士」，這個問題我們到後面要專門解釋。孔子的身份使他自己有了受教育的權利。

在孔子以前只有貴族才可以受教育，但是從孔子開始有了私學。孔子是中國第一個私學的校長兼老師。他提出了一個主張，叫「有教無類」。過去不是貴族不能上學，但孔子說只要你交學費，我不看你的身份是貴族、平民還是野人，我就教你。多少學費呢？就是十條乾肉。孔子說，「自行束脩以上，吾未嘗無誨焉」，「束脩」就是十條乾肉。交這麼多學費，我就教你。這樣，孔子就等於把上學的權利普及到了所有人。

《史記·仲尼弟子列傳》裡，司馬遷說「孔子以《詩》、《書》、《禮》、《樂》教，弟子蓋三千焉，身通六藝者七十有二人」，就是孔子的弟子達到3000人，其中身通六藝的，就是「禮、樂、射、禦、書、數」這六種技能全部掌握的一共有72人。

關於孔子的教學方法,也有很多我們可以學習的東西。孔子的方法有點像蘇格拉底的啟發式教學。子曰:「不憤不啟,不悱不發,舉一隅不以三隅反,則不復也。」「悱」的意思是想说可是又不能恰当地表達出来。孔子總是要讓弟子思考到極限的時候,才來點撥你一下,讓你升華到新的境界,這就是啟發式的教學。

孔子還會因材施教,根據你的特點給你客制化customized的內容。《論語·先進》中有一個很有意思的場景。有一次子路問孔子說「聞斯行諸?」如果有人給我提建議,我是不是應該照著做呢?孔子回答說,「有父兄在,如之何其聞斯行之?」就是說你的父親和兄長都在,別人給你提建議,你好歹還是先問一問父親和兄長的建議再決定嘛。子路出去了。冉有進來了,問孔子同樣的問題,「聞斯行諸?」孔子說:趕快去做不要等,「聞斯行之」。

這兩個人問問題的時候,一個叫公西華的弟子一直站在一旁,所以兩個答案都聽到了。公西華覺得很困惑,就說子路跟冉有問了同樣的問題,但老師的回答卻截然相反,我都糊塗了(「赤也惑」),到底是應該趕快去做,還是應該問問父兄呢?

孔子回答說,「求也退,故進之;由也兼人,故退之」,意思是冉有這個人做事猶猶豫豫,所以我就推他一把,你趕快去做別猶豫;「由也兼人」,子路這個人做事比較魯莽,喜歡搶在別人前面,所以我拽他回來,告訴他先問問父親和兄長再做。

這個故事反映出一個什麼問題呢?就是孔子會根據弟子的特點來給他們相應的教導,這就是孔子教學的一種特點。

因為孔子是第一位私學教師,包括他用的這種啟發式的教學法,特別是他的道德高尚,學說博大精深,後世的人尊他為「至聖先師」、「萬世師表」,相當於所有的老師的偶像。

關於孔子的生平我們就講這麼多了。後面幾次課，我們會具體剖析一些儒家的思想。

第二十六講❖儒家思想(三) 中庸思想

Chapter. 26　Confucianism (3) The Middle Way

大家好。上兩次課，我們講了一下孔子的生平和孔子因材施教的故事。最後講到孔子的兩個弟子，子路和冉有，都問了孔子同樣的問題，但是孔子給他們的回答卻不一樣。因為子路比較莽撞，所以孔子想要拉住，告訴他做決定不要那麼快。冉有做事情比較猶豫，孔子就推他一把，讓他做決斷能夠更快一點。這個故事其實也反映出一個非常重要的儒家思想，就是「中庸」。今天我們就仔細地講一講中庸。

六、中庸思想

中庸其實是中國人一種特別典型的思維方式。咱們在講道家思想的時候曾經講過，在太極圖中，可以看到當陰走向鼎盛的時候，陽就會出現；陽走到鼎盛的時候，陰就會出現。因此在中國人的思想中，「物極必反」是一個大家公認的常識。所以中國有很多的成語，帶「極」字的，比如說樂極生悲、剝極而復、否極泰來、盛極而衰等等。怎麼避免走到反面去呢？那就不要走極端。所以中國人就非常注意保持「中庸」。《周易》中說「亢龍有悔，盈不可久」，講的也是這個意思。從字面上來看，「中」就是不走極端，「庸」就是平常，其實就是指做事情的時候保持一顆平常心，不要那麼激進，不要那麼極端。

這樣的事情在當代也不斷出現。有時候你看到有的國家或民族，或者一個公司，一度非常興旺，蓬勃而起，但是垮得也很快。這種事情在歷史上就更多。今天我想給大家講一個我非常喜歡的故事，是關於圍棋界的一個傳奇人物。他的名字叫吳清源。

吳清源在圍棋界幾乎無人不知。他出生於1914年， 2014年去世，活了整整100歲。他七歲的時候學棋，到13歲的時候已經在國內難逢敵手。他曾經被請到當時民國政府總理段祺瑞的家裡，陪段祺瑞下棋。段祺瑞很喜歡下圍棋，但下不過吳清源。當時他只有11歲，把段祺瑞殺得大敗。段祺瑞雖然心裡很不痛快，畢竟是輸給了一個小孩，但他很欣賞吳清源的才氣，就把吳清源留在府上，每個月給他100塊大洋。這個在當時可是高收入了，當年毛澤東在北大圖書館做管理員的時候，一個月收入才8塊大洋。吳清源這個11歲的少年，當時的收入是一個月100塊大洋。

左起：桥本宇太郎（四段）、吴清源（十四岁）、山崎有民、濑越宪作（七段）、井上一郎（三段）

當時日本圍棋界有一位元老叫瀨越憲作，輾轉聽到了吳清源的大名，於是派自己的高足橋本宇太郎到中國去考察一下吳清源的棋力。橋本在考完之後，認為吳清源的棋力大約相當於日本的三段或者四段。因為吳清源很年輕，所以橋本覺得他非常有培養前途。1928年，14歲的吳清源在很多圍棋界熱心人士的幫助之下東渡日本。他到達火車站的時候，一眾日本棋士在車站迎接，其中包括日本圍棋界的泰斗秀哉名人。

日本的圍棋是從中國學去的。江戶時代，日本圍棋界有四大世家。他們建立了類似學院的制度，大家除了下棋不幹什麼，都是專業棋手，不像中國下圍棋屬於個人愛好、業餘選手。日本的圍棋世家，世世代代都在鑽研圍棋，所以日本圍棋比中國圍棋發展得更為快速。

在江戶時代，也就是中國從明末到太平天國這段時間，四大圍棋世家中最強大的一家就是本因坊。本因坊世家的繼承者不是父子相傳，而是選圍棋棋力最高的人作為下一代掌門。掌門人就職後就會被封為第幾世本因坊，聽名字好像是一位武林高手的感覺。

吳清源去日本的時候，本因坊的掌門叫田村保壽。就像是教皇登基的時候要改名字、或者像日本或者中國的皇帝登基的時候要改年號一樣，每次本因坊的掌門人繼位的時候就會把自己的名字改掉。田村保壽現在的名字叫本因坊秀哉。從改名我們可以看到日本對圍棋的重視。本因坊秀哉也稱為秀哉名人。「名人」在這裡就是第一高手的意思。

日本人對圍棋的癡迷到了令人吃驚的程度。舉個例子，有一次日本的兩大高手，橋本宇太郎，就是去中國考察吳清源棋力的那個人，和一個叫岩本薰的人舉行圍棋比賽。當時正是二戰後期，日軍在戰場上節節敗退，本土不斷受到盟軍轟炸。二人對局的時候，一顆炸彈在離他們不遠的地方爆炸。爆炸產生的氣浪把橋本和岩本薰從屋子裡面扔到屋外，摔到院子裡。當然整個棋局也都亂了。兩個人和裁判商量了一下，決定複盤再戰。就是把他們的原來下了一半的棋複盤，繼續往下下。他們下棋的這一天是1945年8月6號，地點在廣島，爆炸的炸彈叫「小男孩」。如果你要是對二戰的歷史有點瞭解的話就知道，那是日本廣島被核爆的那一天。所以這一局被稱為日本的「原爆之局」也稱為「核爆之名局」，大家看這張圖片上的棋譜就是那局棋。原子彈爆炸了，他們該下棋還要下棋，就是把圍棋看得比生命還重要(第106手時原子彈爆炸)。

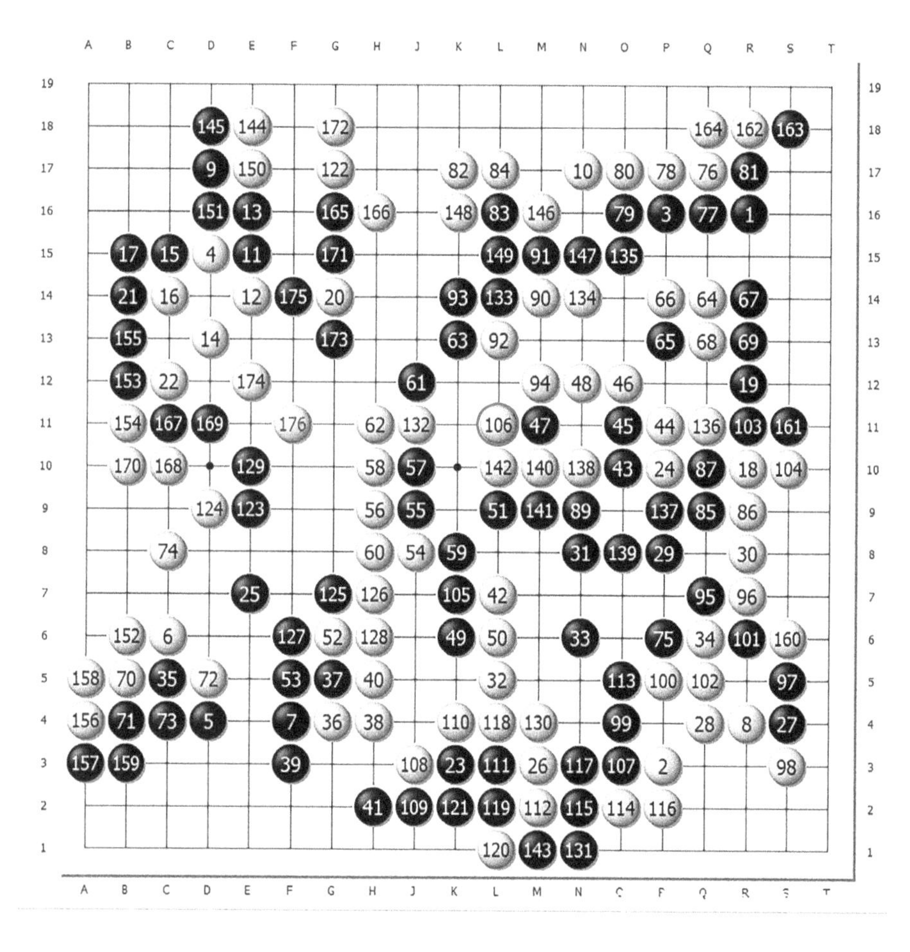

長話短說。吳清源到日本的時候只是一個少年。少年人總是不願意墨守陳規。吳清源遇到了日本的一個新銳，叫木穀實。他倆在洗溫泉的時候商量出了一種新的圍棋佈局方法，後來就寫了一本書《新佈局法》。新佈局法跟傳統下法不一樣的地方在於不注重邊角的爭奪，而是比較重視中腹。大家知道一般圍棋的常識是「金角銀邊」，因為行棋的效率很高，但他們比較注重中腹的爭奪，所以日本圍棋界，包括秀哉名人都認為這是一種離經叛道的下法。

當然到底這個方法行不行，你不能只是抨擊，還得去證明它。也就是說如果傳統下法能夠把新佈局法殺得大敗，就自然證明了他們不行。吳清源當時只有19歲，一個圍棋界的毛頭小夥子。以他當時的地位，是沒有資格去挑戰日本圍棋第一高手秀哉名人的。但吳清源後來有個機會參加了日本16名頂尖圍棋手的爭霸戰，從中脫穎而出，因此就有了和秀哉名人對局的機會。

本因坊秀哉 vs. 吳清源(圖源：讀賣新聞)

這一盤棋從1933年10月16號開始，每逢週一開戰，一直下到1934年1月19號，前前後後下了三個多月。每次下的棋譜都在日本的《讀賣新聞》上公佈。日本人大排長龍去買棋譜，看到底誰贏了。這三個多月的時間可以說是驚心動魄。

因為吳清源的地位比較低，所以他開局的時候執黑先行。他第一個子就點在了三三的位置。一般下圍棋的都知道，三三是屬於行棋效率相當低的，因為你只能占角上一個很小的空，離中腹又遠，幾乎是浪費了一手棋。日本當時下棋都是小目佈局，就是點在三四的位置。秀哉名人想了很久，決定以傳統的手法應付，於是就點在了小目。吳清源的第二招也沒有點小目，而是點在了對角的星位。大家知道，圍棋如果頭兩個子點在對角，那就是要殺棋了，因為雙方都需要向中腹擴展，所以一上來的交戰就會非常激烈。秀哉名人想了想，還是點在了小目，這樣就是各下了兩手。吳清源的第三招點在了天元的位置。這種下法給人一種戲弄對手的感覺，因為天元是屬於最沒用的一點。但是因為吳清源用的是新佈局法，所以你也沒有辦法去批評他。日本棋界管吳清源的頭三招叫做「鬼怪手」(見左下圖)。

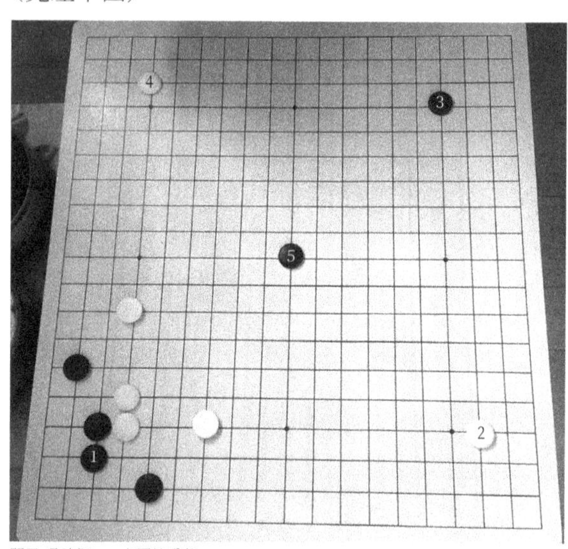

開局·吳清源 vs. 本因坊秀哉

本因坊秀哉

秀哉名人是日本當時唯一的九段，和吳清源下這局棋非常非常辛苦。最艱難的一步棋，秀哉名人曾經長考達三個多小時。但是秀哉有一個特權，就是隨時可以要求打掛。所謂「打卦」就是要求暫停。他們當時一個禮拜只下一天，就是禮拜一比賽，最少的時候好象各下了三手棋就停下來了。大家可以看這張照片(見299頁)，這就是他們當時下棋的時候拍攝的。

秀哉每到無法應付的地方就打掛，這樣他就有整整一個星期的時間去想。而且秀哉不是一個人想，而是召集了日本棋院最頂尖的棋士一起商量下一步應該怎麼辦。所以吳清源這個19歲的少年是以一人之力單挑日本全部的圍棋界高手。而且吳清源是在日本下棋為生的。秀哉只下這一局棋，吳清源禮拜一跟他下完之後，其它日子還要找別的棋手去下棋討生活，所以與秀哉名人的比賽其實對於吳清源來說是不太公平的。

整個比賽的過程在報紙上這樣刊登出來，懂圍棋的人就看得心驚肉跳。因為從一開場吳清源就一直保持著微弱的優勢，或者說至少秀哉名人的優勢並不明顯。日本人的心情非常複雜，如果來自中國的19歲少年把日本的最厲害的高手幹翻了，日本人是很沒面子的；但畢竟在圍棋界出現了這麼一種新的下法，所以日本人又比較興奮。就在這樣忐忑不安的心情中經過了兩個多月的時間。下到第159手的時候，吳清源甚至是略顯優勢，秀哉名人就要求打掛。一個星期以後回來的時候，秀哉下了非常兇狠而巧妙的第160手。大家可以看圖片(見302頁)，就是這手棋。這個子在吳清源的黑棋中侵入了一大塊。

最後吳清源以兩目之差失敗，等於差一點平手(圍棋是沒有平手的)。雖然本因坊贏得也不是很光彩，但是日本圍棋界的面子終於保住了。

多年以後，有人問吳清源說：「當秀哉名人打出第160手的時候，你還是有一些機會可以贏的，為什麼最後輸了呢?」吳清源笑了笑說：「還是輸了的好」。

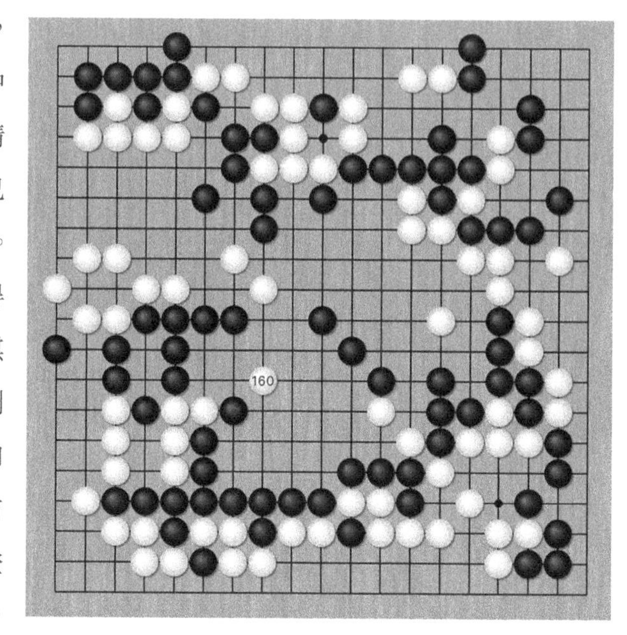

「還是輸了的好」，這是一個非常典型的中國式的思維方式。吳清源所需要證明的是自己的新佈局法是有效的。這一點並不需要靠贏得秀哉來證明，整個下棋的過程中大家已經看到了這種新下法的潛力和實力。而且他當時只有19歲，何必這麼早就登上日本棋壇的頂峰呢，來日方長嘛。他保住了秀哉名人的地位，保住了日本棋界的面子，其實也保住了自己在日本未來圍棋界發展的道路。

這樣說當然是在算計利益。但當時如果你處在吳清源的位置上，就是你一招之間就可以打敗秀哉，成為日本圍棋第一高手，隨之而來的榮譽和名望，你會拒絕嗎？你會做出跟吳清源同樣的選擇嗎？這個故事最大的啓示就是，一個人在即將登頂的最後一刹那選擇了退讓，實在是一種大智慧的表現，否則可能就會出現「亢龍有悔，盈不可久」的局面。

在1933年到1934年這場圍棋下完之後，秀哉名人就產生了隱退的心理。退休時，他沒有按照慣例把本因坊的頭銜，也就是日本棋界第一高手的名人頭銜傳給本因坊內部最厲害的人，而是把名人頭銜捐了出來，作為一個獎品，去尋找整個日本圍棋界的第一高手。誰能夠成為日本圍棋第一高手，誰就能帶上「名人」的桂冠。所以一直到現在，日本棋界都有「名人戰」比賽。1938年，本因坊秀哉下了退引棋,從此「名人」就成了大家可以爭奪的頭銜。

本因坊秀哉在隱退的時候,輸給了和吳清源同創新佈局法的日本棋界新銳木穀實。當時吳清源還是中國人,所以他沒有資格去拿日本的「名人」頭銜。那麼日本第一高手就變成了木穀實。當然大家都很好奇,現在日本棋界的第一高手木穀實,比本因坊秀哉要厲害,那麼木穀實跟吳清源到底誰厲害呢?

既然大家關心,讀賣新聞社當然也不會放過這樣的商業機會。於是讀賣新聞社從昭和14年(1939年)開始,攛掇出一場在鐮倉舉行的「十番棋」對決(兩人對決十盤棋)。吳清源也借此機會,開始了他前無古人、後無來者的吳清源時代。

我們這裡做一點說明,當時日本圍棋界的段位是有升有降的。現在誰拿到九段之後,就永遠都是九段,但當時不是。當時還沒有貼目的規則,誰先執黑誰佔便宜,所以說在下十番棋的時候,如果你和我的棋力相等,就採取「分先」的辦法,就是你有一局執黑、我有一局執黑,輪著來,這叫「分先」。如果你的棋力比我差一級,就變成了「先相先」。「先相先」就是你兩局執黑,我才有一局執黑。如果你比我再差一級,叫作「定先」,就是你永遠執黑。再差,就還有先二先、定二之類的讓子。

當時有一條規則,如果你本來是跟我分先的,就是你跟我棋力相等,但是如果我要是連贏你四局棋,我要把你降級。也就是,你沒有資格跟我分先了,改為「先相先」。如果再輸四局,你就再降一級,降到「定先」。所以對於日本人來說,如果被降級,對於一個棋士來說是奇恥大辱。等於是你已經升級了,又被人幹下來了。

但是,在1939年到1955年連續16年的時間裡,吳清源不僅保持了不敗的紀錄,而且在每一年的十番棋決賽中,吳清源將日本所有跟他比賽的棋手全部降級。所以當時出現了一個很戲劇性的場面,就是日本棋士每年先拼命廝殺,決出第一高手，然後再去和吳清源比賽，然後就被吳清源降級。所以民間稱吳清源為「昭和棋聖」，昭和是日本天皇的年號，也稱他為「大國手」。

給大家講這個故事，是因為我覺得他在和秀哉名人的對局中選擇了中庸之道。其實你看他後來在鐮倉十番棋的16年不敗紀錄，就知道他其實當時要贏秀哉名人也是比較容易的，但是他選擇了退讓，選擇了中庸。他所達到的不是做事的成功而是做人的成功。

我們都知道盛極而衰的道理。鐮倉十番棋比賽在經過16年之後，吳清源也達到了他自己事業的頂峰。他隨後在1961年遭遇了車禍，之後又患上了肺結核，從此退出了各項重大比賽，結束了一個傳奇的時代。

對於我們每個人來說，我剛才講的這個故事其實也是反映了「物極必反」的道理。秀哉名人也好，或者是吳清源也好，你再厲害最後也不得不在自然的規律面前選擇退讓，或者說你是一定會被自然打敗的。

我們都明白「盛極而衰」的道理。關鍵的問題是，這個「極」到底在哪裡呢？或者說你怎麼知道你已經達到了「極」，可以退讓了呢？我個人的看法是，如果你把個人的名利或者世間的事情當作努力目標的時候，當達到目標的時候可能就達到「極」了，就該功成身退了，就像是孫武或者范蠡那樣。但是如果你把道德的提升當作目標的話，那麼道德的提升是無止境的，也就不存在這個「極」的問題了。

我們今天講中庸思想，最後想再給大家講一段《論語·先進》裡的對話。孔子的弟子子貢有一次問孔子：「師與商也孰賢？」「師」就是子張，「商」就是子夏。子貢問，「子張和子夏兩個人到底誰更厲害一點？」孔子回答說，「師也過，商也不及」，子張做事情一做就做過了，子夏這個人做事情總是做不到位。那麼子貢就問「然則師愈與？」看起來還是子張強一點吧？孔子回答說「過猶不及」，就是說做過頭和做不到位其實是一樣的。「過猶不及」現在已經是一個成語了，簡單地來講就是要中庸。既不能夠做過了，也不能夠不到位，只有在中間這個地方那才是最好的。

在《論語·陽貨》中還有一句話，也是講分寸感的把握。孔子說，「唯女子與小人為難養也，近之則不遜，遠之則怨」。這地方有人說孔子是歧視女人，有人說「女」是通假字，其實是「汝」，表示「你」的意思。孔子可能是在跟他的弟子們說，你們這幫學生和那些小人一樣，非常難以相處。離你們太近，你們不尊重我；要是離你們疏遠一點，你們就怨我。這個地方感覺好像是孔子也在衡量分寸感，到底哪裡才是中庸的問題。

今天給大家講了幾個小故事，主要是想說中國人的這種思維方式，就是做事情不要走極端，不要做得太過分，但是當然還是要盡到自己的努力。

第二十七講❖儒家思想(四)
宗法等級分封制與養士

Chapter. 27 Confucianism (4)
The Patriarchal Hierarchy of Feudalism and the Trend of Keeping Retainers

我們在講孔子生平的時候，曾經說孔子的身份是「士」。什麼叫士呢？孔子的父親叔梁紇是宋國大夫，孔子是家裡面的二兒子。共產黨污蔑他，管他叫「孔老二」。父親是大夫，自己又不是長子，這樣孔子的地位就降為了士。為了解釋什麼叫做「士」，我們就要先講一下周代的「宗法等級分封制」。

七、宗法等級分封制

「宗法等級分封制」其實是宗法制度、等級制度和分封制度三者的結合。

這個「分封制度」就是我們通常所說的「封建制度」。共產黨在歷史教科書中把秦以後稱為封建社會，其實是完全錯誤的。秦以前才是封建社會。當然夏和商的記載比較模糊。而周代的社會結構是非常清楚的，也是非常典型的封建社會，所謂「封建」就是封土建國。在當時中國人的概念中，我們生活的這個世界，凡是日月照臨的地方，都屬於「天下」。那麼「天下」需要一個人來管理。誰呢？這個人就是天子。就是「天下」是老天爺的，但老天爺自己不能親自下來管理天下，於是就把他的兒子派下來，替老天爺管理天下。所以有這麼一句話叫「溥天之下，莫非王土；率土之濱，莫非王臣」。

當然雖然天子掌管天下，但天下這麼大，天子一個人是管不過來的。所以天子就把天下的土地分成若干塊，每一塊叫作一個「邦國」。天子為每一個邦國指定一個管理者，這個管理者就叫作「諸侯」。諸侯會在封國的國境線上挖一條溝，把土翻起來，然後在翻起來的土上種上松樹，這個動作就叫作「封」，也就是用一圈樹把這個國家圈起來。所謂「建」就是建立一個國家。所以封建就是封土建國或者封邦建國。

周滅商的戰爭實際上是兩次。第一次是武王伐紂，第二次是周公東征。我們在第十堂課提到過這兩個事件，這裡不再重複了。周的領土向東方一直擴張到了大海，距離都城鎬京很遠，怎麼管理呢？於是周天子就把自己的很多兄弟和兒子封到了不同的地方。比如說周武王把弟弟周公旦封到了魯國。那麼還有一部分受封的是功臣，比如周滅商的第一功臣姜子牙，被封到了齊國。還有一些是前朝的遺臣，比如說夏朝的後裔被封到了杞國，商朝的後裔被封到了宋國和衛國，紂王的叔叔箕子被封到朝鮮，紂王的庶兄微子被封到宋國等等。

所以當時主要分封的是三部分人，就是周天子自己的親戚、子侄輩的或者兄弟輩；還有一部分是功臣；還有一部分就是前朝的遺民。其中第一類最多，大概有80%的邦國都封給了周天子的親戚，也就是姬姓諸侯。

很多諸侯的邦國仍然很大，諸侯還是管不過來。於是他在自己的邦國之中進行再封建，就是把土地再劃成更小的塊，那麼這個小塊就叫作「家」。這個家的主人就叫作大夫。什麼人會被封為大夫呢？就是諸侯的子侄輩或者是兄弟。當然大夫還可以在自己的「家」內再封建，土地的主人就叫作士。

這樣就出現了一個等級結構，由天子、諸侯、大夫、士這四個階層組成四級貴族。這就是「等級制度」。在孔子生活的時代，只有貴族才有受教育的權利。孔子的身份是「士」，所以可以受教育。比士更低一級叫庶民，庶民就不能受教育。

我們剛才講了一下分封制度和等級制度，分封就是把天下分成若干塊叫邦國，然後邦國再分成若干塊叫作家，所以過去儒家講「修身、齊家、治國、平天下」，很多人理解成「修身」是把自己的道德搞好；「齊家」是把自己的家庭搞好，我覺得這種理解不準確，當時的「家」不是指家庭，而是大夫的封地。所以修身是士的職責，他要把自己管好；齊家其實是大夫的職責，你要把你的這塊封地搞好；那麼治國其實是諸侯的責任，諸侯要把他的邦國搞好；平天下是天子的責任，天子要把天下治理好。所以「修身、齊家、治國、平天下」其實分別對應著士、大夫、諸侯和天子的責任。

下面說一下宗法制度，也就是貴族的繼承制度。貴族擁有自己的爵位和土地。那麼等他死後，下一代如何繼承他的爵位和財產呢？周代實行的是「嫡長子繼承」制。所謂「嫡長子」就是正妻的第一個兒子。

貴族把兒子們分成了大宗和小宗。所謂大宗就是嫡長子，其他的兒子不管是嫡子還是庶子，都屬於小宗。嫡長子繼承父親的土地和爵位。如果父親是天子，那麼他的嫡長子也繼位為天子；父親是諸侯，他的嫡長子也繼位為諸侯，依此類推。那別的兒子怎麼辦呢？他們都屬於小宗，爵位降一級。大家可以看這張圖（見310頁）。天子的嫡長子為天子，其他別的兒子降為諸侯；諸侯的嫡長子為諸侯，其他別的兒子降為大夫；大夫的嫡長子還是大夫，別的兒子降為士；士的嫡長子還是士，其他別的兒子失去貴族身份，降為庶民。

這個宗法制度的圖（見310頁）很簡潔，但其實是有問題的。比如如果王后沒兒子，那麼到底該誰繼位呢？是看庶子們誰的年齡大，還是看誰的母親地位高呢？正確答案是看誰的母親地位高。比如說一個庶子的母親是「皇貴妃」，另外一個庶子的母親是「貴人」，那當然是皇貴妃的兒子有繼位資格，這個就叫「子以母貴」，就是母親如果地位高，兒子的地位也就相應提高。

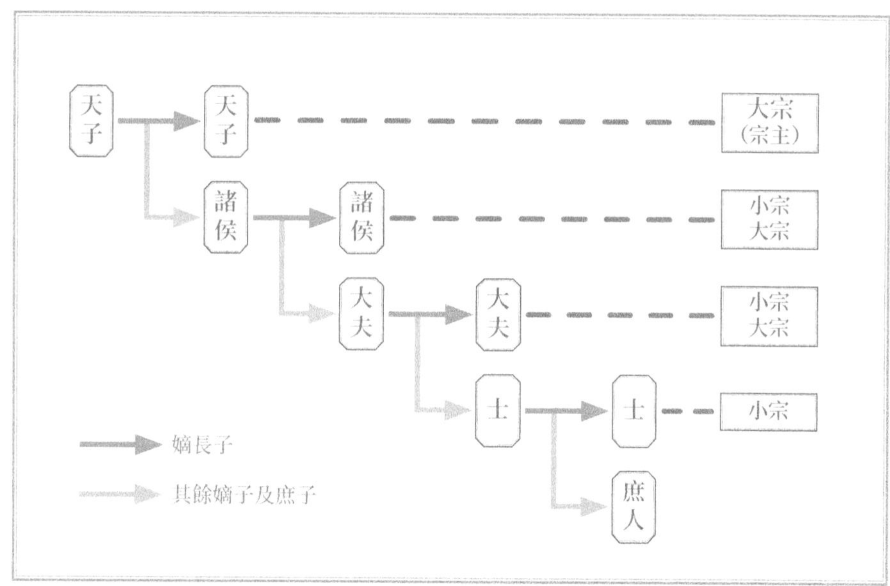

宗法等級分封制示意圖

當然還有很多別的問題了，比如說如果皇后死了，然後皇帝又立了一個皇后。如果後面這個皇后也有兒子，到底誰算是嫡長子？又比如說如果皇后被廢，那麼她的長子還是嫡長子嗎？還有繼位的資格嗎？再比如說嫡長子死了，那你應該是傳給嫡次子呢，還是應該傳給嫡長孫呢？類似這樣的問題很多，我們不去詳細解釋了。

但是從嫡長子繼承制，我們可以看到一個問題，就是在整個周代，包括春秋戰國時期，官員不是選拔出來的，而是繼承的。諸侯的嫡長子還做諸侯，大夫的嫡長子還做大夫，所以這個爵位在一個家庭中世世代代地流傳。這就叫作「世卿世祿」，也就是國君封你做諸侯的時候給你一塊土地，在這塊土地上你既有主權也有治權，因此你既負責管理這塊土地，同時你也是這塊土地的主人。既然是主人，你就有權力把這塊土地進行分割和分配。你可以把這塊土地傳給你的嫡長子。

這和後來的官僚制度非常不一樣。從秦以後,實行的是官僚制度,把天下分為郡縣。一個郡會有一個管理者,叫作郡守。郡守在這個地方只有治權,就是管理權,但沒有主權。土地不屬於他,土地是屬於國家的。既然土地不屬於他,當然他也就沒辦法交給自己的兒子。

在孔子之前,只有貴族才能夠受教育。但孔子做了一個非常重大的貢獻——「有教無類」,也就是我不管你是貴族還是平民,只要你交學費,我就教你。這樣孔子給予了平民受教育的權利。這就是為什麼很多人認為孔子是一個教育家,他是第一個私學教師,把教育普及到了整個社會。後世的人由此稱他為「大成至聖先師」。

八、戰國年間的養士之風

春秋時期,士擁有自己的土地。但後來隨著人口越來越多,加上各種劇烈的政治動蕩,到戰國時期,很多的士已經失去了他們的土地。所以士就不能再靠農業生產來生活。因為他們都有一技之長,於是就靠自己的才能去謀生。文采好的叫文士,武功好的可以叫武士,口才好的可以叫辯士等等,各種各樣的士就都出來了。這些士人們在諸侯間、甚至是大夫的門下奔走,為他們出主意,就形成了戰國時期一個非常獨特的現象——養士。

戰國時期有非常著名的戰國四公子——齊國的孟嘗君、趙國的平原君、魏國的信陵君、楚國的春申君就開始養士。他們廣開大門,搜羅和養育各種人才。甚至沒有什麼才能,就是衝著這些公子的名聲來的人,他們也要。戰國四公子中,最典型的就是孟嘗君。

《史記·孟嘗君列傳》裡有幾個很有名的故事。在公元前299年,秦昭襄王請孟嘗君田文到秦國去。孟嘗君一到秦國,秦王立刻就拜孟嘗君為相。底下的大臣就勸秦王說：孟嘗君是齊國的公子，他的爺爺就是齊威王，伯父是齊宣王，而孟嘗君能力又很強，就算我們想跟齊國搞好關係，也不能任用他為丞相啊，他肯定會先為齊國打算而不是為秦國打算，這對秦國就是個威脅。秦王聽了覺得有道理，就把孟嘗君給軟禁了，甚至還想殺掉他。孟嘗君知道了這個消息，就想托人勸秦王放自己回去，於是就找到了秦王最寵愛的美人。

那個美人就開了個條件，说：你給我們大王的見面禮是一件白色的狐皮大衣，價值一千金，我也想要一件。孟嘗君說：天下只有這麼一件，不可能再有第二件了。但美人一定要，孟嘗君一籌莫展，就跟他的門客商量，大家也都沒招兒。這時候坐在離孟嘗君最遠的人站起來說：我有辦法。孟嘗君问他到哪去找？他說我可以把你送給秦王的大衣偷出來。原文是「能為狗盜」。當天晚上，他還真就從秦王的倉庫裡把大衣給偷出來，轉交給美人。

美人拿到了禮物就勸秦王釋放孟嘗君。秦王還真就聽進去了，於是下令釋放孟嘗君。孟嘗君得到釋放他的文件後，生怕秦王後悔，立刻動身逃跑。門客中有一個善於偽造文書的，把孟嘗君的名字改掉了。這群人星夜趕路，半夜的時候到了函谷關。一離開函谷關就出了秦國了。但函谷關有一個規矩，就是每天早上必須等到雞叫才能開關。當時是半夜啊，孟嘗君急得像熱鍋上的螞蟻。突然間從門客的車上傳出嘹亮的鷄鳴，原來一個門客正在學雞叫，結果把滿城的雞全都叫醒了，於是鷄鳴聲此起彼伏，函谷關的守將以為天快亮了，就打開關門，查驗文書之後，就把孟嘗君放了。

孟嘗君剛出關一頓飯的功夫，秦國的追兵就到了，因為秦王後悔了。追兵到函谷關，查驗文書，沒有看到孟嘗君的名字，以為孟嘗君還沒到，就在關下等。等了半天，也沒见孟嘗君來。一查，才知道孟嘗君已經跑掉了。這就留下了一個成語，叫做「雞鳴狗盜」。「雞鳴狗盜」的這兩個门客剛到孟嘗君家裡時，大家都羞於與他們為伍，沒想到在關鍵的時候，是他倆救了孟嘗君的命[*1]。

孟嘗君手下的門客分為三等。最下等的门客，只保證吃飽、穿暖，伙食比較差，住的地方叫傳舍（「舍」就是宿舍、旅館），意思是招呼一聲就來；第二等门客吃飯有魚肉，住的地方叫「幸舍」，意思是找到他們很幸運；最上等客人不但吃飯有魚肉，而且出門有車馬。那时候有一輛車大概跟我們現在開一輛保時捷或者法拉利差不多，很有面子。上等客人住在「代舍」，意思是他們可以取代孟嘗君。

有一天就來了一個人，衣服非常破舊，随身一把寶劍，連劍鞘都沒有，用草繩繫在腰上，要見孟嘗君。這人自稱叫馮驩。孟嘗君問：你大老遠來找我，有什麼可以指教的嗎？馮驩回答說：沒有，只是聽説你這裡可以白吃白喝，我就來了。孟嘗君說：那你就去住傳舍吧。

過了十天，孟嘗君問旅館經理：新來的客人每天幹什麼？管事的人回復說：每天他唯一做的就是吃飽飯之後，用手彈著寶劍唱「長鋏歸來兮，食無魚」，意思是吃飯沒有魚肉，寶劍啊，咱們還是回去吧！孟嘗君說：他想做我的中等客人，於是就把馮驩遷到了幸舍。過了五天他又問旅館經理新來的客人有什麼特別之處。管理員回答說：他每天吃完了魚肉以後，又彈著寶劍唱歌，「長鋏歸來兮，出無輿」，就是出門沒有車馬，寶劍啊，咱們還是回去吧。孟嘗君說：他想做我的上等客人。於是把馮驩又遷到了代舍。

---

*1　《史記·孟嘗君列傳》：齊湣王二十五年，復卒使孟嘗君入秦，昭王即以孟嘗君為秦相。人或説秦昭王曰：「孟嘗君賢，而又齊族也，今相秦，必先齊而後秦，秦其危矣。」於是秦昭王乃止。囚孟嘗君，謀欲殺之。孟嘗君使人抵昭王幸姬求解。幸姬曰：「妾願得君狐白裘。」此時孟嘗君有一狐白裘，直千金，天下無雙，入秦獻之昭王，更無他裘。孟嘗君患之，遍問客，莫能對。最下坐有能為狗盜者，曰：「臣能得狐白裘。」乃夜為狗，以入秦宮臧中，取所獻狐白裘至，以獻秦王幸姬。幸姬為言昭王，昭王釋孟嘗君。孟嘗君得出，即馳去，更封傳，變名姓以出關。夜半至函谷關。秦昭王后悔出孟嘗君，求之已去，即使人馳傳逐之。孟嘗君至關，關法雞鳴而出客，孟嘗君恐追至，客之居下坐者有能為雞鳴，而雞齊鳴，遂發傳出。出如食頃，秦追果至關，已後孟嘗君出，乃還。始孟嘗君列此二人於賓客，賓客盡羞之，及孟嘗君有秦難，卒此二人拔之。自是之後，客皆服。……

過了幾天孟嘗君又問旅館經理，馮驩每天幹什麼呢？管理員說，他每天彈著寶劍唱歌，「長鋏歸來兮，無以為家」，意思是家裡面沒有人照顧，寶劍啊，咱們還是回去吧。孟嘗君很不高興，說這人怎麼如此貪得無厭？

過了整整一年，馮驩都沒有再說什麼。孟嘗君的封地在薛，人口有上萬家。孟嘗君自己的俸祿不足以支付賓客開支，所以就在薛地放高利貸。有一次，孟嘗君家裡沒錢了，需要人去薛地收債，於是就派馮驩去。馮驩問，收上來的錢需要買點什麼回來呢？孟嘗君說：你看家裡缺什麼就買什麼吧。

馮驩到了薛地後，收上來了十萬錢的本金和利息，之後他用這筆錢買了很多牛肉和酒，通知薛地的百姓說：不管你們能不能還債都來吃飯。席間馮驩把欠債人的借據，一一跟本人核對。可以還錢的，當時就把錢給馮驩；需要延期的，馮驩就在債券上注明；有的人實在還不起，馮驩就把這樣的債券放在一邊，然後說，孟嘗君把錢借給你們，難道只是為了謀取利益嗎？不是。他是為了讓你們能夠有錢去從事生產或者做一些小買賣，養活自己。之所以要利息呢，是因為有了利息才可以養門客，有了門客我們國家才安全。然後，他把那些債務人還不起的債券拿過來，一把火都給燒掉了。

孟嘗君聽說馮驩燒了債券，十分生氣，責備馮驩。馮驩說：我燒掉的那些債券都是沒用的數字，因為那些人根本也還不起了。你再追債，這些人就逃亡了，錢還是收不上來。臨行前，你告訴我家裡邊缺甚麼就買甚麼，但我看你「宮中積珍寶、狗馬實外廄、美人充下陳」，甚麼都不缺，唯一缺的就是民心。我這次幫你買的就是民心啊。

後來齊王受到秦國的蠱惑，收回了孟嘗君的相印。孟嘗君一失勢，手下三千門客一哄而散，只有馮驩還在孟嘗君的身邊。於是馮驩駕著車帶孟嘗君來到薛地，百姓聽說孟嘗君來了，扶老攜幼、擔著牛肉和酒，在路上熱情迎侯孟嘗君。

孟嘗君見了,就跟馮驩說:這就是先生當年為我所購買的民心啊!

馮驩說:「我聽說狡猾的兔子有三個窩。」這句話變成了一個成語,叫「狡兔三窟」。馮驩說薛地只是你的一窟而已,現在我請求為你出使,再營造另外兩個安身的地方。馮驩去了秦國,對秦王說,秦國和齊國分別是西方和東方的兩個大國,哪一國得到人才,哪個國家就可以稱霸天下。現在齊國不能用孟嘗君,如果您能夠接納他,孟嘗君一定會為您盡心謀劃,這樣大王不但得到了齊國的人才,也掌握了齊國的情報。

秦王很高興,立刻就派使者帶著車馬和禮物去迎接孟嘗君。馮驩又先在秦國使者到齊國前去見齊王。馮驩說:我聽說秦國現在要聘孟嘗君為相,如果這事兒真發生了,齊國就再也不要想跟秦國爭鋒了。齊王開始還不太相信,派人去邊境查看,果然看見車馬紛紛,秦國大隊人馬來迎孟嘗君了。於是齊王把孟嘗君又召回了齊國,繼續做國相。馮驩這才回來見孟嘗君,說:三窟已經營造好了,從此之後您可以高枕無憂了。

「鷄鳴狗盜」和「狡兔三窟」是非常著名的兩個關於養士的故事。類似這樣的故事還有「毛遂自薦」、「竊符救趙」等等典故。當時這些士人對他們的主人非常忠誠,同時也確實非常有能力。在《笑談風雲》的第一部《東周列國》中,我們講了很多這些「士」的事跡,非常感人,甚至非常離奇,因為時間的關係,就不在這裡重複了。

這種養士的風氣到了秦以後就剎住了,因為秦實行的是中央集權,要加強皇權。因此不能允許有貴族養士,形成一個自己的勢力。我們在《笑談風雲》第二部《秦皇漢武》中講過類似的例子,象陳豨、灌夫都養士,最後陳豨造反,灌夫被殺還連累了竇嬰、郭解被殺都跟他們有類似養士的行為有關。

咱們剛才提到「世卿世祿」的制度,不知道大家是否注意到一個問題,就是在《史記》裡記載人物的生平的時候有一種體例，叫「世家」。這種體例在後世基本上是看不到的。大概在五代的史書中短暫出現過，別的朝代就沒有了。為什麼呢？其實你從世家的名字就會知道，什麼叫作「世」呢？就是世世代代地傳。什麼叫作「家」呢？大夫的封地叫作「家」。所以「世家」其實就是記錄了大夫們一代一代的家族歷史。當然後來到了戰國時期，很多的大夫們就篡位變成了王，所以「世家」就成了這些諸侯國的國史。

第二十八講 ❖ 儒家思想(五) 家庭倫理：中、和

Chapter. 28 Confucianism (5) Family Ethics: Equilibrium and Harmony

大家好。我們上一堂課講了一下宗法等級分封制的概念和戰國時期的養士之風。咱們接著講儒家思想的兩個重要概念——中、和。

九、家庭倫理的自然擴展

我們知道從漢武帝的時代開始，儒家思想就成為了中國官方的主流意識形態。當時的大儒董仲舒建議漢武帝「罷黜百家、獨尊六經」，後面歷朝歷代政府在選拔官員的時候，都以對儒家經典的掌握程度為標準，這樣儒家的正統地位就一直延續下來了。那麼為什麼是儒家思想而不是其它思想得到了官方的認可呢？這裡邊也有原因。

我們知道，中國是一個傳統的農業社會。這種經濟模式和漁獵經濟或者是採集經濟是很不一樣的。漁獵、畜牧和採集食物都是要跑來跑去的，不是固定住在一個地方。而農業經濟是一個大家族一起耕種一塊土地。這樣整個家族都住在一起，或者至少住得很近，於是就有很多家庭內部的關係以及鄰里的關係需要處理，父子、夫婦、兄弟之間應該如何相處，還有很多旁系親屬的關係也要處理，比如你如何對待自己的叔叔、姑姑、姨、舅舅等等。

傳統的五種社會關係叫作君臣、父子、兄弟、夫婦、朋友。父子、兄弟、夫婦之間都屬於家庭關係。君臣可以比作父子，因為我們從上一堂課講「宗法等級分封制」的時候已經提到，天子的嫡長子為天子，其他兒子為諸侯，所以天子跟諸侯之間也是家人，諸侯和大夫之間，大夫和士之間都是類似的家族血緣關係，還有聯姻的關係等。朋友關係雖然不屬於家族關係，但也可以以兄弟關係來相處。這樣五種社會關係都是有家庭溫情的色彩。

你要看右邊這張圖就可以看到中國人的親戚稱謂是非常複雜的，比如說妯娌、連襟、大姑子、小姨子、小舅子、大伯子、小叔子等等，不一而足。馮友蘭在中國哲學簡史中說：「公元前有一部最早的漢語詞典《爾雅》，其中表示各種家族關係的名詞有一百多個，大多數在英語里沒有相當的詞。」我們都知道儒家有「五常」之說。所謂「五常」，就是「仁、義、禮、智、信」。其中「仁」排在第一位。

但孔子又認為「孝」是「仁」的來源，是比「仁」更基本的價值。所以《论语·学而》上說——有子曰：「其為人也孝弟（「弟」通「悌」，敬愛兄長）而好犯上者，鮮矣；不好犯上而好作亂者，未之有也。」這句話翻譯過來就是有子說：（「有子」是孔子弟子，叫「有若」）如果一個人知道去孝敬父母、敬愛兄長，就不會犯上作亂了。因為你上面的那個人很可能就是你的家人。因為諸侯的上位是天子，按照宗法制度，天子是諸侯的大哥或者是大伯父等；大夫上面的諸侯，又是大夫的大哥或者大伯父等等，所以一個人如果懂得了家庭的倫理，是不會造反的。所以有子繼續說，「君子務本，本立而道生，孝悌也者，其為仁之本與」，仁是以孝悌為根本的。

因為當時的社會管理體系是這樣的，所以整個這個社會結構就充滿了家庭的溫情。

從這個角度上來講就可以理解為什麼儒家如此重視家庭的倫理，因為這種家庭倫理和社會倫理是一體的。父親對兒子要慈愛，兒子對父親要孝順，對應的就是國君對於大臣和百姓應該仁愛，大臣對於國君要忠誠。就是「君仁、臣忠」對應著「父慈、子孝」。你在強調父慈子孝的時候，等於同時在強調君仁臣忠。兄友弟恭对应着朋友之间的相处之道。所以我們會在《論語》中看到這樣的教導：君子敬而无失，与人恭而有礼，四海之内，皆兄弟也。君子何患乎无兄弟也?(《论语·颜渊》)。

當時的社會是一個熟人社會，也可以叫小圈子社會，人和人之間的關係都比較緊密，低頭不見擡頭見，經常要打交道的。這就帶來了一個人際關係的特點，就是中國人比較重人情而不是重法律。這其實並不是因為中國人沒有什麼法治的觀念，而是因為在這樣一個小圈子社會裡，法治沒有那麼重要。

我們在第十一講的時候，曾經舉過一個辦公司的例子。如果兩個人建一個公司可能就不存在什麼考勤制度。因為大家志同道合，一起創業，每個人都會努力工作，這涉及到每個人的生活質量、事業是否成功、是否有成就感等等。遇到什麼事，兩個人隨時可以商量。所以規章制度就沒那麼重要。這就是熟人社會的特點。

但如果公司變得很大，比如幾百人甚至幾千人的時候，不是每個人都認識每個人，這就變成了陌生人社會。這時對員工的管理就必須依靠規章制度。員工只是幹一份工作領一份工資而已，他工作是否努力，忠誠度如何等等，公司的高層主管無從知道。所以你就必須有考勤或者績效考核等等，來評估你雇的人是否配得上他的報酬，以及如何獎勤罰懶等等。推而廣之，如果社會是一個陌生人社會，為了維持秩序，法律就變得重要起來了。

孔子時代的社會就是一個小圈子社會。因為誰也不希望自己生活在一個充滿敵意的環境，比如你跟鄰居關係不好，他整天恨你、想報復你，這樣你既不舒服，也缺乏安全感。所以人與人相處的時候，總是給對方留有一定的餘地。人和人之間充滿溫情，你對我好，我也對你好。中國歷史中，有很多故事都可以反映出人的這種心態。

在《笑談風雲》第一部的第九集，我在講「三家分晉」的時候提到過一個叫豫讓的人。他是《史記·刺客列傳》中記載的五大刺客之一。豫讓的主人智伯被大夫趙襄子殺死了。豫讓為了給主人報仇，就去行刺趙襄子。當時他付出了很大的代價。他怕被別人認出來，那樣就無法接近趙襄子了，所以「漆身吞炭」，就是把油漆塗在自己的皮膚上，當時的油漆都是有毒的，這樣他的皮膚就長了癩，完全毀容了；他又把燒紅的炭吞下去，把聲帶燒壞，這樣別人也就聽不出他的聲音來。但是他的行刺計劃還是沒有成功，被趙襄子抓住了。

趙襄子就問豫讓說：你曾經侍奉過范氏和中行氏（最初晉國有六家大夫的，分別是范氏、中行氏、智氏還有韓氏、趙氏、魏氏），但是當這兩家大夫被滅的時候，你沒有替他們報仇，而智伯被滅之後，你就一定要替他報仇，這到底是為什麼呢？豫讓就說了一句非常有名的話——「士為知己者死，女為悅己者容」，意思是作為一個「士」，他願意為瞭解自己價值的主人盡忠而死，一個女人是為了能夠欣賞自己美貌的人而打扮。豫讓繼續說道：我侍奉范氏和中行氏的時候，他們沒拿我當回事，把我看成和一般的家臣一樣，所以我也不拿他們當回事。這個主人沒了，我就再換一家。但是智伯不一樣，智伯以國士待我，就是智伯認為我是一國中最優秀的人才。這就是知己啊，瞭解我的價值，所以我也要以國士之風報答他。這就是為什麼我要吃這麼多的苦來刺殺你。

豫讓講的是當時人普遍的一種心態，就是你對我好，我就對你好；你要對我不好，我對你也就無所謂。所以說「君視臣如手足，臣視君如腹心」，「君視臣如草芥，臣視君如寇仇」，都是這個意思。

在這樣一個小圈子社會裡，重視家庭的溫情，也重視家庭的倫理，這就是儒家思想所存在的土壤。

下面我們講一下儒家的兩個概念「中」和「和」。

十、中、和

「中」這個概念我們在講中庸的時候已經講過了，就是做事情既不過分又不會不到位。這裡最難把握的是尺度，要根據情況來調整。比如說人和人之間的距離是客客氣氣好，還是親親熱熱好呢？這都是根據談話對象來決定的。《論語·鄉黨》中說孔子「朝，與下大夫言，侃侃如也；與上大夫言，誾誾如也。君在，踧踖如也，與與如也。」意思是孔子在朝堂上，跟地位比自己低的下大夫談話，態度溫和而快樂，不給對方任何壓力；跟地位比自己高的上大夫談話，顯得正直而公正(誾誾yín的意思是和顏悅色又能直言爭辯，既有原則，態度又很和悅)；國君在的時候，則顯出恭敬而心中不安的樣子，但又儀態適中(踧踖：音cújí，意思是恭敬的樣子；與與：小心謹慎，但又不諂媚，威儀適中)。

所以「中」的概念大家都懂，尺度拿捏得恰到好處，能夠根據環境、時機、對象隨時調整，這才是人的修養功夫。

下面我們來說一下「和」。中國人對於「和」的認識特別深刻。「和」就是調和不同以達到和諧的統一。在《左傳》中有一段晏子的話，說「和，如羹焉」，「和」就像是做湯一樣，「水、火、醯、醢、鹽、梅，以烹魚肉」，做飯的時候要有水、有火、有醯(醯就是醋)、有醢(醢就是醬)、還要有鹽、有梅。這些調料放在一起才能夠做出一道好菜。這些東西的味道都不一樣的，醋是酸的，鹽是鹹的等等，五味雜陳，再通過一定的比例混合，才能夠調出一個好味道來。這個過程就叫作「和」。

跟「和」相對的是「同」。「和」是把不同的東西放在一塊，「同」是把相同的東西放在一塊。打個比方，「同」是「以水濟水」，就是把一杯水倒到另外一杯水裡，不會產生任何新的東西。而「和」，才能夠產生新的東西。

孔子說：「君子和而不同，小人同而不和」，就是有道德的人可以在一起非常和諧地相處，儘管他們的意見並不見得一致。有的時候大家對一個事情看法不一樣，你說你的道理，我說我的道理，但是我們不會因為我跟你看法不一樣，你就成了我的仇人了，這就是君子之爭，「和而不同」。

小人則完全相反，「同而不和」。他們做事情總是意見很一致，行動也一致，但心裡卻勾心鬥角。他們保持一致僅僅是為了達到某個政治目的，或者是為了保護個人利益。

所以你看到現在很多國家的左右之爭都非常明顯。同樣是保守傳統價值理念的人群，陣營內部對每一個問題的看法上也不一定一樣，他們之間可以友好的辯論，各自做出自己的決定。因為保守派尊重個體的自由，所以你做什麼決定，那是你自己說了算。這其實也帶來一個問題，就是保守主義者做事各自為戰，不抱團。但是左派就很不一樣，他們互相之間的矛盾也很大，比如說激進左派和溫和左派之間對問題的看法也不一樣，但是在投票表決的時候他們的行動常常高度一致。

這讓我想到漢朝的一個故事。大家知道漢武帝任用很多酷吏，而太子劉據為人寬厚，經常把判得太重的案子糾正過來，這樣百姓雖然滿意，酷吏們就很討厭太子[*1]。《資治通鑒》有一句評價：「群臣寬厚長者皆附太子，而深酷用法者皆毀之。邪臣多黨與，故太子譽少而毀多。」好人跟壞人較量的時候，常常會有類似的問題。小人「同而不和」。雖然不和，但是為了黨派的利益或者是他們的某個目標，小人可以把所有的矛盾都放在一邊，先把君子打敗了再說。其實說起來，這

*1　《資治通鑒》第22卷：上用法嚴，多任深刻吏。太子寬厚，多所平反，雖得百姓心，而用法大臣皆不悅。

故宮三大殿(圖中由左至右)：保和殿、中和殿、太和殿(圖源：禁閩網)

對君子們來說是不公平的，因為小人很抱團。

中國人特別注重「和」。你參觀故宮，就會發現皇帝辦公的三大殿，叫作太和殿、中和殿、保和殿。所謂「太和」就是極致的「和」，最高的「和」。中間這個殿叫中和殿，但我覺得這裡的「中」不是指位置，而應該是「中庸、中正」的意思。再往後就是保和殿，就是一直要保持「和」。

在很多領域中你都可以看到「中」與「和」的高手。比如說一個好的廚師，一定是達到了「中」、「和」的境界，所謂「中」就是廚師做飯火候掌握得很好，生熟、軟硬恰到好處，這就是「中」；同時也是一個和的高手，各種各樣的調料比例掌握得也好，最後端出一盤很好吃的菜來。

交響樂的指揮也是「中」「和」的高手，不同的樂器有不同的音色，同時演奏的時候，達到非常和諧的效果，這就是「和」；快慢、强弱、音量的大小等都很適度，這就是「中」。

治理國家也是一樣。一個皇帝，他的能力可能不是最強，即使是某一方面能力很強，也不可能每個領域都精通。怎麼辦呢？就必須重用人才，也就是能夠把不同能力的人調和在一起。

關於漢高祖劉邦，有一個很有名的故事。劉邦在剛剛打敗了項羽之後，在洛陽的南宮請功臣們一起吃飯。劉邦就講了這樣一番話：「列侯諸將無敢隱朕，皆言其情，吾所以有天下者何？項氏之所以失天下者何？」意思是說：你們大家不要有所隱瞞，跟我講一講，為什麼我劉邦得了天下，而項羽失去了天下呢？當時高起和王陵兩個人就站起來跟劉邦講：「陛下慢而侮人」，陛下這個人對人很傲慢、很不尊敬；「項羽仁而愛人」，項羽對別人很仁愛。但陛下攻城掠地，凡是能夠得到的好處都和我們這些將軍們、功臣們共享；而項羽嫉賢妒能，雖然對你表面上很客氣，但實際上如果你功勞太大，他就擋著你不讓你繼續立功，怕你搶了他的風頭，又或者你能力太強，他就會懷疑你。陛下之所以能夠得天下，是因為您能夠和大臣們同甘共苦，而且能夠讓大臣們分享搶了天下的好處。

高祖的回答很有意思。他說「公知其一，未知其二」，他說你們只看到了事情的表面而沒有看到事情的實質。「夫運籌策帷帳之中，決勝於千里之外，吾不如子房」，就是制定重大的戰略，應該先幹什麼再幹什麼，應該和誰結盟、和誰翻臉等等，這種運籌能力沒有人能比得過張良，我也不如他。「鎮國家，撫百姓，給餽饟，不絕糧道，吾不如蕭何」，如果說搞後勤工作，能夠安撫百姓，能夠源源不斷地徵兵來補充軍隊，這方面我不如蕭何。「連百萬之軍，戰必勝，攻必取，吾不如韓信」，真正在戰場上打仗，能夠根據戰場上瞬息萬變的局面做出正確判斷，攻城掠地，戰無不勝，這方面我不如韓信。劉邦說這三個人都是人傑，我之所以得天下就是因為得到了張良、蕭何和韓信這三個人。劉邦接著說，「項羽有一范增而不能用，此其所以為我擒也」，項羽只有一個人才就是范增，但是還不用，這就是為什麼項羽打了敗仗。

這裡劉邦提出了一個非常重要的問題，就是他打天下靠的不是他本人的能力而靠的是他會用人，而會用人就是「和」。劉邦最大的本事，就是能夠根據不同的人的不同才能，把他們放到最恰當的位置，發揮最大的作用。

如果你要是讀《史記·高祖本紀》，你會經常看到劉邦說四個字——「為之奈何」？「為之奈何」就是怎麼辦？劉邦自己沒主意，總問「為之奈何」。問誰呢？問張良、問蕭何、問韓信、問陳平。

高祖手下的大功臣都不是出身特別高貴的人，像韓信衣食不周，自己解決不了吃飯問題，寄居於下鄉亭長的家裏和向漂母乞食。張良出身稍好一點，但也是一個沒落貴族，在秦時也沒什麼社會地位。蕭何就是一個縣政府的秘書。曹參就是一個管監獄的獄吏。灌嬰是個賣布的布販。樊噲是個殺狗的狗屠。周勃就是一個編織業者，編一些籃子什麼之類的賣，跟劉備差不多，還有就是趕上誰家有喪事，周勃去吹小喇叭賺一點錢。

這些人雖然出身都不高，但各自有各自的才能，劉邦能夠把他們放在自己的周圍，發揮他們的才幹，三年反秦、四年滅楚，最後得了天下。當然這些人也很幸運，趕上了一個風雲際會的時代，又跟對了人。

從這個事情，我們可以看到「和」的重要。你光靠一個人的能力是不行的。項羽這個人幾乎是戰無不勝，在烏江自刎之前，他說：我大小七十餘戰從未一敗。一個從來都沒有打過敗仗的人，怎麼最後丟了天下呢？因為他不會「和」，不會用人。

關於儒家「中」和「和」的概念就講到這兒了。下一堂課會講儒家的「禮、樂、正名」等概念。

第二十九講 ❖ 儒家思想(六)
禮樂、正名、仁

Chapter. 29　Confucianism (6) Rites and Music, Proper Titles, and Benevolence

大家好，咱們今天接著講儒家思想的幾個重要概念——禮、樂、正名和仁。

上一堂課，咱們講了一下「中」與「和」。中國人非常注重中庸，也非常注重和而不同，這些儒家思想塑造了中國人的思維方式。「禮」和「樂」在現代社會不怎麼提了，但在古代，這也是兩個非常重要的概念。中國一講說這個國家不行，官員都腐敗了，民間風氣也敗壞了，就會說這個國家「禮崩樂壞」。孔子還講「克己復禮」，所以「禮」在儒家的地位是非常重要的。

十一、禮、樂

如果按照宗法等級分封制來說，天子和諸侯之間是大宗和小宗的關係，但屬於同一個家族。諸侯和大夫也是大宗和小宗的關係，也是一個家族。大夫和士之間也是如此。這樣看來，天子和諸侯之間，諸侯和大夫之間，大夫和士之間都是親戚，只是親疏遠近不同。諸侯每年要到都城去祭祀祖先，祭祀之後有宴會。祭祀屬於「禮」，宴會上要奏樂和舞蹈。祭祀的時候，周天子為大司祭。「禮」的莊重維護了周天子的權威。而宴會上的樂舞和酬酢往來，增進了諸侯之間的家族情感。在這里，我們可以看到禮樂在維持宗法制度和等級制度上的作用。

所以當周天子失德，他在家庭中就失去了大家的尊敬。到了西周末年，周天子的軍事實力也不行了，這就必然會出現一個結果，叫作「禮崩樂壞」。也就是說大家不再重視這樣的家庭親情和倫理。咱們假如說天子強行立了小老婆生的兒子做天子，那麼正妻所生的兒子現在去做諸侯，他們是不可能服氣這樣的周天子的。

到了孔子的時代，大家都習慣了不拿天子或諸侯當回事兒了。本來天下大事是應該由天子決定，在一個諸侯國之內的大事應該由諸侯來決定，但是春秋時期非常普遍地出現了諸侯欺淩天子、大夫欺淩諸侯的現象。在儒家看來，這當然就是違禮的。

我們前面講孔子生平的時候，曾經講過「八佾舞於庭」，季氏作為一個大夫，卻違禮用了天子的依仗，對孔子來說這是不可容忍的，所以孔子說：「八佾舞於庭，是可忍，孰不可忍也」。

孔子一生都在努力恢復周代的制度，也就是從恢復「禮樂」著手。他有一個非常著名的說法叫「克己復禮」。在《論語·顏淵篇》中記載，顏淵問孔子什麼叫「仁」，子曰：「克己復禮為仁。一日克己復禮，天下歸仁焉」，也就是說，如果能夠克制自己的慾望，恢復周禮，天下自然也就恢復了仁愛。顏淵又問：具體怎麼做呢？孔子說：「非禮勿視，非禮勿聽，非禮勿言，非禮勿動」，也就是說不符合禮的就不要看、不要聽、不要說，也不要動。

但我們這裡要清楚，「禮樂」在這裡只是一種手段，孔子的目的不是為了「克己復禮」，而是為了「天下歸仁」。孔子在探求禮樂背後的意義時講了這樣一句話：「人而不仁，如禮何？人而不仁，如樂何？」(《論語·八佾篇》)如果一個人心中沒有仁愛，那麼要禮和樂又有什麼作用？

在《史記》中有《禮書》和《樂書》，就是專門對禮和樂制度進行記錄和探討，其中有這樣一句話,「樂者,天地之和也;禮者,天地之序也」,音樂展現的是天地之間的和諧,而禮展現的是天地之間的秩序。

在《樂書》中又講「樂者為同,禮者為異,同則相親,異則相敬」。大家知道,禮是一種尊卑秩序,但如果一個國家只講尊卑,上位的人和下位的人之間沒有交流的話,那就變成了一種有點像古代印度的種姓制度,把人分成多少等級,婆羅門、剎帝利、吠舍、首陀羅,不同等級之間不能夠通婚,甚至不能夠接觸,這個社會就是一個分裂的社會。

中國人就要平衡這種關係,避免社會分裂。在尊卑秩序外,還要設計等級之間的交流方式,這個方式就是通過「樂」。所以「禮」和「樂」是成對兒出現的,有點相生相剋的感覺。「禮」是分別,我跟你不一樣;「樂」是說我和你雖然不一樣,但我們可以和諧地相處。

禮和樂還有一個作用,就是對人的身體健康有好處。「禮」的主要作用是約束人的慾望,一個人可能想縱情聲色,那麼「禮」對人的慾望就起到約束的作用。但如果人的感情不能夠得以抒發,人也會生病。中醫不是講七情傷身嗎?不同的情感可能對不同的臟器會有傷害,象喜傷心、怒傷肝、恐傷腎等等。這時人需要把鬱積的感情抒發出來,這對人的健康有好處。這個抒發的過程也是通過樂。

所以對樂有一個要求叫「樂而不淫,哀而不傷」,無論是歡樂還是悲傷都不要過分。所以在這個地方,禮和樂又起了另外一對互相平衡的作用。禮是壓抑你的情感和慾望,樂是抒發你的情感和慾望,但抒發的時候又要有節制。

總結一下,「禮」和「樂」對於一個人的健康,對於維繫社會秩序都有著很重要的作用。

我們之前講孔子生平的時候曾經說過孔子是殷人,是紂王庶兄微子的後

裔。周代開國不久，在周武王駕崩以後，周公輔政期間發生了三監之亂。我們前面講過，不再重複細節。周公平息叛亂之後，為了安撫殷人，就決定把一些殷商的舊貴族帶到周的都城去。具體的工作就是負責禮樂、祭祀。所以孔子作為微子的弟弟微仲的第14代孫，一定是對禮和樂很有研究，因為祖上一代一代就是這樣傳下來的。而且孔子也講「周因於殷禮」，周代的禮是從商代的禮發展過來的。

十二、正名

說完了禮樂之後我們再說一下「正名」。孔子第一次講「正名」是因為他的子路說衛國的國君想問治理國家應該從什麼地方著手？孔子就「必也正名乎」，首先得從「正名」開始。子路不理解，就說：是這麼嗎？老師怎麼這麼迂腐啊？孔子一聽生氣地責怪子路說「野哉由也！」子路你這個沒教養的人！「由」是子路的名。「野」是住在城外、沒有受過教育的人。然後孔子說：「君子於其所不知，蓋闕如也。」意思是君子碰到了不知道的事，就閉嘴不說話。接著孔子就講了一段非常有名的話，「名不正，則言不順；言不順，則事不成；事不成，則禮樂不興；禮樂不興，則刑罰不中；刑罰不中，則民無所措手足」，意思就是如果你要是沒有相應的頭銜，那麼你講話就沒人聽；你講話要是沒人聽，事情就做不成；事情做不成，禮樂就不會興起；禮樂不興起，刑罰就不會適度；刑罰不適度，老百姓就不知道做什麼才好。

孔子在這裡講了一個道理：一個人必須有一個職務或頭銜，這個職務或頭銜會帶來相應的權力和義務。同時不同的名銜對人有不同的道德約束。比如孔子講「君君臣臣，父父子子」，這並不是一味地強調君權，大臣應該對國君怎麼怎麼尊敬，而是要求君要像君的樣子。因為你的名是「君」，是這個國家的主人，那麼你做事情就得像一個國家主人的樣子，這就叫「名正言順」。同樣道理，大臣要有大臣的樣子，父親像父親，兒子像兒子。不論是君、是臣、是父、是子，和這個名號伴生的是對你的道德要求,所以作為一個國君應該仁愛,作為一個大臣應該忠誠,作為父親應該慈愛,作為一個兒子應該孝順。這就是孔子講的正名,要名實相符。

那麼如果一個人達不到這些道德要求怎麼辦呢?在《孟子》裡有這樣一段對話。齊宣王問孟子:「成湯伐桀、武王伐紂,這樣的事情真的發生過嗎?」孟子說,「史書上是這樣記載的」。齊宣王就問:「成湯和周武畢竟是臣,桀和紂畢竟是國君,作為一個大臣應該忠於國君,而你作為一個大臣去討伐國君,這不是以下犯上嗎?」孟子回答說,「賊仁者謂之賊,賊義者謂之殘,殘賊之人謂之一夫,聞誅一夫紂矣,未聞弒君也」,意思是什麼呢?如果一個國君不能夠做到仁愛,做事不符合道義,那麼他根本就不是一個國君,只是空頂著國君的名,也就是名不符實。當你壞到這種程度的時候,你實際上只是一個獨夫民賊而已。所以孟子說,「聞誅一夫紂矣,未聞弒君也」,就是說我只知道一個叫紂的獨夫民賊被殺了,沒聽說過弒君這回事。所以孔子講的「正名」,就要求你一定盡到道德上的義務。

十三、仁

下面我們來說一下「仁」。「仁」在儒家的五常「仁義禮智信」中處在首位。什麼叫作「仁」呢?馮友蘭的書裡把「仁」稱為全德,就是一個道德完善的人。

孔子在許多地方都解釋過「仁」,但每次解釋得都不一樣。比如他的學生樊遲問孔子:什麼叫「仁」呢?孔子說:「仁者先難而後獲,可謂仁矣」,一個人吃苦在前、享樂在後,就可以稱他為仁。

還有一次樊遲又問這個事。估計可能他聽不懂,又來問孔子什麼叫「仁」,孔子乾脆就給了他一個特別簡單的回答,就是「愛人」。後來樊遲又問什麼叫「智」,孔子說「知人」。樊遲還是不懂,孔子說,「舉直錯諸枉,能使枉者直」,就是你讓一個好人去管理一些不太好的人，他就會把壞人也變成好人。孔子的話現在變成了一個成語，叫「仁者愛人」，但如何愛人，卻不象字面這麼簡單，一會兒我們再深入談。

樊遲問仁的時候孔子說「仁者愛人」，那後來子張再問孔子什麼叫「仁」，孔子說，「能行五者于天下為仁矣」，能夠具備五個方面的美德就可以稱為仁了。哪五個方面呢？孔子說「恭、寬、信、敏、惠」，恭就是對別人要尊敬；寬是對別人要寬容；信就是講話要有信用；敏就是做事情要勤快；惠就是能夠去關心別人，給別人帶來好處。如果能做到這五個方面也就是「仁」了。

後來顏淵也問孔子什麼叫仁，孔子回答說，「克己複禮為仁，一日克己復禮，天下歸仁焉」。他給顏淵的回答叫「克己復禮」，給樊遲的回答叫「愛人」，給子張的回答就是「恭寬信敏惠」。

孔子另外一個學生仲弓也問仁，孔子回答「己所不欲，勿施於人」，你自己不喜歡的，就不要給別人。所以你看孔子有很多很多關於仁的解釋。還有一個叫司馬牛的學生問仁，孔子回答說：就是說話小心點。不知道司馬牛是不是經常口不擇言，所以孔子說你說話小心點就是仁了。

孔子有一次跟學生曾參說「吾道一貫之」。曾參說知道了。後來等到曾參從孔子房間出來的時候，就有人問他孔子的話是什麼意思。曾子曰：「夫子之道，忠恕而已矣」，說老師講的無非就是忠恕之道。

孔子給了很多不同的回答，不知道大家是不是有點聽糊塗了。通俗地講，「仁」就是愛人。怎麼愛呢？包括兩個方面，一個方面叫「推己及人」。孔子說：「己欲立而立人，己欲達而達人」，就是說我想要的東西，我也幫助別人得到，比如說我喜歡吃糖，那我也把糖分給別人吃；我希望有很好的社會地位，那麼我也可以儘量的去提携別人；我想明白真理，「達」就是我也把我知道的真理告訴給別人，這就叫推己及人，也叫「忠道」。什麼叫作「恕道」呢？就是忠道的反面。忠道是我喜歡的我也給你，那麼我不喜歡的我就也不給你，所以「恕道」就是「己所不欲，勿施於人」。用我們現在的話來講，說是可以換位思考或者說是具有同理心，把自己放到對方的位置上去體會對方的感受。所以孔子講的愛人其實也就是做事為對方著想。

孔子講了愛人，但孔子沒有講為什麼要愛人。在孔子看來，這也許是一個不證自明的問題。因為孔子不講神，所以也就沒有為「愛人」找一個理由。

愛人的出發點其實是因為愛神。我們知道《聖經》裡講過耶穌的一段經歷。當時耶穌在耶路撒冷的神廟裡，法利賽人為了給耶穌出難題，就聚在一起商量。其中有一個人是律法師，就是對經典研究得很透徹的人。他要試探耶穌，就問耶穌：律法上的誡命哪一條是最大的呢？因為摩西從上帝那裡接受了十誡，律法師問十誡中哪一條最重要。這其實是個陷阱，因為哪條都重要，都是上帝規定的。那麼耶穌怎麼回答的呢？耶穌說：「你要盡心、盡性、盡意，愛主你的神，這是誡命中的第一，且是最大的」，十誡之中最最重要的，就是愛神，這是第一點。耶穌接著說：「其次也相仿，就是要愛人如己」。

所以耶穌把摩西十誡分成了前面的四誡和後面的六誡。前面四誡講的是人與神的關係，後面六誡講的是人與人的關係。先要有人與神的關係，然後才能定義人與人的關係。這就回答了為什麼要愛人的問題。因為我們都是神造的，那就像是在神之下的兄弟姐妹一樣。一個大家庭中大家應該互相關愛，因為別人也是神造的，你尊重他也就是尊重神所造的這個人，其實也就是尊重神。所以從愛神開始，然後才有愛人。

當然這種愛不是無條件的愛。孔子說「唯仁者能好人，能惡人」。什麼意思呢？孔子非常討厭一種人，就是好好先生。孔子稱他們為「鄉願」，是「德之賊」，就是殘害道德的人。為什麼呢？這一批人八面玲瓏、四處討好，好像是誰都不得罪，見到壞人也不敢得罪，而恰恰是因為他們的姑息與縱容才成了壞人行惡的土壤。

其實回過頭來看美國現在的情形也是這樣。有一批人仇恨美國、仇恨美國的憲法、仇恨美國的猶太基督教傳統，仇恨另外一個族群。在這種情況下，很多人在壓力面前，不敢表達自己真實的想法，不敢說出真正正確的理念，不敢指出對方的偽善，反而一味地逢迎和討好。他們名義上是右派，其實跟那些社會主義者和共產主義者同流合污。這種人表面上看起來跟誰的關係都處得不錯，但其實他們在社會的敗壞上，起到了推波助瀾的作用。

英國有一個哲學家叫Edmund Burke，他曾經講過一句話，「All that is necessary for the triumph of evil，Is that good men do nothing」，邪惡能夠勝利的唯一條件就是好人什麼也不做。但丁也說過，「地獄裡最炙熱之處是留給那些在出現重大道德危機時保持中立的人」。善惡之間沒有中立，當一個人在善惡之間說我保持中立的時候，他已經在成全惡人的行為了。伏爾泰說「雪崩時沒有一片雪花會感到有責任」，也有人翻譯成「雪崩時沒有一片雪花是無辜的」，就是因為這千千萬萬的雪花一塊兒造成了雪崩的態勢。

2020年9月份，紐約時報、華爾街日報等大媒體都報了一個大新聞：川普政府準備全面限制中國的共產黨員來到美國。很多人就覺得這是一種株連政策。只要是共產黨員你就不讓來美國，可是中國的共產黨員有9000萬之多，難道人人都是罪大惡極、十惡不赦嗎？你能這麼去說嗎？

但是你要知道川普為什麼要做這樣的一個規定。這也有先例，就像在二戰之後，如果你曾經加入過納粹，哪怕你沒有做過什麼事情，你要移民來美國，美國都不會要你。為什麼呢？當時我在我的臉書頁面上貼了這樣一段話——「有人說共產黨是很壞，但是壞的是那些高官們，普通黨員為什麼要陪綁？我要說，恰恰是這些人待在黨內，壯大了這個黨幹壞事的膽量。也許9000萬黨員中只有90萬是大壞蛋，壞事全是他們幹的，但如果今天中共就是這90萬，而不是9000萬黨員，它就絕不敢幹這麼多壞事。」也就是說，雖然你可能沒幹壞事，但是你身在這個黨內，你跟這群壞人站在一起的時候，你已經壯大了他們行惡的勇氣，讓他們敢去做那些惡行。這就像剛才講到的，在雪崩的時候沒有一片雪花是無辜的。

所以什麼叫做真正的愛人？在儒家中有一個說法，我覺得非常準確，叫「君子之愛人也以德」。子貢曾經問孔子：什麼叫好人？如果一個人在鄉裡邊的人都喜歡他，人人都說他好，這個人是好人嗎？孔子說不一定。然後子貢又說，那鄉裡邊的人都討厭他，難道就是好人嗎？孔子說也不一定。子貢就問，那什麼樣的人才算是好人呢？孔子說：鄉裡面的好人喜歡他，鄉裡面的壞人害怕他，這才是一個好人。也就是說，實際上你對好人要好，但是對壞人要嚴厲。當然你倒不是因為恨這個壞人，而是對於他壞的行為，要告訴他去糾正過來。所以《禮記》裡說「君子之愛人也以德，細人之愛人也以姑息」，君子真正對一個人好，就是讓對方做一個好人。如果要是小人對別人好，就是縱容對方幹壞事。

所以真正對一個人好，就不能縱容他的惡行。我們必須知道，善惡的標準不是人定的，而是神定的。當一個人做了壞事，他一定會將來遭到報應。當你縱容他做壞事的時候，他壞事越做越多，將來的惡報就越慘烈。所以你要真對他好，就要告訴他不要做壞事，我覺得這才是真正對一個人好。

所以你會看到，現在美國的左派將吸毒合法化、男女同廁等等，表面上好像是在對吸毒者或者性別漂移者寬容，但其實是在害他們。因為你覺得好，但神覺得不好，而最終大家都要面對神的審判。那種可怕的結果，會是他自己和縱容他的人都不想看到的。所以這就是我想強調的，你真正的愛人就要「愛人以德」。

今天咱們這堂課就說到這了。下堂課我們繼續講儒家其它的思想。

第三十講 ❖ 儒家思想(七) 義和知命

Chapter. 30 Confucianism (7) Righteousness and Resignation to Destiny

大家好，咱們今天接著講儒家思想的兩個重要概念——義和知命。我把這兩個概念合在一起講，因為二者有點像相生相剋的關係。「禮」和「樂」是一對兒，「義」和「知命」也是一對兒。

十四、義與知命

「義」在儒家五常「仁義禮智信」中排在第二位，也是強調得比較重的概念。圍繞著「義」有一些成語，象「捨生取義」、「義不容辭」等等。什麼叫「義」呢？字典上的解釋就是「應該」。這個事情應該做，你去做了，這就叫「義」。

怎麼去判斷一件事應不應該做呢？孔子講：「君子喻於義，小人喻於利」，就是君子從道德上去判斷，而小人在利益上去算計一件事情該不該做。這就是君子和小人的區別。

所以儒家的「義」指的就是一件事情如果在道德上是對的，那麼你就應該努力去做。當然你努力去做，也不見得就一定能做成。咱們中國人都知道一句話，叫「謀事在人，成事在天」。因為一件事成不成，人是很難控制的，但是只要在道德上衡量應該去做，你就盡心盡力地做，但不要執著於它的結果，成與不成歸於「天命」。

我們來看一個具體的例子。孔子的生活其實很不如意。他在列國之間顛沛流離，被人誣衊、被人嘲笑，甚至有人要殺他，最後他在外飄蕩了十四年，一無所獲回到魯國。在《論語·憲問》中說有一個隱者嘲笑孔子，說他「知其不可而為之者」，就是明明知道這個事情做不成，但他還是要去做，在隱者看來，孔子不是傻嗎？做不成為什麼還要做呢？

那麼孔子是否知道他的奔波是徒勞的，他對國君的勸說是徒費口舌的呢？孔子知道。在《論語·微子》中孔子的弟子子路說，「君子之仕也，行其義也，道之不行，已知之矣」，意思是君子出仕做官只是為了推行自己的政治理想，做一件正確的事，至於說這事兒不可能成功，我們早就知道了。

這裡孔子的態度很豁達。他做事不是從結果考慮，不會因為肯定失敗就不去做了，恰恰因為這件事情應該做，所以我不管成不成，都要竭盡全力去做，至於結果，則是歸於天命的。所以孔子說：「道之將行也與？命也。道之將廢也與？命也。」大道到底能不能推行這一切都取決於天命。懂得了「天命」的道理，就叫「知命」。

在儒家看來「不知命無以為君子」，意思是如果一個人不懂得天命，那麼他就不能夠被稱為君子。馮友蘭曾經講過這樣一番話：

我們的活動要取得外在的成功，總是需要這些條件的配合，但是這種配合整個的看來卻在我們能控制的範圍之內，所以我們能夠做的莫過於一心一意的盡力去做我們知道是我們應該做的事情，而不計成敗，這樣做就是「知命」。要做儒家所說的君子，知命是一個重要的必要條件，所以孔子說「不知命無以為君子」……

這樣做的結果，我們將永不患得患失，因而永遠快樂。所以孔子說：「知者不惑，仁者不憂，勇者不懼。」（《論語·子罕》）又說：「君子坦蕩蕩，小人長戚戚。」

(《論語·述而》)

小人總怕自己的利益受到傷害，患得患失，怕得不到利益，得到了又怕失去。而君子將一切歸於天命，所以會活得非常坦蕩，而且沒有什麼憂慮。

很多人認為相信天命，會讓人消極。如果從孔子對「義」和「天命」的解釋，我們就會看到，相信天命不但不會讓人消極，反而會讓人豁達；而懂得了「義」，人會更加積極地行動。馮氏進一步解釋說：

由此看來，知命也就是承認世界本來存在的必然性，這樣，對於外在的成敗也就無所縈懷。如果我們做到這一點，在某種意義上，我們也就永不失敗。因為，如果我們盡應盡的義務，那麼，通過我們盡義務的這種行動，此項義務也就在道德上算是盡到了，這與我們行動的外在成敗並不相干。

在當今社會中，也有這樣一批人，像法輪功學員在為自己的信仰自由和平抗爭。看起來，鎮壓法輪功的中共非常強大，那麼你的抗爭到底有多少勝算呢？從這個角度來考慮的人就會說：算了算了，別跟他們扯了，自己知道好就完了，不要再去大聲疾呼了。這就是沒有理解儒家的「義」，因為按照「義」的定義就是我不管能不能成，但是我不能夠允許你做這樣侵犯人權的事，或者我不能允許你這樣污蔑佛法，所以我必須要抗爭，因為在道德上這麼做是對的。至於成與不成、什麼時候能成，這些事情歸於天命。所以法輪功學員才能做而不求結果。因為不求結果，他們才能堅持20多年仍不放棄。

我記得在2009年，當時有個人競選紐約市的一個職位。那個人具體是誰，我就不提了。他自己是台灣來的，但卻一直想方設法地討好共產黨。當時這個人競選的職位很高，搞得聲勢也挺大。我在做電視直播節目的時候，有人就打電話進來，說你們這麼反對誰誰誰，但是我看他很快就要贏得選舉了，你們這兒空談，一點用都沒有。那個人就嘲笑了我們一番，很得意。當時是直播節目嘛，他挂斷了電話，我就回答說：「你怎麼能夠因為一件事情成與不成，再決定這件事該不該做呢？我在這裡做這個節目、說這番話只是因為這些話應該說，這個人做的壞事應該讓選民知道。」

在中國古代有很多這樣的「知其不可而為之」的人。他們留下了很多感人的事跡。有一個人很好地實踐了義與知命。他就是文天祥。

文天祥少年得志，人長得特別高大帥氣。《宋史》中描寫他「體貌豐偉，美皙如玉，秀眉而長目，顧盼燁然」，皮膚象玉一樣白，眉清目秀而且眼睛炯炯有神。

文天祥畫像

「年二十舉進士」「帝親拔為第一」，二十歲的時候就中了狀元。《宋史》中說「平生自奉甚厚，聲伎滿前」，經常在家看歌舞，平時很注重生活質量。

後來蒙古人鐵騎南下，進攻臨安。朝廷詔天下義士勤王，文天祥在接到皇帝的詔書之後經常捧著詔書痛哭流涕。他的朋友勸他「今大兵三道鼓行，破郊畿，薄內地，君以烏合萬餘赴之，是何異驅群羊而搏猛虎」，意思是蒙古大軍分成三路敲著鼓往南邊打，已經攻破京城，進入內地。你現在手下只有一萬人，又是臨時湊的，沒有任何戰鬥力。你帶著這樣的士兵去和蒙古鐵騎較量，不就像一群羊和猛虎去打一樣嗎？

文天祥回答說「吾亦知其然也」，我也知道是這麼回事。「第國家養育臣庶三百餘年，一旦有急，徵天下兵，無一人一騎入關者，吾深恨於此，故不自量力，而以身殉之」。我們大宋養育大臣300多年，現在朝廷有難，向天下徵兵，但大家都覺得去也沒用，於是大家都不去，這實在是太可悲了。怎麼辦呢？我來帶一個頭。我也不能考慮自己的實力和安危，如果我這一去意味著戰死，那就死吧。「庶天下忠臣義士將有聞風而起者」，也許我的死能夠讓天下的忠臣義士聽到後也挺身而出。如果大家都能夠這樣做，江山社稷還能夠保得住。

於是文天祥就變賣了所有家產，召集義士跟他一起去打仗。當然他不可避免地失敗了，畢竟他一個書生如何戰勝橫掃歐亞大陸的蒙古鐵騎呢？

後來文天祥被俘。蒙古宰相孛羅就質問文天祥說「爾立二王，竟成何功？」你不是想匡扶江山社稷嗎？你先後立了兩個皇帝，現在怎麼樣，你做成了什麼沒有？文天祥說「立君以存宗社，存一日則盡臣子一日之責，何功之有？」我立國君無非是盡大臣的義務而已，哪有什麼居功自傲的資格呢？

孛羅就問他：「既知其不可，何必為？」你明明知道立一個就完蛋一個，為什麼還非得立不可？文天祥回答說，「父母有疾，雖不可為，無不下藥之理，盡吾心焉，不救則天命也」，這就像父母生病一樣，明明知道得的是絕症，吃藥也沒用了，但是子女怎麼可以不給父母熬藥呢？只不過是盡我自己的一點心罷了。如果他最後撒手人寰了那也是天命。「今日天祥至此，有死而已，何必多言？」我就是被你抓到了，你要殺就殺，別跟我那麼多廢話。

孛羅想殺文天祥，但是左右的人都不同意。這樣就把文天祥關起來了。這時文天祥的妻子和女兒也被蒙古人抓到了，被賣到宮裏邊為奴隸。文天祥在獄中接到了女兒的一封信，講她在宮裏受的那些苦。

我們今天講到「義」，就是「應該」。什麼叫應該？他作為一個父親，應不應該照顧她的女兒?當然應該。作為一個大臣應不應該為國盡忠?當然也應該。當兩個東西都不能夠兼得的時候,你就要考慮你到底應該做什麼。這種情況在西方世界裡邊叫ethical dilemma道德困境,就是兩個都對,你選哪一個?這時能夠顯出一個人的氣節來,就是他能區分「義」的大和小。什麼才是大義?應該如何取捨?

文天祥就給女兒回了一封信,「人誰無妻兒骨肉之情,但今日事已如此,於義當死,乃是命也,奈何!奈何!」我也很心疼女兒啊,看你受苦我也捨不得,但是國家的形勢到了這個地步,作為我一個宰相來說,從義出發,我只能以身殉國,這就是我們的命啊。奈何!奈何!我也沒有辦法呀!他給他的女兒寫詩說,「癡兒莫問今生計,還種來生未了因」,就不要想今生的事情了。

最後元世祖忽必烈親自出面勸降,文天祥也不肯。忽必烈問文天祥到底想要什麼,文天祥說只求一死。開始忽必烈還是捨不得殺,左右大臣都要殺,最後斬文天祥於北京菜市口。

文天祥臨死之前南向再拜,就是向原來南宋都城臨安的方向再拜而死。臨死的時候,他說「吾事畢矣」,我的事情做完了。

大家想想,他說的這句「吾事畢矣」。他到底什麼事情做完了?文天祥的死對於他個人來說、對於國家來說,都是沒有意義的。他的死救不了他的妻子兒女,他的死挽救不了大宋的江山,那他的死到底有什麼意義呢?就好像是一個無可奈何的人,最後失敗,不得不死了,有什麼意義呢?

但是大家想想,他的死雖然對他個人、對家庭甚至對國家都沒有意義,但是他的死對我們民族是有意義的。他的死留下了一種精神,他讓我們知道了什麼叫做「忠」,什麼叫做浩然正氣。其實一個社會江山更迭,朝代興替,都是很自然的。但在這個過程中,真正讓一個民族的生命能夠生生不息的力量在於一種精神,是這種道德的力量。

所以文天祥雖然死了,沒有挽救回大宋,但是他給我們民族留下了非常寶貴的精神財富。他用生命詮釋了什麼叫做「忠」,什麼叫作「義」。所以他最後留下的詩說,「人生自古誰無死,留取丹心照汗青」。

孔子的一生就是對義和知命的實踐。在一個禮崩樂壞的時代,孔子希望恢復周禮,希望君臣父子能過上有道德的生活,但是沒有什麼人聽從他的主張,但是他還是盡心盡力地做,因為孔子知道這件事情是應該做的。孔子的所言、所思、所行成就了他聖人的境界。換句話說,他雖然做事沒有成功,但是他做人是成功的。

這裡我也想順便談一下什麼叫成功、什麼叫失敗。如果我們要拿做事是否成功作為標準,那我們肯定覺得岳飛很失敗。岳飛沒有恢復舊山河,沒有迎回徽、欽二帝,甚至自己也被別人陷害,慘死在風波亭,他什麼事也沒做成啊。相反秦檜什麼都做成了,簽訂了紹興和議,害死了岳飛,一生榮華富貴。但你能夠因為秦檜做事成功就說秦檜成功嗎?你能夠因為岳飛做事失敗就說岳飛失敗嗎?幾十年後,岳飛的像被立在了西子湖畔的岳王廟裡,秦檜卻被鑄成鐵像,永遠跪在那裡,「青山有幸埋忠骨,白鐵無辜鑄佞臣」。

我舉這個例子是為了說明一個問題。一個人做事,可能成功,也可能不成功,這個結果我們無法控制,這里有各種客觀條件的限制、個人的能力、機緣和命運,乃至天意。但一個人做人能否成功,卻不需要外在的條件,而完全取決於我們自己。所以孔子說「仁遠乎哉?我欲仁,斯仁至矣。」「仁」離我們很遠嗎?沒有。我要想做一個仁愛的人,那麼我就可以做到。任何外在條件都無法阻擋的。

今天講了義和天命。下一堂課想給大家介紹一下儒家的另外兩個重要人物,孟子和荀子。

第三十一講❖儒家思想(八)性善性惡

Chapter. 31 Confucianism (8) Human Nature Is Good or Evil

大家好,咱們今天講儒家思想的最後一節課。先講一下「信」。

十五、信

在儒家的五常「仁義禮智信」中,「信」排在最後一位,這並不是說「信」不重要。在《論語》中有一段對話。子貢問孔子:怎樣才能夠把一個國家的政治搞好?孔子回答說:「足食,足兵,民信之矣」,要有飯吃、有軍隊、政府對老百姓講信用。子貢說:如果這三個條件中必須去掉一個的話,去掉哪一個呢?孔子說「去兵」,可以沒有軍隊。子貢說:剩下的「足食」和「信」之間如果必須去掉一個,先去哪一個呢?孔子說「去食」。「去食」就是老百姓沒飯吃,那不就餓死了嗎?孔子接著解釋說「自古皆有死,民無信不立」。所以孔子把「信」看得比生命更重要。

十六、內聖外王

儒家的學問經過漢代董仲舒的改造之後,成了官方的意識形態。我們知道在孔子剛剛提出儒家思想的時候,他主要針對的是周代那樣一個靠血緣親情來維繫的小共同體社會。漢代實現了大一統,國家變得疆域遼闊、人口眾多,在這種情況下儒家思想也要做相應的調整。董仲舒完成了這個改造後,儒家被歷代帝王所遵奉。所以有人把孔子稱為「素王」。所謂「素王」就是沒有王號、王冠和王位的王，相當於無冕之王。因為孔子雖然沒有土地、人民和王冠，但他被帝王尊稱為萬世師表，同時儒家的思想也是皇帝必須遵循的原則。

孔子以老子為師。我們在講老子生平的時候講過，孔子向老子問「禮」，又把老子比喻為一條龍，所以孔子對老子是非常尊重的。道家的理想社會是小國寡民，那麼儒家的理想社會又是什麼呢？

儒家的理想社會是「內聖外王」，就是一個人既是政治上最高掌權者，同時又是道德高尚的聖人。他的道德高度和他在世間政治地位的高度達到了統一，這就是儒家最嚮往的境界。

儒家為什麼特別推崇三代，就是大禹、成湯和周武呢？不僅僅是因為當時的政治很清明，更因為這些人是內聖外王的人。儒家的這種理想很像蘇格拉底提到的「哲人王」。蘇格拉底認為在理想國裡，應該是哲學家為王。王者的智慧明利、道德高尚，又掌握著最高權力。

在柏拉圖記載過蘇格拉底言行的《對話錄》中，提到一個概念，叫「山洞裡的囚徒」。柏拉圖認為我們所生活的世界並不是一個真理普照的世界。我們對世界的認識就好像山洞裡的囚徒。實際的情形就是一個人被關在黑暗的山洞裡，背向洞口、臉朝山洞的牆壁，身後點了一支蠟燭。他根本就不知道山洞外面是什麼，只能夠看到蠟燭火光跳動的時候在他面前牆壁上變化的投影。他對這個世界的認知是從牆壁上的投影來的。牆壁上跳動的投影跟世界的真相當然相差很大，囚徒自然也就對世界的本來面目一無所知。

那麼囚徒怎麼才能理解這個世界呢？他必須得解開束縛，走出山洞，在陽光明媚的地方睜開眼睛，才能夠看到這個世界的真實。然後，在瞭解了世界的真相後，他們還可以回來，把真實的情況講給山洞裏其他的人聽。這些真正能夠看到真理的人，就是一群哲人。當他們看到真理之後，能夠啟發別人也看到真理，這就是自覺、覺他。人先自覺，然後覺他。哲人王就是這樣覺悟的人，和儒家講的內聖外王有異曲同工之妙。

十七、孟子和荀子

我們前面主要講了孔子的生平和思想。提到儒家，還有兩個人是不能不講的，一個是孟子，一個是荀子。下面我們簡單講一下他們的生平和關於人性本善還是人性本惡的討論。

按照《史記》的記載，孟子出生在一個叫「騶」的非常小的國家，生活的年代大概在戰國的初期到中期。他是子思的門人。子思是孔子的孫子。孟子學成後就到處遊歷，曾經見過齊宣王，但齊宣王不重視他。所以後來孟子又去了梁國(梁就是魏國，因其都城在大梁，所以也稱為梁國)，見到梁惠王。梁惠王也不聽孟子的話，認為孟子講的東西非常迂腐，沒有當下的實用價值。我們知道戰國是一個諸侯爭霸的時代，所以君王喜歡的都是商鞅、吳起、孫臏、田忌之類法家或兵家人物，或者是蘇秦張儀之類的縱橫家人物。也就是君王想的都是富國強兵、合縱連橫，對於勸君王做聖人的儒家學問，他們就沒興趣。孟子轉了一大圈，沒有施展抱負的機會，只好隱退。退隱之後就和他的徒弟們一起寫書，就是我們現在看到的《孟子》[*1]。

孟子畫像

荀子畫像

荀子比孟子稍晚一些，生活在戰國後期。他是趙國人，50歲的時候到齊國去游說講學。當時齊國有很多大夫出缺，需要把一些人補進去。我們在第十一講，曾經介紹過戰國時期的一個官辦大學，叫「稷下學宮」。稷下學宮的主持人叫「祭酒」，相當於一國最高學府的院長或校長。荀卿曾經做過三次祭酒，相當於做過三屆稷下學宮的校長。後來齊國有人進讒言詆毀荀子，荀子就離開了齊國前往楚國。最開始投奔位列「戰國四公子」之一的春申君，春申君安排荀卿到蘭陵去做蘭陵令，就是縣令。後來春申君倒台了，荀卿也失去工作了，就在蘭陵定居了下來*2。

荀子有兩個徒弟非常有名，一個是李斯，一個是韓非子。這件事的古怪之處在於，荀子被認為是戰國時期最後的一個大儒，那麼一個儒家的宗師怎麼教出兩個法家的徒弟呢？這是因為荀子對於人性的看法跟法家是非常接近的，這

*1　《史記·孟子荀卿列傳》：孟軻，騶人也。受業子思之門人。道既通，游事齊宣王，宣王不能用。適梁，梁惠王不果所言，則見以為迂遠而闊於事情。當是之時，秦用商君，富國強兵；楚、魏用吳起，戰勝弱敵；齊威王、宣王用孫子、田忌之徒，而諸侯東面朝齊。天下方務於合從連衡，以攻伐為賢，而孟軻乃述唐、虞、三代之德，是以所如者不合。退而與萬章之徒序詩書，述仲尼之意，作孟子七篇。其後有騶子之屬。

*2　《史記·孟子荀卿列傳》：荀卿，趙人。年五十始來游學於齊。……齊尚修列大夫之缺，而荀卿三為祭酒焉。齊人或讒荀卿，荀卿乃適楚，而春申君以為蘭陵令。春申君死而荀卿廢，因家蘭陵。

個問題我們一會兒再講。後來荀卿也是覺得世事太渾濁了,於是也像孔子一樣在隱退之後就寫下了一本書。這本書就是《荀子》。後來荀子也被埋葬在了蘭陵。

十八、性善性惡

剛才說到大儒荀子為什麼教出來李斯和韓非子兩個法家代表人物,這就涉及到對人性善惡問題的看法。

一說到儒家,很多人都知道儒家主張人性本善,但其實「人之初,性本善」的說法不是來自於孔子,而是來自於孟子;而荀子則認為人之初,性本惡。所以在儒家內部也有性善與性惡之爭。

這兩種理論的來源是什麼呢?孟子有一種理論叫作「四端說」,指的是人天生就具備「仁義禮智」這四種美德。既然這是天生美德,所以他認為「人之初,性本善」。具體論證是這樣的。孟子說:現在有人看到一個小孩掉到井裡去了,在那兒拼命呼救,一般人碰到這種情況,本能的第一反應就是馬上會奔過去把小孩撈出來。當你這樣做的時候「非所以內交於孺子之父母也」,不是為了和他的父母交朋友;「非所以要譽於鄉黨朋友也」,也不是為了在朋友和鄰居之間有一個好名聲;「非惡其聲而然也」,也不是說聽到呼救的聲音,感情上受不了。人做出救人的決定時,沒有那麼多想法,就是自然的反應。所以孟子說:「由是觀之,無惻隱之心,非人也」,就是你看小孩掉進去你心裏邊不忍,這叫惻隱之心。沒有惻隱之心的,就不是一個人。孟子接著推理說「無羞惡之心,非人也;無辭讓之心,非人也;無是非之心,非人也」,你要不知道什麼是好壞,不知道謙讓,不知道廉恥,那麼你就不是人。

孟子說「惻隱之心,仁之端也」,看見別人受苦自己心中不忍,這種「仁」的美德就是從惻隱之心中發揚出來的;「羞惡之心,義之端也」,人的羞恥感,是從

「義」裏發展出來的;「辭讓之心,禮之端也」,你跟別人之間要客氣,能夠儘量把好處讓給別人,這就派生出了「禮」;「是非之心,智之端也」,你知道對錯,這就是「智」的來源。人天生就有惻隱之心、羞惡之心、辭讓之心、是非之心,所以人就從這四種心中派生出「仁義禮智」來,這就是為什麼孟子認為人性本善。孟子還說人有這四端,就像是人有四肢一樣,都是天生的,這就是「性善論」的來源。當然孟子也沒有說人性中沒有惡,他認為那些不屬於人性,而是屬於獸性。人有人性、有獸性,人性屬於善,獸性屬於惡,這是孟子的說法。

荀子跟孟子完全相反。荀子說「人之性惡,其善者偽也」,一個人一出生就是個大壞蛋。為什麼呢?因為人喜歡好吃的,喜歡聲色犬馬,喜歡財富、地位、美人等等,這也是天生的。荀子說這就是人性。那麼人為什麼還會做好事呢?荀子說 「其善者偽也」,就是說人做好事其實都是裝的。這個「偽」大家可以看到,它是左邊一個「人」右邊一個「為」,所以在這個地方「偽」可以理解為「人為」,也就是人不是出於本性,而是克制自己的本性,才去做好事的。所以「善」是後天人為的結果。所謂「人為」,就是用禮去約束人的惡,這樣人表面上看起來就變成了好人。這就是荀子的說法。

我們知道儒家是非常注重教育的。《孟子》認為人性本善,所以教育的目的是為了發揚人性中的善,讓人的行為符合「仁義禮智」;荀子認為人性本惡,所以教育的目的是為了壓抑人性中的惡。所以孟子是積極的,發揚人的善;荀子是消極的,他要壓抑人心中的惡。荀子認為「禮」就是壓抑人心中之惡的一種有效的手段。

其實如果你仔細讀荀子的書,你會發現荀子的理論是自相矛盾的,因為荀子回答不了的一個問題:既然用「禮」來約束人心中的惡,那麼「禮」是從哪來的呢?荀子說是從聖人那兒來的。你再問荀子,聖人到底是性善還是性惡呢?荀子說,「堯舜之與桀跖,其性一也;君子之與小人,其性一也」,意思是堯舜的人性和桀(夏朝最後一個國君)、跖(一個大強盜,叫盜跖)的人性沒有什麼分別。也就是說,聖人的人性也很壞,跟那些最壞的人沒什麼區別。那麼我們就要問,如果聖人是個大壞蛋,那聖人又如何制定出來「禮」來約束人性之惡呢?

所以我們看到荀子的哲學從一開始就有一個致命的缺點。那麼有了這個致命的缺點,當然就可以推出一些非常荒謬的結論。什麼結論呢?這就是為什麼荀子帶出了兩個法家弟子。

荀子認為人性本惡,需要用「禮」來約束。李斯和韓非子就走得更遠,認為用禮是約束不住的。既然你說善是「偽」、是人為的,那咱也就別裝了。既然大家都是壞人,那就只有一個辦法來對付,就是「以惡制惡」,我就用嚴刑峻法來嚇唬你。所以這就是法家的思想來源,認為人性本惡,而且只能以惡制惡。

那麼在儒家講的是「禮」;法家講的就是「刑」。在儒家看來,治國是既需要禮,也需要刑,也就是既需要道德上的約束,同時又需要法律的制約。

很多人說儒家歧視地位低的人,叫「刑不上大夫,禮不下庶人」,針對大夫你就得客客氣氣的,不能夠去懲罰他;對於庶人,你就不用對他客氣,因為他不懂得「禮」。其實這完全是對儒家思想的一種誤讀。

我先解釋一下什麼叫「刑不上大夫,禮不下庶人」。在《孔子家語》中曾經有這樣的一段對話,孔子的弟子冉有問孔子一個問題,說「先王制法,使刑不上於大夫,禮不下於庶人,然則大夫犯罪,不可以加刑,庶人之行事,不可以治於禮乎?」意思是説先王制定法律的時候規定了不能對大夫用刑,不能對庶人那麼客氣,難道大夫犯罪就不用負責任,庶人做事就不需要禮的約束嗎?孔子說「不然」。為什麼呢?因為像大夫這樣的人屬於貴族,曾經受過教育,有廉恥羞惡之心,所以這種人其實你不用對他施以刑罰,當他做錯的時候,你跟他說你做錯了，他自己也知道。你說你懲罰一下自己吧，他就會自己懲罰自己，所以不需要外在的用刑。

我們知道過去有一種說法「為尊者諱」，什麼意思呢？孔子說：「故古之大夫，其有坐不廉污穢而退放之者，不謂之不廉污穢，而退放，則曰，簠簋不飭」，就是說如果一個大夫不廉潔，貪污受賄，我們不用「貪污」這個詞，太難聽了，而是說他「簠簋不飭」，就是東西沒整理好。「有坐婬亂、男女無別者，不謂之婬亂、男女無別，則曰帷幕不修也」，如果有人非常淫亂，我們就叫帷幕不修，就你床上的床帳沒放好。「有坐罔上不忠者，不謂之罔上不忠，則曰臣節未著」，對國君不忠也太難聽了，咱們就說他沒有盡臣節。「有坐罷軟不勝任者，不謂之罷軟不勝任，則曰下官不職」，如果一個人他能力不行被免除了職務，就說他下面的人辦事不力。如果干擾國家的法紀之類，「則曰行事不請」，就是做事沒有事先請示。所以你會看到當時的儒家有為尊者諱的習慣。

但是這樣做是有一個前提的，就是你幫助大夫隱藏他的錯誤的時候，他知道你是照顧他的面子，內心會有一種羞恥感。怎麼處罰呢？首先先要派人去責備他，然後賜給他一盤水，上面放一把劍。幹嘛呢？讓他自己來請罪。如果他罪非常大的話，「聞命則北面再拜，跪而自裁」，如果他的錯誤犯得很大，就讓他向北面磕頭，然後自殺。「君不使人捽引而刑殺」，對於大夫這種人就讓他自殺算了，就是客客氣氣的，但是你犯了這麼大的罪也是要判死刑的，但是不會派那些獄吏們像老鷹捉小雞一樣，把你抓起來往地上一摔，一劍把腦袋砍掉，那對他來說就是一種侮辱。

所以「刑不上大夫」並不是不處罰大夫，而是因為看到你有廉恥羞惡之心，讓你自己來處罰自己，並不是真的刑不上大夫。「禮不下庶人」也是指庶人因為沒有錢，也沒有那麼多時間講究那些禮節，所以對他們也就不做這方面的要求。

在孔子之前，君子和小人之間的界限是以血緣來劃分的，貴族的兒子叫作君子，庶民的兒子叫作小人。那麼到了孔子以後，君子和小人的分別就以道德來劃分：道德高尚的叫君子，道德低下就叫小人。孔子說「君子學道則愛人；小人學道則易使也」，孔子認為無論是君子和小人，不管你是貴族還是平民，其實你都應該受教育。受教育之後，你就有了廉恥羞惡之心。

有一次孔子到武城去玩兒，武城是魯國的一個小城市，聽到有人彈琴唱歌，「夫子莞爾而笑」，於是孔子就露出了笑容。孔子曰「割雞焉用牛刀」，殺雞為什麼用殺牛的刀呢？意思是武城這麼小的地方難道還用禮樂去治理它嗎？這不就是殺雞用牛刀了嗎。他的弟子子遊（名言偃）說，「昔者，偃也聞諸夫子曰，君子學道則愛人，小人學道則易使也」，您過去不是告訴我們不管是君子還是小人，不管是貴族還是平民，都應該學道嗎？孔子回答說，「二三子，前言戲之耳」，意思是：學生們，言偃的話是對的，我剛才是在開玩笑。

從這個故事我們也可以看到，到了孔子的時候，對庶人也開始用禮樂教化，這其實是提高了對庶人的要求，把庶人當作貴族來對待。

今天我們講了一下關於性善性惡的問題，講了一下君子小人之別，而且孔子主張不管是君子還是小人、不管是貴族還是庶人都應該學道。

關於儒家思想，我們就介紹這麼多了。從下一節課開始我們介紹一點兵家的思想。

第三十二講 ❖ 兵家思想(一) 孫子生平

Chapter. 32 The School of Military Thought (1) The Life of Sun Tzu

大家好。今天咱們開始講兵家思想。我覺得對一個正常的國家來說，儒家和兵家缺一不可。儒家思想主要用於在和平時期治理社會；而兵家思想主要用於戰爭，因為一個國家不可能永遠都是太平盛世，總會發生一些衝突，不管是國家內部的衝突還是跟周邊國家的衝突。所以在中國，一直有很多人在研究和發展兵家思想。《孫子兵法》就是人類歷史上現在能夠發現的最早的、最系統的兵書。我們今天介紹一下孫子的生平和他寫兵法的時代背景。

一、孫子生平

孫子出生在春秋末期，和老子、孔子、釋迦牟尼都是同一個時代的人。這時春秋五霸，就是齊桓公、宋襄公、晉文公、秦穆公、楚莊王已經相繼衰落了。在中國的東南方崛起了兩個強大的國家，分別是吳國和越國。除了寫《孫子兵法》之外，孫子的另一個主要成就是幫助弱小的吳國滅掉了強大的楚國。當然這個過程很短暫，楚國後來很快就復國了。吳國在春秋以前和中原國家很少互相往來，但建立吳國的人跟建立周王朝的是同一個祖先。

周文王的名字叫姬昌，他的父親叫季歷。姬昌出世的時候，姬昌的爺爺就認為姬昌將來一定是能夠光大周族的人，所以就很想把首領的位置傳給姬昌。但如果要傳給姬昌，就必須先傳給季歷。可季歷又有兩個哥哥，一個叫泰伯，一位叫仲雍。泰伯和仲雍知道父親想把首領的位置傳給三弟，於是他倆就跑到了吳地，而且斷髮紋身，就是把自己的頭髮剪斷，在身上刺上花紋，表示自己屬於蠻族。這樣等於他們主動放棄了繼位資格。吳泰伯建立吳國，傳了19代以後，傳到了壽夢的手中。

當時天下的形勢發生了很大的變化。我們知道春秋的初期和中期基本上是中原國家之間的爭霸。到中後期，最大的兩個國家是晉國和楚國。這兩個大國不斷地交戰。後來晉國為了牽制楚國，就派了一個叫申公的人到吳國。我們看地

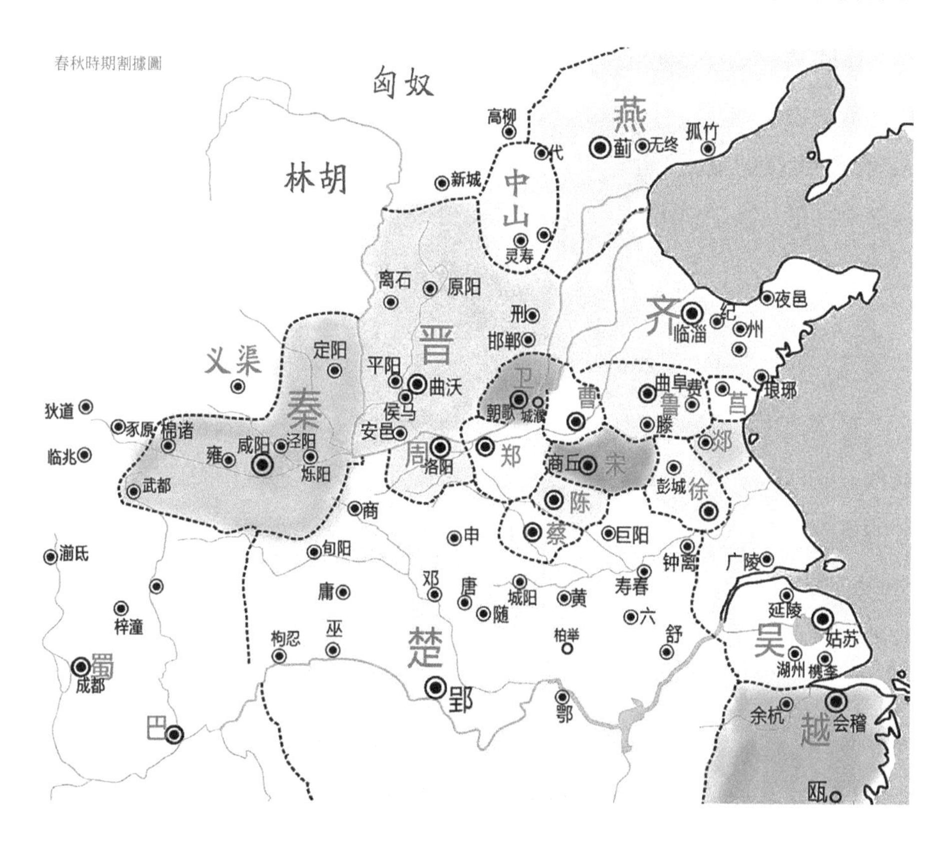

春秋時期割據圖

圖就知道，吳國在楚國的東面。晉國想通過吳國牽制楚國，讓楚國在東面和北面兩線作戰[*1]。當然楚國也不甘心示弱，就聯絡了吳國南面的越國去牽制吳國。這樣吳越之間也有很多矛盾。孫子就是在這樣的情況下來到了吳國。

孫子畫像

孫子來到吳國是因為伍子胥的推薦。伍子胥是楚國人，父親和哥哥被楚平王殺死了。伍子胥歷經千辛萬苦逃到吳國，想要借兵滅楚，為父兄報仇。這時吳國的國君叫王僚，沒有同意伍子胥借兵的請求。後來伍子胥就幫助王僚的堂兄弟公子光發動了一場政變。整個過程非常曲折，驚心動魄。我在《笑談風雲》第一部《東周列國》裡面講得非常詳細。伍子胥找了一個叫專諸的刺客，刺殺了王僚，把公子光扶立為吳王。公子光改名闔閭。伍子胥由於立下大功，闔閭就很信任他。但以當時吳國的領土面積、人口和經濟實力，跟楚國是沒法較量的。於是伍子胥就向闔閭推薦了孫子去訓練吳國的軍隊。

在《史記》中關於孫子生平的記載非常簡略，大概內容如下。孫子是齊國人，後來不知道因為什麼跑到了吳地，寫下了兵法十三篇。由於孫子和伍子胥是好朋友，伍子胥就把孫子的兵書送給闔閭。闔閭讀了之後大為讚賞，就想見一見孫子。這樣孫子就來到了吳王的身邊。

*1 《史記·吳太伯世家》：壽夢立而吳始益大，稱王。……大凡從太伯至壽夢十九世。……王壽夢二年，楚之亡大夫申公巫臣怨楚將子反而奔晉，自晉使吳，教吳用兵乘車，令其子為吳行人，吳於是始通於中國。吳伐楚。十六年，楚共王伐吳，至衡山。

最開始吳王對戰勝楚國沒有太多的信心，因為戰爭拼的是國家的實力，人多、地方大就容易取得勝利。所以闔閭說我們吳國人這麼少，怎麼跟楚國打呀？孫子說：即使是女人，我也可以把她變為戰士。所以在《史記·孫子吳起列傳》裏有一段故事叫美姬演陣。闔閭覺得很驚奇，就把180個宮中的美人交給孫子訓練。孫子把美人們分為兩隊，以吳王最心愛的兩個美人為隊長。孫子告訴她們說，打仗的時候會擊鼓，如果聽到鼓聲，你們就怎麼怎麼辦。比如要往前，你們就看著心的方向；往左，看左手的方嚮；往右，看右手的方向等等。孫子問美人們聽懂了沒有，美人都說聽懂了[*2]。

孫子就開始擊鼓。這些美人們平時都穿著綾羅綢緞，突然間穿上士兵的衣服，戴上盔甲，手裡拿著武器，都覺得這是一個遊戲，就不當回事，嘻嘻哈哈地也不聽孫子的指揮。孫子說，第一次你們不聽指揮，算是主將的過錯，就是我沒有把命令說清楚，現在我再把命令重說一遍。說完以後，美人們又說聽懂了。孙子就命令鼓吏再度擊鼓，這些美人們還是嘻嘻哈哈。估計她們可能也不怎麼把孫子放在眼裡，有的人可能就走錯了路線了或者是做了什麼可笑的事情，大家就笑成一團。孫子非常憤怒，把鼓吏推到一邊，親自擊鼓，但美人們嘻笑如故。孫子說，已經三令五申，如果士兵還不聽將令就應該斬首。180個人不能都斬首，孫子就把為首的兩個隊長綁了起來[*3]。

---

*2　《史記·孫子吳起列傳》：孫子武者，齊人也。以兵法見於吳王闔廬。闔廬曰：「子之十三篇，吾盡觀之矣，可以小試勒兵乎　？」對曰：「可。」闔廬曰：「可試以婦人乎？」曰：「可。」於是許之，出宮中美女，得百八十人。孫子分為二隊，以王之寵姬二人各為隊長，皆令持戟。令之曰：「汝知而心與左右手背乎？」婦人曰：「知之。」孫子曰：「前，則視心；左，視左手；右，視右手；後，即視背。」婦人曰：「諾。」約束既布，乃設鈇鉞，即三令五申之。

*3　《史記·孫子吳起列傳》：於是鼓之右，婦人大笑。孫子曰：「約束不明，申令不熟，將之罪也。」復三令五申而鼓之左，婦人復大笑。孫子曰：「約束不明，申令不熟，將之罪也；既已明而不如法者，吏士之罪也。」乃欲斬左右隊長。

吳王正在遠處的高台上看著，突然看見兩個美人被綁起來要處斬，嚇了一大跳，趕緊派了一個使臣拿著君王的符節跑到孫子面前，說吳王已經知道將軍執法嚴明，但這兩個美人是大王最心愛的，如果沒有她們，大王連飯都吃不下，請不要將這兩個美人斬首。孫子說：「臣既已受命為將，將在軍，君命有所不受」。我們知道，一個將軍在指揮戰鬥的時候，戰場上的形勢是瞬息萬變的。作為將軍來說，必須得根據當時戰場的形勢快速做出決定，調整他的部署，所以這時候就不能聽國君的，因為國君哪知道戰場上的情況啊。所以將在外，君命有所不受。

孫子就把兩個美人給斬了。之後又提拔了兩個美人來做隊長，這一次再擊鼓的時候，她們再也不敢笑了，進退都完全按照孫子所劃定的路線，而且悄然無聲。孫子去見吳王說：軍隊已經訓練好了。這支軍隊就算赴湯蹈火，也不會猶豫，請大王來閱兵。吳王心裡很不痛快，悻悻地說：算了吧，將軍請回去休息一下，寡人不想看。孫子說，大王好像只喜歡我寫的書，具體執行的時候您就不高興了。但闔閭還是知道孫子有能力，後來讓孫子領兵，最後五戰入郢，滅掉了楚國[*4]。在《孫子·吳起列傳》裡對孫子生平的介紹大概就是如此。

二、《孫子兵法》的時代背景

在春秋之前也有一些人對用兵規律做了一些總結，但現在傳下來的兵書不知是真是假，也可能是後人的偽作；同時也沒有一些非常具體的可操作的戰法等等，像傳說中的三略六韜之類的都屬於哲學性質的探討，可操作性比較差。

*4 《史記·孫子吳起列傳》：吳王從臺上觀，見且斬愛姬，大駭。趣使使下令曰：「寡人已知將軍能用兵矣。寡人非此二姬，食不甘味，願勿斬也。」孫子曰：「臣既已受命為將，將在軍，君命有所不受。」遂斬隊長二人以徇。用其次為隊長，於是復鼓之。婦人左右前後跪起皆中規矩繩墨，無敢出聲。於是孫子使使報王曰：「兵既整齊，王可試下觀之，唯王所欲用之，雖赴水火猶可也。」吳王曰：「將軍罷休就舍，寡人不願下觀。」孫子曰：「王徒好其言，不能用其實。」於是闔廬知孫子能用兵，卒以為將。西破強楚，入郢，北威齊晉，顯名諸侯，孫子與有力焉。

孫子所生活的時代正好是春秋末期，戰爭的形勢發生了很大的變化。我們知道春秋戰國時期，中國的政治、經濟、文學、哲學、軍事等都發生了非常大的、甚至可以說是革命性的變化。今天我們從四個方面談在軍事方面的變化，包括武器的變化、攻守戰術的變化、兵源的變化和戰爭目的的變化。

我們先說第一個變化，也就是武器的變化。春秋末期，軍隊開始使用鐵質武器和一些新式武器。我們知道在鐵器時代以前是青銅時代。青銅時代從夏朝就開始了，經過了商和西周，到了春秋時期開始出現鐵器。我們知道銅的熔點比較低，只要1083攝氏度就可以變成液體，然後進行鑄造。但是銅比較軟，所以不太適合於做武器。最初青銅器主要是做禮器和祭器，就是祭祀或者宴會用的。很多出土的文物是在夏朝鑄造的。青銅器不能夠廣泛地用於戰爭，而且當時的戰爭規模也相當小。

春秋末期，冶鐵的技術成熟起來了。鐵的熔點非常高，要1538攝氏度才能夠把鐵燒成鐵水，但到了900度以上，鐵就會變軟。在春秋的時候就有這種鍛鐵的技術，把鉄燒軟了之後砸，砸完再燒，然後再砸再燒，過去說百煉成鋼，就是要反復反復地這樣鍛打。鐵在地球上的含量要遠遠多於銅，鐵礦石比較便宜就可以開採。這樣在春秋時期就出現了大量的鐵器。很多農民種地，過去用的都是那種木質農具，到了春秋時期開始出現鐵製農具，而且已經相當的普及。當時的人不僅可以煉鐵，而且還用滲碳法煉鋼，所以在春秋後期就出現了很多非常著名的鑄劍師。我們知道干將、莫邪和他倆的老師歐冶子，都是春秋時期的鑄劍師。

1965年在湖北出土了一把劍，上面有八個鳥篆銘文「越王勾踐自用之劍」。越王勾踐離現在差不多2500年了，真的像傳說中似的，當時能夠鑄出來神兵利器。那把劍埋在土裏2500年，一點都沒有生銹，拔出劍鞘的時候依然寒光閃閃。一打複印紙，用那劍一劃就可以把紙劃開。所以當時的鑄劍技術已經非常的先進了。

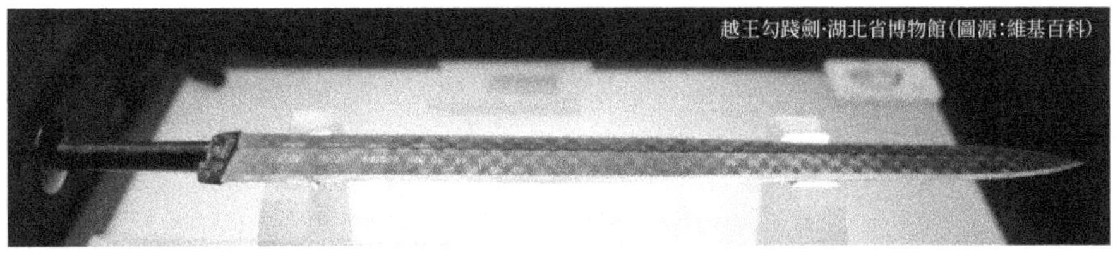
越王勾踐劍·湖北省博物館(圖源:維基百科)

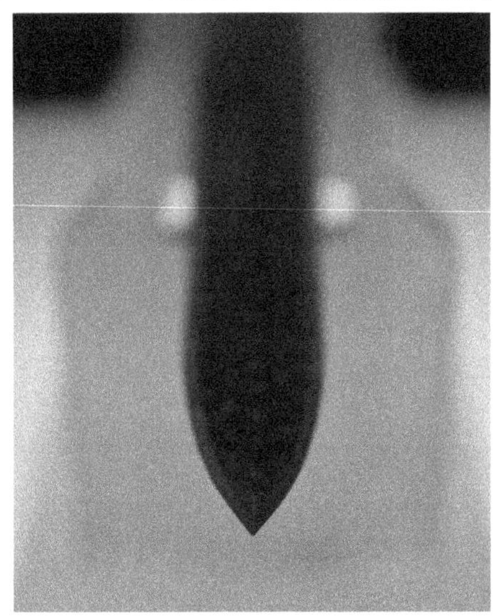

同時還發明了一些新的武器,比如說像弩這樣的遠射型武器。弩不是用臂力拉開的,而是用腳踩的。當時生產弩最厲害的國家就是韓國,就是洛陽附近的韓國。韓國的弩最遠可以射800米。相當於美國的半英里呀。

這就帶來了戰爭形態的變化。大家可以想像一下,過去打仗的時候,大家都拿著比較軟的青銅武器,或者都拿著木棍之類,那肯定不會殺傷太多。隨著鐵器的發明,戰鬥中的武器殺傷力就很強了。還有像弩的發明,必然戰爭中會造成大量傷亡,這是春秋時期戰爭形態的變化。

攻守戰術也發生了變化。春秋時期和春秋以前,戰爭是以車戰為主。車戰就是用兵車作戰,四匹馬拉一輛車,車上有三個人。一個是趕馬車的;還有一個拿著戈矛的，屬於近距離攻擊武器；還有一個拿著弓箭的，屬於遠射型的武器。一輛兵車，車上三個人，後面跟著步兵72人，這就是75人了，再加上25個負責後勤運輸的。這樣一輛兵車的標準配備是100人，這就叫兵車一乘。春秋時期，兵車一乘大概就是100個人。像齊國這樣大國，叫「千乘之國」，大概有士兵10萬人而已。

到了戰國時期，戰爭就不以車戰為主，而改為騎兵。士兵全都騎在戰馬上。我們知道趙武靈王胡服騎射，讓趙國的騎兵戰鬥力很強。秦國的騎兵也是非常厲害的。所以兵種也發生了變化。

春秋末期，開始有大量的攻城戰，所以挖地道，用水攻、用火攻之類的，攻城的戰術也逐漸成熟起來。

再有一個就是兵源的變化。在春秋時期，打仗其實是貴族的事情，一般老百姓想打仗都沒機會的。因為打仗需要自備武器鎧甲和後勤補給，一般百姓沒錢也裝備不起。所以那時候打仗主要是靠國人。我們前面說過，在西周時期管一個城市叫做一個國，住在城裡邊的就叫作國人，住在城外的人就叫野人。中國第一次有歷史紀年的事件是公元前841年的「國人暴動」，就是由於周厲王做事太過分，堵老百姓的嘴不讓大家批評他，所以國人就發動了一場政變把厲王趕走了。為什麼叫「國人暴動」呢？就是因為參與暴動的是當時生活在城裡的人，叫國人。所以當時打仗主要是國人的義務，跟野人沒有關係。

我們可以想像一下，貴族之間打仗是講「禮」的。我們在講儒家思想的時候，闡述過一個概念叫「宗法等級分封制」，就是天子嫡長子作天子，其他的兒子做諸侯；諸侯的嫡長子做諸侯，其他的兒子做大夫。所以你會發現天子和諸侯之間是親戚，諸侯和大夫之間也是親戚，那麼諸侯和諸侯之間不也是親戚嗎？這就有點像第一次世界大戰之前的歐洲，各個國家的國王都是親戚，互相通婚。

既然是親戚,那麼諸侯之間的戰爭就非常有節制。所以春秋時期的戰爭,不是以兼併對方的土地、掠奪對方的人口和財富為目的的,而是因為,比如說某個諸侯不聽天子的號令或者做了什麼失德的事,其他的諸侯來打他。打他本身不是目的,而是為了讓他改正錯誤,所以主要是為了聲討他的罪過,而不是為了兼併他的土地。真的打起來,也比較克制,雖然大家動了兵器,但是盡量避免重大的人員傷亡。甚至當時諸侯之間的戰爭有一種君子約定,打仗之前先商量好咱們哪天哪天打,在什麼地點打,屬於「約架」的性質。你說我沒空,咱們換個日子打,這都行。所以打仗更多的是一種「禮」——軍禮。

所以春秋以前的戰爭,時間都非常短。像晉楚城濮大交兵,就是晉文公和楚國交戰,還有齊桓公跟楚國的戰爭,都是屬於超級大國之間的戰爭。打一天也就打完了,所以當時的戰爭時間非常短暫。

但是到了春秋末期和戰國時期,戰爭的目的就發生了變化,不再是為了聲討對方的罪過,只就是為了兼併土地、殺戮人口和掠奪對方的財富,所以戰爭的規模擴大了。參與戰爭的就不僅僅是貴族,更多的是野人。野人是沒有受過教育的,特別是秦在商鞅變法之後「尚首功」,就是砍掉一顆敵人的腦袋就賜爵一級。當時秦是20等級的爵位,砍一個腦袋就賜爵一級,你就可以立軍功成為貴族。所以野人在參戰以後,殺戮就非常慘。

公元前683年,還是春秋早期,宋襄公和楚成王之間有一個泓水之戰。當時楚國的軍隊開到泓水的對岸,宋襄公在泓水的這一面。當楚兵開始渡河的時候,宋襄公身邊的謀士目夷就跟宋襄公說:趕快趁著敵人還沒有完全過河,把先過河的敵人先消滅了!宋襄公說:這不符合禮,咱們得等敵人把軍隊完全渡過河之後再說。敵人就順順當當過河了。過河之後,敵人開始鬧鬧轟轟地排隊,然後目夷又跟宋襄公講,說趕快打呀,現在敵人隊伍沒排好,咱們衝過去就可以把他們打敗了!宋襄公說不行啊,這不符合禮,得等敵人站好隊之後再說。結果敵人站好隊之後衝過來,宋國根本就抵擋不住。宋襄公本人還受傷了,大腿上中了一箭。咱們現在看宋襄公覺得他特別迂腐,但當時貴族頭腦中的戰爭就是這樣彬彬有禮的。

戰國時期就沒那麼多說道了,所以大家可以看到戰國的一場戰爭動輒殺人幾萬甚至幾十萬。《史記》中有秦將白起的殺戮記錄:秦昭王13,白起開始領兵了,第二年攻韓、魏,斬首二十四萬;後來攻魏的時候斬首十三萬;和趙國作戰時,殺死了二萬人扔到河裏;然後攻韓的陘城斬首五萬;最後在長平之戰,前後斬首趙國45萬人[*5]。所以光白起一個人,在戰場上就殺了至少七、八十萬人,這個數字是非常可怕的。

既然戰爭不講禮節,以打贏為第一目的,所以各種詐術和權謀也就相繼出現。這就是《孫子兵法》出現的背景。從春秋末期到戰國時期,出現了很多研究兵法的人,比如孫子、吳起、尉繚子、司馬穰苴、孫臏等等。孫子無疑是其中最傑出的一位。下一節課我們會介紹一些《孫子兵法》中的思想。

*5　《史記·白起王翦列傳》:昭王十三年,而白起為左庶長,將而擊韓之新城。是歲,穰侯相秦,舉任鄙以為漢中守。其明年,白起為左更,攻韓、魏於伊闕,斬首二十四萬,又虜其將公孫喜,拔五城。......昭王三十四年,白起攻魏,拔華陽,走芒卯,而虜三晉將,斬首十三萬。與趙將賈偃戰,沈其卒二萬人於河中。昭王四十三年,白起攻韓陘城,拔五城,斬首五萬。四十四年,白起攻南陽太行道,絕之。......括軍敗,卒四十萬人降武安君。武安君計曰:「前秦已拔上黨,上黨民不樂為秦而歸趙。趙卒反覆。非盡殺之,恐為亂。」乃挾詐而盡阬殺之,遺其小者二百四十人歸趙。前後斬首虜四十五萬人。趙人大震。

第三十三講❖兵家思想(二)
必以全爭於天下

Chapter. 33 The School of Military Thought (2)
With Forces Intact, Contending for All Under Heaven

上一次課，我們講了一下關於孫子的生平和《孫子兵法》出現的歷史背景，今天介紹孫子的一些思想，主要講四個小問題，第一個問題是關於戰爭與政治的關係；第二個是孫子的「必以全爭于天下」的全勝思想；然後我們會簡單說一下孫子如何通過運用各種戰術達到戰勝的目的；最後簡單說一下軍隊的管理和後勤保障。

兵法是一門博大精深的學問，而且真正在戰爭中應用的時候會有很多很多的變化，所以一個人如果只是拘泥於書本上的理論，不一定真的能夠打贏戰爭，甚至可能會造成很嚴重的悲劇，就像「紙上談兵」的趙括那樣。我們這門課也只是講一下孫子思想的框架，很難深入地去講。我們會用一些戰例來解釋孫子的一些思想到底是什麼意思。

一、戰爭是政治的延續

首先說一下戰爭和政治的關係問題。西方有一本非常有名的著作叫《戰爭論》，作者是克勞塞維茨(1780-1831)。他提出了一個重要的觀點：戰爭是政治的延續。《孫子兵法》一開始也提到了這個問題。

一般來說，作為一國之君是不願意打仗的，因為這不僅僅會造成重大的人員傷亡和財產的損失，更重要的是你根本不知道能不能打贏。战场上是有很多偶然因素的。比如說你什麼都算到了，但突然之間天氣的變化，也會給你造成很大困擾。就像二戰的時候，本來希特勒打蘇聯很順利，打到莫斯科的時候，突然間天氣變得非常寒冷，德軍的軍服不夠，大量士兵被凍傷，甚至坦克都發動不起來。當年拿破崙也是打莫斯科的時候遇到嚴寒的天氣。就是說，戰爭中有很多不可測的因素，會給戰爭的結果造成決定性的影響。我們在《笑談風雲》第一部《東周列國》的第一集，就講了關於幾個突如其來的大風，或者反季節的大風，逆轉了戰場上的形勢。

通常來說一個國家都有鷹派和鴿派，軍人基本上是鷹派，主張用戰爭來解決問題。但真正的政治家，一定會把戰爭作為最後的選項，不到萬不得已是不會開戰的，也就是說政治家在考慮戰爭的時候是把它放到整個國家大的政治環境中去決策的。

孫子雖然是一位百戰百勝的將軍，但他也是要儘量避免戰爭的。《孫子兵法》開篇的第一句話就說「兵者，國之大事，死生之地，存亡之道，不可不察也」，也就是說戰爭是一個國家最大的事情，涉及到人員的傷亡，所以一定要非常謹慎。孫子的認識跟老子是一脈相承的。《道德經》中說：「兵者，不祥之器，非君子之器，不得已而用之。」就是國家與國家之間的戰爭是最後的手段，在窮盡所有的和平手段，包括經濟、外交以及其它的手段之前不要輕起戰端。

在戰爭之前孫子講要進行廟算。當時人認為國家最大的事情有兩件——「國之大事，唯祀與戎」，祀就是祭祀，戎就是戰爭。做這兩件事情之前都要在宗廟裡占卜。除了占卜之外，還要召開軍事會議，這就叫作「廟算」。孫子提出要謹慎的考慮「五事」和「七計」。所謂「五事」就是「道、天、地、將、法」。孫子這裏說的

「道」和老子講的「道」不一樣，和孔子講的「道」也不一樣。孫子指的是國君是否得民心。「天」指的是天氣；「地」是地形；「將」是將領的素質；「法」指的是軍隊的管理。他講的五事就是「道、天、地、將、法」。「七計」指的是計算和比較七個方面，分別是「主孰有道？將孰有能？天地孰得？法令孰行，兵眾孰強？士卒孰練？賞罰孰明？」就是看兩邊的國君誰更得民心；兩邊的將領誰更有能力；誰更得天時和地利之便；誰的法令更加嚴明；誰的兵眾戰鬥力更強；訓練得更純熟；是否賞罰分明。通過這七個方面的比較，大概就知道戰爭中誰能打贏了。

四、「必以全爭於天下」的「全勝」思想

戰爭會造成重大的人員和財產損失，那麼孫子就提出了一個非常重要的思想——「必以全爭於天下」的「全勝」思想。一般人認為打仗百戰百勝的人就是特別牛的人，但孫子認為不是。中國古代有一個人打仗就是百戰百勝，他的名字叫項羽。項羽在烏江自刎之前，他說「我自起兵以來大小七十餘戰，從未一敗」。但他的軍隊卻越打越弱，最後兵少食盡，自刎於烏江。所以百戰百勝的將軍並不是最好的將軍。

孫子說「是故百戰百勝，非善之善者也；不戰而屈人之兵，善之善者也」，就是你沒有打就解決了問題，這才是最了不起的。

孫子主張在戰爭中儘量避免殺戮。他說：「主不可以怒而興師，將不可以慍而攻戰，怒可以復喜，慍可復悅，亡國不可以復存，死者不可以復生，故明君慎之，良將警之，此安國全軍之道也」。也就是說一個國君不能因為自己生氣就發動戰爭，一個將領不能因為自己生氣就發動攻擊，這樣會造成很多人員的死亡。人死了之後就再也不能復生了，一個國家被滅亡之後就很難再復國。所以孫子說不管是明君還是良將，都要非常謹慎地對待戰爭。

孫子提到「全勝」思想還是針對當時的情況。春秋戰國時期還是冷兵器時代，軍隊的殺傷力是有限的。

在現代社會，如果一旦發生全面戰爭其實就沒有贏家了，勝的一方一定是慘勝，敗的一方可能就從地球上被抹掉了。我們知道，從二戰後期開始有了核武器，反而人類就沒有再發生大規模的戰爭，因為那將意味著整個人類的毀滅。

根據2019年的數據，全世界的核武器一共是13890枚，實際上只部署了3750枚。這些核武器有的部署在陸地上，有的部署在潛艇中，有的部署在轟炸機上。美國和俄羅斯的核武器都具有「二次打擊」的能力。所謂「二次打擊」就是說敵人發射核武器把我方整個國家都炸平了，我方仍然能夠有足夠的核武器進行報復，把敵方的國家也炸平。

比如說如果有國家一旦向美國發射核武器，只要警報一響，所有攜帶核武器的飛機馬上升空。這樣即使炸平了美國本土，在空中的核武器也能夠保存下來。美國俄亥俄級的核潛艇可以攜24枚導彈，加上核彈頭就是24枚核武器，馬上會潛入到深海。等到核打擊過去之後，它們可以在水下發射核武器，進行核報復。所以如果真的發生核戰爭的話，所有的國家都會被核武器炸毀。人類的核武器可以把地球毀滅幾次的。

核武器的威力非常巨大。它經過了三代的發展。第一代核武器就叫原子彈，指的是通過原子核的裂變釋放出的能量。這種武器在實戰中只用過兩次，就是二戰後期美國轟炸廣島和長崎。這種原子彈是非常髒的，因為它爆炸之後會產生放射性的污染，連水、土壤之類的都會被污染，糧食等一切都會被污染。所以通常來講一個地方被核爆之後，需要至少幾十年的時間才能夠恢復。這是第一代核武器。

第二代核武器是聚變武器，是用氫聚變成氦的過程中釋放出巨大的能量。

地球上的重水就是含有重氫元素，含量非常豐富。一公升海水提取出來的重水（重氫），聚變後釋放的能量大概相當於300公升的汽油。所以其實核聚變的能量在地球上幾乎是取之不盡的，但是核聚變的速度難以控制。

核聚變只有在極高的溫度和壓力下才會發生，一般化學能是不足以引發核聚變的，必須先爆炸一顆原子彈。利用原子彈爆炸所產生的熱量和壓力才能夠引發聚變反應。這就是第二代核武器。第二代核武器比第一代核武器稍微乾淨一點，沒有那麼大的放射性污染，但它畢竟還是需要靠原子彈引爆，所以氫彈也是比較髒的。

第三代核武器叫中子彈。中子彈不是靠爆炸產生的衝擊波來摧毀建築和殺人，而是靠爆炸之後釋放出的高速中子流去摧毀人的血細胞和神經系統。所以一顆中子彈爆炸後，整個地面上所有的建築、樹木等都完好無損，但所有的動物全部死掉，所有人全部死掉，這地方就變成鬼城了。你看每一個房間所有的物品都是完好無損的，只有人都被高速的中子流殺死。

中子彈是前三代核武器裡面最乾淨的，它的當量大概只相當於氫彈的十分之一，這就是人類開發的第三代核武器。

第四代核武器正在開發。這一代核武器是最乾淨的，是用高速的激光引發聚變反應。美國現在開發第四代核武器就是用192束激光打到一個點上，讓這個點產生高溫高壓，模擬出象太陽的那個環境，誘發核聚變。第四代就不是靠原子彈爆炸來誘發核聚變，而是靠激光來誘發。

現在因為世界上有禁止核實驗的條約，所以各個國家都沒辦法去試驗第四代核武器，只能實驗室中，用超級計算機去模擬它。

如果真的要打核戰爭就非常可怕。給大家講一件事情。人類現在爆炸的最大當量的核武器，是1961年10月30號，前蘇聯在北冰洋的新地島爆炸了的沙皇炸彈。它的當量是5700萬噸TNT。5700萬噸TNT是個什麼概念呢？就是把二戰時期爆炸的所有炸彈的總和加在一起，再乘以10。我們知道，二戰打了六年，當時轟炸倫敦、轟炸東京、轟炸柏林等等，幾乎歐亞參戰國家的大城市都被炸平了。所有二戰時爆炸的炸彈加在一塊再乘10，才相當於這一顆氫彈爆炸的當量。

沙皇氫彈爆炸的時候，產生的火球半徑達到了4600米，並且迅速擴散到投擲的高度，在將近1000公里以外的地方都可以看見這個火球。當時產生的蘑菇雲寬40公里，高64公里，相當於珠穆朗瑪峰海拔高度的七倍還多。咱們知道一般民航客機的飛行高度是大概10000米，氫彈爆炸的蘑菇雲就高64000米。爆炸產生的熱風甚至讓遠在170公里以外的人受到三級灼傷。好比在紐約曼哈頓島炸了一個核彈，費城那邊的人都燒傷了。爆炸的閃光能造成220公里以外的人

眼睛劇痛和灼傷，甚至造成白內障或者是失明。你在紐約炸一個炸彈，巴爾的摩看見的人都失明了。

爆炸時在爆炸點的正下方產生了每平方英寸300磅的壓力。雖然是在空中爆炸的，但美國測到地表發生了5到5.25級的地震，數百公里內的木造房屋全部毀掉，只有磚造和石造的房屋殘留，但是門窗和屋頂都被強風吹走。爆炸後的電磁脈衝波足足造成了一個小時的無線電通訊空窗期。所有通信全部中斷大概一個小時。

大型核爆比較圖(圖源：rferl.org)

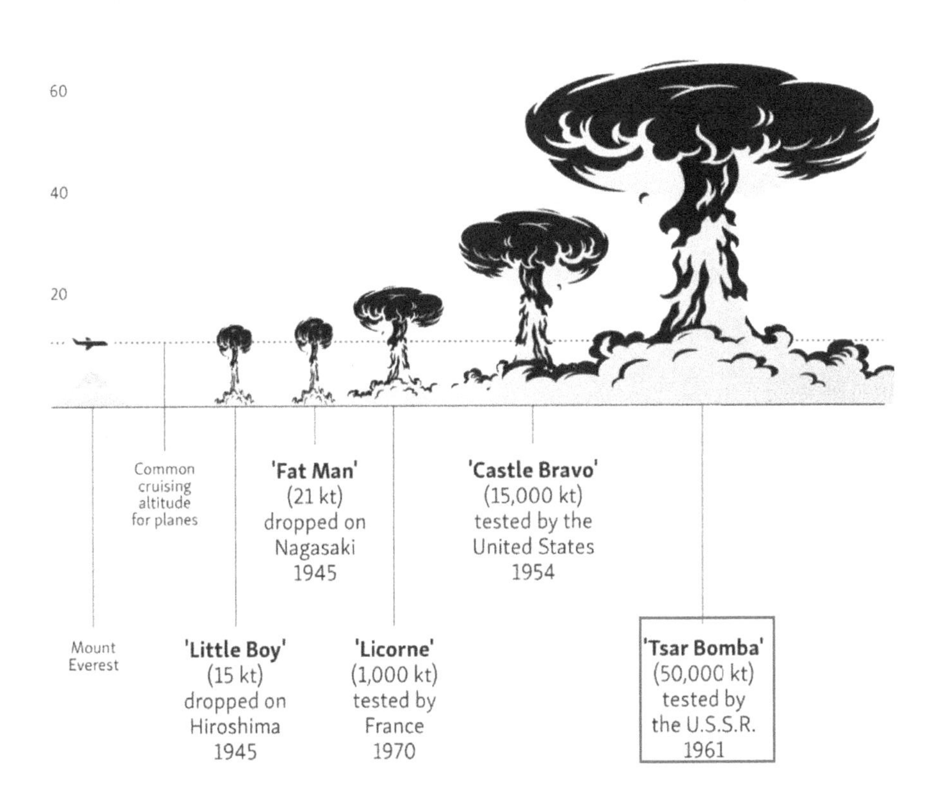

所以當時這顆炸彈爆炸了之後，反而大家全都嚇到了。這種炸彈很容易生產的。當時赫魯曉夫不是吹牛嘛，說我們蘇聯像生產香腸一樣的速度生產導彈。但是這顆炸彈爆炸後，冷戰雙方都知道，真的發生核大戰的話，那真的就是世界末日了。

核武器並非是一個選項，地面戰爭難以避免己方的傷亡。所以各國都在開發各種新式武器，盡量少動用地面部隊。精確制導的導彈就是在現代戰爭中經常看到的武器，象美國經常發射的戰斧式巡航導彈，一發就是好幾十枚。該導彈有不同型號，價格也不同，有陸基發射，也有從戰列艦或潛艇發射的，相應的造價也不同，每枚在150萬美元到上千萬美元。精確制導的導彈在戰爭中的最主要優勢在於，無需人員操控，可以在全球衛星定位系統的指引下、以每小時885公里的高亞音速打擊1600公里以外的目標。

1999年，我出差到伊拉克。當時海灣戰爭過去不到10年。巴格達的一些建築，看著外邊蠻好，但我路過的時候，跟我們坐一個車的人就說：這地方其實已經被炸過了。美國的戰斧導彈已經炸過這棟樓，但外面看不出來，裏邊都炸了。精確制導的導彈，其精度可以達到一米。導彈在飛的時候，會把下方的地形跟導彈裡面存的地形進行匹配。一看是這個樓，導彈就下來，把這個地方給炸了。所以有人管它叫外科手術式的打擊，等於是戰爭中儘量能夠避免平民傷亡。比如這地方有一個醫院，旁邊緊挨著軍營，它可以把整個軍營炸掉，但是不會影響到醫院。

比精確制導導彈成本更低而且是減少平民傷亡的就是「斬首行動」。川普在當總統的時候曾經有過幾次斬首行動。比較典型的就是在2020年1月份，斬首了伊朗革命衛隊聖城旅的指揮官蘇萊曼尼（Qasem Soleimani）。蘇萊曼尼人生中的最後36個小時都是在美國嚴密的監控之下。當時美國知道蘇萊曼尼會

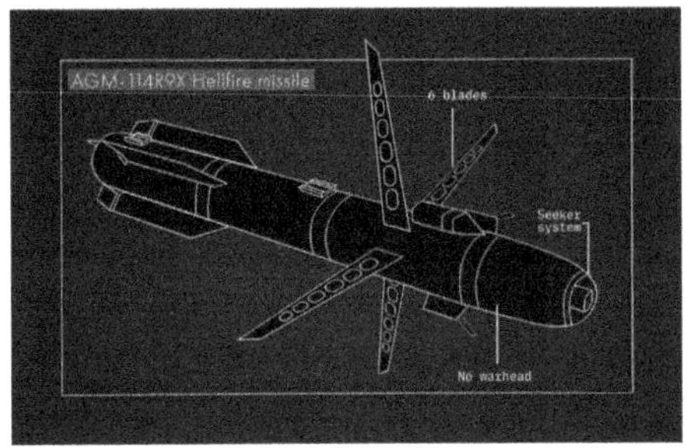

飛刀地獄火示意圖(圖源: Newsy / Bellingcat)

從伊朗飛到伊拉克,無人機就在巴格達機場外面盤旋。等到蘇萊曼尼的汽車一出來,無人機就發了三顆導彈,就把蘇萊曼尼幹掉了。蘇萊曼尼是伊朗恐怖組織革命衛隊最主要的指揮官,相當於伊朗的二號人物。美國也是在警告其他人,美國的情報系統、美國的軍隊都是非常厲害的。

還有一次斬首行動大概發生在五天以後,就是2020年1月12號,美國再次斬首了塔利班組織頭目,巴基斯坦人莫罕布拉(Mohabullah)。當時是因為阿富汗的南部坎大哈省發生了炸彈攻擊事件,造成了美軍傷亡。美軍為了報復,就斬首了塔利班的首席財務官莫罕布拉。斬首的時候,美國沒有用爆炸性的導彈,而是用的「飛刀地獄火」,就是一個彈頭裏邊有六個高速旋轉的刀片。一旦擊中汽車之後,裏邊的刀片釋放出來快速的旋轉,裡邊的人就被砍爛了。

所以你會看到美國在開發各種各樣的武器,也是為了減少傷亡。同時這些武器的威懾力也使得別的恐怖分子不敢輕舉妄動。這就是一種全勝的思想,通過斬首對方的最高指揮官,癱瘓對方的指揮系統,等於是以最小的代價取得了戰爭的勝利。

五、運用各種戰術,達到戰勝的目的

在《孫子兵法》中還提到運用各種戰術來達到戰勝的目的,所以在《始計篇》裡孫子明確提出「兵者,詭道也,故能而示之不能,用而示之不用,近而示之遠，遠而示之近，利而又誘之，亂而取之，實而備之，強而避之，怒而撓之，卑而驕之，佚而勞之，親而離之，攻其無備，出其不意，此兵家之勝，不可先傳也」。所以戰爭情報的搜集是非常關鍵的。

同時要使用各種各樣的詐術去欺騙對方。明明是我離你很遠，但是我給你造成了一個錯覺就是我離你很近；明明我離你很近，我給你造成錯覺是我離你很遠；想辦法去利誘你；想辦法去擾亂你等等。

曹操和袁紹在官渡作戰的時候，袁紹的兵很多，曹操的兵很少，打起來曹操是很吃虧的。曹操看見袁紹的兵來了之後，告訴手下的人把那些輜重、綢緞、錢、糧食扔得到處都是。袁紹的軍隊一來之後，就下馬搶東西。這一搶，隊形都亂了，曹操的軍隊就回來把他們打敗。這就是非常典型的「利而誘之，亂而取之」。這方面有很多很多的戰例，我們沒有時間去詳細講。反正總結起來你會發現，孫子的目的就是要騙你，他明明是這個狀態，卻一定給你留下一個相反的印象。

在具體的戰術中，孫子提出了遇到各種情況應該如何處理的具體原則，比如說雙方軍力對比不同的時候，應該採取什麼樣的戰術，遇到不同的地形應該如何作戰，如何去搜集情報，如何使用間諜等等。後面我們講到具體戰例的時候再說。

六、軍隊的管理和後勤保障

還有一點就是軍隊的管理和後勤保障。我們都知道，戰爭對於財富的消耗是非常快的，打仗就是打錢。所以孫子提出了減少軍費開支的一些建議，比如說因糧於敵；戰爭一定要速戰速決以減少損失等等。

作戰軍隊的戰鬥力跟指揮官有很大關係。孫子提出了作為軍隊的指揮官應該具有的素質，叫「智、信、仁、勇、嚴」。當然你對指揮官有這樣的要求，對方可能也同樣。那麼你就要根據對方指揮官的心理特點，通過心理戰去誘使他犯錯，激怒他或者讓他變得驕傲，或者給他造成什麼樣的錯覺，誘使他做出錯誤的決策等等。

當然軍隊的管理還包括組織結構、人才的選拔、分工，軍費、軍需等方面的制度等等，這方面的東西因為太多太雜，我們就不一一去講了。

下一堂課我想從一些戰例出發來分析孫子的思想，今天就說這麼多了。

第三十四講 ❖ 兵家思想(三)
孫子兵法的章句和戰例(上)

Chapter. 34 The School of Military Thought (3)
Sections and Strategies from "Art of War" (1)

前兩次課咱們講了一下孫子的生平和《孫子兵法》出現的歷史背景，然後我們講了一些孫子的思想，比如說「不戰而屈人之兵」的全勝思想。今天我們接著講孫子的一些思想和戰例。

七、兵法是一門藝術而不是科學

首先我們需要強調兵法是藝術，而不是科學。為什麼呢？因為科學是非常嚴謹的，一切都是確定的。就好比是做化學實驗，我拿什麼樣的化學的製劑，按照什麼比例混合，加熱到多少溫度等等，一旦成分和條件確定了之後，最後它的結果也是確定的。科學實驗非常強調的一點叫「可重複性」，就是我能夠反復地驗證它。但兵法更象是一種藝術。《孫子兵法》在英文中翻譯成「Art of War」，就是戰爭的藝術，而沒有翻譯成戰爭的科學。如果你要把兵法當成科學來研究，說我這樣這樣就一定有那樣那樣的結果，那你一定會很失望。

中國有一個非常著名的成語，叫「紙上談兵」，講的是戰國後期一個叫趙括的人。趙括的父親趙奢是趙國名將，曾經打敗過秦國，這就很了不得了。趙括跟著父親學兵法，家裡面的兵書，趙括也背得滾瓜爛熟。每次趙括跟父親辯論說一場仗應該怎麼打，都能講得頭頭是道，連父親都說不過他。

趙括的母親就特別高興，說我兒子這麼牛啊，連他爹都說不過他，將來打仗會是一個比他爹更好的將軍。趙奢很生氣，說趙括是絕不能當將軍的。趙括的母親很奇怪，問為什麼。趙奢說打仗這種事，要「戰戰兢兢，博咨於眾」。就是說打仗的時候會有你很多想不到的變數，即使像岳飛這樣的名將在大戰開始前都要召開軍事會議的。

咱們看《三國演義》裏諸葛亮搖著扇子說這樣這樣做，我們就贏了，那都是小說家的演義。你就算敵人的一切行動都在你預料之中，還有一個執行力的問題。你的將軍是不是能夠按時趕到戰場，當時的天氣會怎樣，真的打起來每個士兵的反應會怎樣等等，這裏有太多的變數了。像李世民、岳飛這樣戰無不勝的統帥，在《史書》中也記載他們打仗之前要跟手下的將領商量具體戰術，也要廣泛聽取意見，就像沙盤推演一樣把各種變數盡量考慮完全之後再做決定。有的將領要陷入深思長考的。就像林彪也是沒打過敗仗的，但作戰前，他要躺在床上想很長很長的時間，然後才制定一個作戰計畫。所以打仗一定要特別謹慎。

趙奢之所以說趙括不適合做將軍，是因為趙括誇誇其談。他把打仗看成是遊戲，隨隨便便地說我這麼布兵那麼布兵。這種性格注定他不可能聽進別人的意見。剛愎自用的將領打仗是一定會輸的。後來趙奢臨死之前反復囑咐老婆，說將來如果趙王讓趙括做將軍，你一定要阻止他，一定要把我這番話跟趙王講[*1]。

結果後來長平之戰爆發。最開始是廉頗為將，趙王就把趙括派到前線去把廉頗換回來。趙括的母親去見趙王，把趙奢的話復述了一遍。她說其實就我的觀

*1 《史記·廉頗藺相如列傳》：趙括自少時學兵法，言兵事，以天下莫能當。嘗與其父奢言兵事，奢不能難，然不謂善。括母問奢其故，奢曰：「兵，死地也，而括易言之。使趙不將括即已，若必將之，破趙軍者必括也。」

察來講，我也覺得趙括不適合做一個將軍。趙王問：你怎麼看出來的？趙括的母親回答說，當年趙奢一旦接受了國君的任命要領兵打仗了，當天就不回家了，而是住到軍營裡；召開作戰會議討論具體部署；國君給他的所有賞賜全部分給士卒，跟士兵們同甘共苦。但趙括不是這樣，一旦被封為將軍馬上趾高氣揚目空一切，拿著國君的賞賜回到家裡，開始看哪個房子他喜歡，哪塊地他喜歡，就開始買房子買地。他也不跟別人商量作戰方略，這種態度怎麼能打仗呢？

趙孝成王還是不聽勸。趙括的母親說：如果他要打敗的話，請不要處罰家裡的其他人。趙王就答應了[*2]。這樣趙括就出去打仗了。結果他面對的是戰國時期第一名將武安君白起。趙括戰敗，四十萬趙國的士兵被白起坑殺[*3]。這就留下一個成語「紙上談兵」，這個成語的每一個字背後都是十萬趙國士兵的血啊。

所以兵法一定不能當教條來學，墨守成規地去做，這就是為什麼我說兵法不是科學，而是藝術，因為它需要創造性的使用，運用之妙存乎一心。孫子在《虛實篇》中寫道「夫兵形象水，水之行避高而趨下，兵之形避實而擊虛，水因地而制流，兵因敵而制勝，故兵無常勢，水無常形，能因敵變化而取勝者，謂之神」。意思是用兵打仗就像水一樣，水是避開高的地方向低的地方流，兵是避開敵人有實力的地方，而攻擊敵人虛弱的地方，水是根據地勢來決定流向，兵是根據戰場當時的情形來制定作戰的策略，就像水沒有一個固定的形狀一樣，用兵打仗也沒

*2 《史記·廉頗藺相如列傳》：及括將行，其母上書言於王曰：「括不可使將。」王曰：「何以？」對曰：「始妾事其父，時為將，身所奉飯飲而進食者以十數，所友者以百數，大王及宗室所賞賜者盡以予軍吏士大夫，受命之日，不問家事。今括一旦為將，東向而朝，軍吏無敢仰視之者，王所賜金帛，歸藏於家，而日視便利田宅可買者買之。王以為何如其父？父子異心，願王勿遣。」王曰：「母置之，吾已決矣。」括母因曰：「王終遣之，即有如不稱，妾得無隨坐乎？」王許諾。

*3 《史記·廉頗藺相如列傳》：四十餘日，軍餓，趙括出銳卒自博戰，秦軍射殺趙括。括軍敗，數十萬之眾遂降秦，秦悉阬之。趙前後所亡凡四十五萬。

有一個固定的模式，所以說在戰場上，根據戰爭當時的情況，來決定如何用兵，才叫做用兵如神。

八、《孫子兵法》的一些章句解釋和一些戰例

《孫子兵法》雖然長度跟《道德經》差不多，但其指導戰爭的理論已經非常完備。考察那些打得特別漂亮的戰役，都是因為符合了《孫子兵法》的某些原則；反過來，失敗的一方，則必然是違反了《孫子兵法》的某些原則。

歷朝歷代給《孫子兵法》做註的人很多，幾乎《孫子兵法》中的每段話，都可以找到一些經典的戰例。我們沒有時間一一去說。僅僅給大家舉些例子。

1、《孫子兵法》第一章《始計篇》中的一段話

孫子說：「兵者，詭道也。故能而示之不能，用而示之不用，近而示之遠，遠而示之近。利而誘之，亂而取之，實而備之，強而避之，怒而撓之，卑而驕之，佚而勞之，親而離之。攻其無備，出其不意。此兵家之勝，不可先傳也。」

孫子一上來講「兵者詭道也」，用兵打仗就是要欺騙敵人。給大家舉一個簡單的戰例說明「能而示之不能」，就是我明明有能力打敗敵人，但是我要示弱，給敵人一個錯覺，以將敵人引入陷阱。一個典型的戰例就是「白登之圍」。

漢高祖劉邦在開國後當時封了七個異姓王，其中有一個韓王信。韓王信的能力很強，封國在洛陽附近。劉邦就覺得你兵強馬壯，又駐軍在東都附近，所以就不太放心。劉邦讓韓王信往北邊搬一搬，就搬到匈奴附近了。韓王信開始跟匈奴之間就有使者和書信往來。高祖就派人去責備他，結果韓王信索性就投降了匈奴。高祖一怒之下，親率大軍32萬人去攻打匈奴。

在打之前劉邦也想搜集一些情報，就派了十幾撥人去看匈奴的軍隊部署

情況。結果一批一批的人回來都告訴高祖說匈奴軍隊很弱，看到的都是老弱病殘，馬都瘦得不行了，我們一下就能把他們打敗了。於是高祖就率大軍出發了。高祖派的最後一個偵察匈奴情報的人叫婁敬，就是當年勸高祖從洛陽遷都到關中的那個人。婁敬回來後跟高祖說：我去匈奴看到的也都是老弱病殘，但這恰恰就是有問題啊！匈奴如果是這種實力的話，它還敢惹我們大漢嗎？它肯定是把精壯的士卒、最肥壯的馬匹全都給藏起來了，就表現出一副很弱的樣子來引誘你。所以皇上千萬別去，去了就中計了。

這時高祖的大軍已經出發了，覺得如果突然間取消行動很沒面子，於是就跟婁敬說：你不要再說這些亂我軍心的話。高祖就把婁敬關起來了。結果高祖一去，就被匈奴圍困在白登山。高祖的兵力是32萬人，匈奴是40萬人，歷史上稱之為「白登之圍」。對高祖來說，那是一段很危險的經歷。詳細的我們不講了，我們在《笑談風雲》第二部《秦皇漢武》裏講過這件事，包括後來高祖脫困也是用了陳平的一條妙計，有興趣的朋友可以去看看。

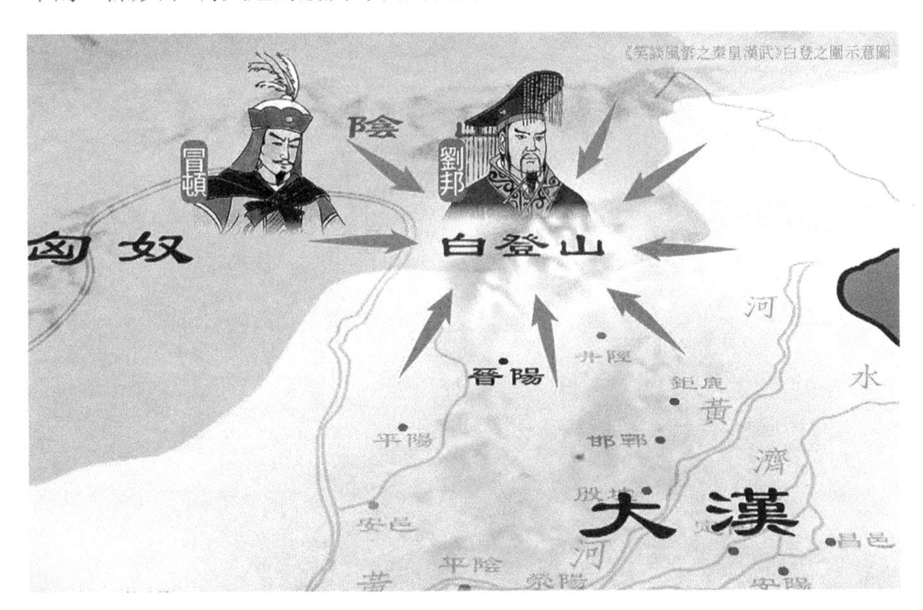

《笑談風雲之秦皇漢武》白登之圍示意圖

這個戰例中，匈奴用的兵法就是「能而示之不能」。他明明有能力打敗你，但就假裝自己很弱，達到了誘敵的目的。

但你看《三國演義》中的空城計，諸葛亮是把「能而示之不能」反過來用的，是「不能示之以能」，我明明沒有能力跟司馬懿打仗，但我就裝出一副我能打敗你的樣子，搞了個空城計。司馬懿一看諸葛亮這麼逍遙，這麼有信心？是不是真有很多兵埋伏在城裡呢？司馬懿就撤退了。這就是用兵的妙處，他反過來用，也達到了目的。所以讀兵法的人，也要能夠舉一反三，不能拘泥於文字的表面。

2、《孫子兵法》第二章《作戰篇》中的一段話

孫子曰：凡用兵之法，馳車千駟，革車千乘，帶甲十萬，千里饋糧，則內外之費，賓客之用，膠漆之材，車甲之奉，日費千金，然後十萬之師舉矣。

孫子這裏提到了軍隊開支的問題，如果要出動十萬人軍隊，每天大概要花費1000斤的黃金。實際上現代戰爭的開支非常巨大。我們來看一組數據，根據斯德哥爾摩國際和平研究所在2020年4月27日的報告，2019年的全球軍費支出，大約一共是1.917萬億美元。其中美國的軍費開支是7320億美元，占全球開支的38%，相當於美國後面九個國家軍費開支的總和。

美國的財政收入是多少呢？大概是4萬億左右，有18%都投到了軍費裡邊。順便說一下，你看加拿大搞全民健保，免費醫療，怎麼辦得起這麼高的福利呀？至少加拿大不需要那麼龐大的軍費開支，只有它GDP的2%到3%。加拿大的健保費用占18%，跟美國的軍費開支比例一樣。如果沒有美國這個強大的鄰國，加拿大需要自己去建立軍隊保護自己的話，恐怕加拿大健保就維持不下去了。所以大家不要覺得美國軍費開支高是因為美國窮兵黷武，而是需要建立一支真正維護世界秩序與和平的力量。

美國一共有六大軍種，陸軍、海軍、空軍，然後是海軍陸戰隊和海岸防衛隊，還有就是川普建立的太空軍。其中海岸防衛隊主要負責查禁走私、毒品、海事安全等，不是打仗用的。六大軍種中，最花錢的就是海軍。

美國現在有12艘核動力航空母艦在服役。核動力航空母艦加一次燃料可以航行25年，幾乎相當於無限續航了，不需要再添加燃料。最新的福特號是2017年下水的，造價129億美元。航母就是一個移動的機場，所以需要一個編隊去保護它，所以航母需要配備驅逐艦、戰列艦、預警飛機、掃雷艇，水下有潛艇，天上有偵察機等等，所以航母出動的時候，一定是一個編隊。

理論上一艘航母可以携帶80到130架艦載飛機。一架F35C造價就將近一億美元。通常來講，航母不可能都帶戰鬥機，還需要空中加油機、預警飛機、直升機等等，所以一般來說一艘航母上大概有50架戰鬥機。保護航母的艦隊的造價大概要40億美元。所以一個航母編隊的造價大約200億美元。每年的維護費用占造價的10%。美國一個航母編隊的戰鬥力就相當於一個中等的國家。

拿南中國海舉個例子，大家可以看這張地圖(見384頁)。越南、菲律賓、馬來西亞和中共都對南中國海有主權聲索。越南的人口有1億，算是人口大國，相當於三個加拿大、四個澳大利亞的人口，但越南的作戰飛機只有70多架，還不如美國的一艘航母。所以美國一艘航母就超過越南一個國家的軍隊戰力。

菲律賓、馬來西亞也跟越南差不多。美國要想維繫南中國海的安全，派三個航母編隊就足夠了。美國是全世界唯一一個有全球軍力投放能力的國家，有能力在全球任何一個角落發動一場全面戰爭。能做到這一點，主要就是靠航母。

美國現在還不斷投資在新武器的研發上。2020年，美國在夏威夷的珍珠港外進行了一個固態高能激光武器的首次試射，用激光成功擊落了一架無人靶機。過去都是拿導彈打飛機，現在用激光打。一顆戰斧導彈造價在150萬到上千萬美元之間，激光的成本只有1美元，因為只是相當於用核反應堆給激光武器充電，充電後開一槍只有1美元的成本，而且可以無限地打下去。因為導彈打出去就沒了，而激光打沒了可以再充電。類似這樣的新武器研發，肯定也投入不菲。

南中國海各國主權聲索示意圖（報呱製作）

3、《孫子兵法》第三章《謀攻篇》中的一段話

孫子提出了在不同的軍力對比下，應採用什麼樣的具體戰術。他說「故用兵之法，十則圍之，五則攻之，倍則分之，敵則能戰之，少則能守之，不若則能避之」。如果我的兵力是你的10倍，就把你包圍起來，如果我的兵力是你的五倍，就可以對你發動攻擊等等。但大家不能拘泥於文字的表面，不是說你是我的10倍或你是我的5倍，我就只能逃跑。

孫子後來在《虛實篇》中又說「故形人而我無形，則我專而敵分，我專為一，敵分為十，是以十攻其一也，則我眾而敵寡」。也就是說，雖然雙方的兵力不一樣，但具體在某一個戰場，我可以造成局部的優勢。方法就是我把我的兵力隱藏起來，而敵人為了找到我，他只能把兵力分散。我的士兵凝聚為一體，就是「我專為一」，而敵人分散兵力，就是「敵分為十」。這樣敵人在跟我作戰的時候，儘管總兵力比我多，但在投入具體的戰場上的兵力會比我少。

有一個非常典型的戰例，就是「明亡清興」的最重要的戰略決戰「薩爾滸之戰」。

1616年，努爾哈赤以七大恨告天，正式反叛明朝。1618年努爾哈赤大敗明軍，奪取了遼東的兩個重鎮撫順和清河。於是大明以楊鎬為經略，會合朝鮮和葉赫部的軍隊，一共出兵11萬，《明史》上號稱47萬，討伐努爾哈赤。此時後金的軍隊不過六萬，數量上遠遠少於明軍。這場戰役，歷史上稱為薩爾滸之戰，是明亡清興的戰略決戰。

楊鎬坐鎮沈陽，讓開原總兵馬林率15000人，出開原，經三岔兒堡(在今遼寧鐵嶺東南)，從北面進攻；山海關總兵杜松率兵約30000人的主力部隊擔任主攻，由沈陽出撫順關入蘇子河谷，由西面進攻；遼東總兵李如柏率兵25000人，由西南面進攻；遼陽總兵劉綎率兵1萬餘人，會合朝鮮軍共2萬餘人，經寬甸沿董

家江(今吉林渾江)北上,由南面進攻。

明軍是兵分四路,這麼做倒也沒有太大的問題,但問題是這些路軍隊配合不好。如果四面包圍,同時發起攻擊,那麼後金確實勝算很少。努爾哈赤也看到了這個問題,他認為南北兩路的路途遙遠,而來自西路的杜松距離近,而且是明軍主力,應該趁著另外幾路軍隊沒有到達之前,將所有後金的兵力集中起來,先消滅杜松,然後再各個擊破。當時努爾哈赤說:「別怕,管他幾路來,我就是一路去。」

當時的天氣也幫了努爾哈赤很多忙。本來已經到了農曆三月,氣候應該轉暖了,但天降大雪。杜松為了搶頭功,冒雪行軍。而其它幾方面的軍隊沒有跟上,杜松就變成了一支孤軍了。

加上因為分兵,明軍也沒有任何人數上的優勢了。杜松先攻占了薩爾滸(今遼寧撫順東)山口;接著又分兵,把一半兵力留在薩爾滸紮營,自己帶了另一部精兵攻打後金的界藩城(今新賓西北)。(杜松留師壁薩爾滸,而自攻吉林崖)。結果金兵在界凡頑強抵抗,而努爾哈赤則集中八旗的兵力,又攻下了薩爾滸明軍大營,截斷杜松後路。接著,又急行軍援救界藩。正在攻打界藩的明軍,聽到後路被抄,軍心動搖。駐守在界藩的後金軍從山上居高臨下地壓下來,把杜松軍殺得七零八落。努爾哈赤率領大軍趕到,把明軍團團圍住。杜松戰死,這路人馬全軍覆沒。

努爾哈赤沒有停留,隨後馬不停蹄地北上。這時馬林從開原出兵,剛剛到離開薩爾滸四十里的地方,得到杜松兵敗的消息,嚇得急忙轉攻為守,就地依山,紮下營壘,挖了三層壕溝,準備防守。努爾哈赤率領八旗主力趕到,攻破明軍營壘。馬林只帶著幾個人成功突圍,回到開原,第二路明軍又被打散了。

坐鎮沈陽的楊鎬,接到了兩路人馬覆滅的消息,不敢再戰,連忙派快馬傳令給李如柏和劉鋌立刻停止進軍。李如柏接令後立即撤軍。現在就只剩下南路的劉鋌這一支孤軍了。他沒有接到楊鎬的命令,對各路明軍失敗的情況,他一點也不知道。劉鋌是明軍中出名的猛將,他使用一把一百二十斤的大刀,運轉如飛,外號叫「劉大刀」。劉鋌軍軍令嚴明,武器火藥也多。所以他進入後金陣地以後,連破幾個營寨。努爾哈赤這個時候就用計了。他派了一個人冒充杜松的部下,送信給劉鋌,說杜松軍已經到赫圖阿拉城下,只等劉鋌軍去會師攻城。

劉鋌也怕讓杜松獨得頭功,下令火速進軍。努爾哈赤事先以主力在阿布達里崗(赫圖阿拉南)佈置埋伏。這一帶道路險狹,兵馬不能夠並列。忽然殺聲四起,漫山遍谷都是後金伏兵,向明軍殺來。劉鋌正在著急,努爾哈赤又派一支後

薩爾滸之戰(圖源:維基百科)

金兵穿著明軍衣甲，打著明軍旗幟，裝扮成杜松軍前來接應。劉鋌毫不懷疑，把人馬帶進假明軍的包圍圈裡。後金軍里應外合，四面夾擊，明軍陣勢大亂。劉鋌雖然勇敢，揮舞大刀，殺退了一些後金兵，但是畢竟寡不敵眾，戰死陣前。

薩爾滸大戰前後僅僅持續了五天，但十萬明軍損失了一大半，文武將官死了三百多人。從此大明和後金在遼東的局面完全反轉，大明處於守勢。努爾哈赤則乘勝攻下了開原和鐵嶺，隨後滅掉葉赫，統一了滿洲。

給大家講這個戰例就是說明《孫子兵法》中雖然闡述了不同的敵我實力對比情況下應該怎麼用兵，但在具體的戰場上，如果你能夠想辦法調動和分散敵人，而你把自己的軍隊放在一起，那就會造成一個局部優勢。努爾哈赤可能沒讀過《孫子兵法》，但真的是一個用兵的天才。

更多的戰例我們下次再說。

第三十五講❖兵家思想(四)
孫子兵法的章句和戰例(下)

Chapter. 35　The School of Military Thought (4)
Sections and Strategies from "Art of War"(2)

咱們上一堂課介紹了一些關於《孫子兵法》中的章句。今天我們把兵家的部分講完。

4、《孫子兵法·虛實篇》中的一段話

我們之前說過，《孫子兵法》講述的是戰爭的原則，而不是公式。因為戰場的情況瞬息萬變，雙方軍隊的士氣、訓練情況、忠誠度、後勤保障等等都有不同，所以不能只是簡單抄襲已經成功的戰例。所以孫子說：「夫兵形像水，水之行避高而趨下，兵之形避實而擊虛，水因地而制流，兵因敵而制勝，故兵無常勢，水無常形，能因敵變化而取勝者，謂之神」。

這裏給大家講兩個戰例。這兩個戰例看起來非常像，主帥採取的策略也很像，但是一勝一敗。

第一個戰例是春秋末年的吳楚戰爭。楚國的將軍叫薳射，被吳兵打敗後一直退到漢水，吳國的軍隊隨後追擊。吳國領兵的將軍是吳王的弟弟夫概。戰場上的形勢似乎是只要吳國繼續往前追，楚軍就會全部被殲滅，因為他們已經被漢水擋住了去路。但是夫概讓軍隊暫停。他說：「困獸猶鬥，況人乎？若逼之太急，

將致死力，不如暫且駐兵，待其半渡，然後擊之」。夫概說，當楚國的士兵沒有退路的時候，一定會反過身來拼命。所以現在不但不能往前打，反而要往後退一下。這樣讓楚兵認為暫時沒有危險的時候，他們就會準備坐船渡過漢水逃跑。等到他們渡過一半士兵的時候，我們再發動攻擊。已經過河的人不可能再坐船回來加入戰鬥了，沒有過河的就想趕快渡過去。所以這時敵人的士兵沒有戰鬥的決心和意志力，我們就可以很容易打敗他們。這就叫「半渡而擊」，果然按照夫概的安排就把敵人打敗了。

這個情況幾百年之後又發生了一次，但結果完全不同。這個戰例就是歷史上著名的淝水之戰。這是東晉十六國時期一場決定歷史走向的戰爭。如果東晉戰敗，前秦的苻堅將統一天下。苻堅也是躊躇滿志，帶著87萬大軍進攻東晉。而東晉的兵力非常少，大概只有八萬北府兵。東晉的謝玄領兵駐紮在淝水南岸，前秦的苻堅駐軍在淝水北岸。

戰爭開始前，苻堅派東晉的降將叫朱序去勸東晉投降。但朱序卻把苻堅的軍隊部署、強弱虛實全都告訴了東晉，並且答應做東晉的內應。

謝玄給苻堅寫了一封信說：「你我隔著淝水對陣，看起來是要跟我們持久作戰，沒想速戰速決。我建議你們往後退一退，讓出北岸的一塊兒地方來，讓我們晉兵渡過淝水，咱們痛痛快快決出個勝負如何？」苻堅的兵很多，每天消耗的軍需物資、糧食等也很多，可能也想速戰速決，就同意了。而且苻堅這邊的算計是「但引兵少卻，使之半渡，我以鐵騎蹙而殺之，蔑不勝矣」，意思就是等到晉兵渡過一半的時候發動攻擊，就一定能夠獲勝。

結果苻堅沒想到當他的軍隊開始後退的時候，後面的軍隊不知道前面發生了什麼事，只看見前軍後退。這時東晉的降將朱序就在後面大喊說：「我們戰敗了！」後邊的士兵看不見前面的情況，以為真的敗了，所以後邊的士兵也開始往後退。前面的士兵一看後邊士兵怎麼都跑了，那剩我們在那兒盯著幹什麼啊，所以他們也開始跑。苻堅的大將苻融拿著劍想把士兵潰逃的趨勢遏制住，結果被亂軍衝散，苻融竟死於亂軍之中。淝水之戰的結果我們都知道，最後苻堅戰敗，留了兩個成語「風聲鶴唳」「草木皆兵」。

所以你會看到，同樣是半渡而擊，夫概贏了，而苻堅輸了。這其中有一個微妙的變化，就是朱序幫助東晉，擾亂了前秦的軍心。所以真正在戰爭中，你士兵的戰鬥力是一個方面，主帥的心理也是非常重要的。這個就涉及到一個心理戰的問題。

5、《孫子兵法·火攻篇》中的一段話

孫子說：「主不可以怒而興師，將不可以慍而致戰，合於利而動，不合於利則止」。所以作為戰場上的指揮官一定不能被情緒左右，但要讓敵軍的指揮官被情緒主導。

諸葛亮和司馬懿相持在五丈原。諸葛亮想激司馬懿出戰，於是就派人送給司馬懿一套女人的衣服，還刺激他說：「如果你不敢跟我打仗，那就穿上女人的衣服吧。」

司馬懿沒有中計，還盛情款待來使，跟他聊天，問諸葛丞相最近怎麼樣啊？使者就說：丞相每天很累呀，軍中打二十軍棍以上的處罰，丞相都要親自去看，還說丞相現在身體不太好，每天吃得特別少，汗流終日。司馬懿就嘆息說：諸葛亮「食少事煩，其能久乎」，他吃得這麼少，幹那麼多的活，怎麼能活得長久呢？所以當時司馬懿的想法就是「拖」，把諸葛亮拖死為止。

諸葛亮送給司馬懿女人的衣服，司馬懿手下的將軍們受不了這種羞辱，就要求司馬懿出戰。司馬懿就給魏主曹叡寫了一封信說：將領們都想出戰，我也想

打。但我出兵之前皇上跟我說了，讓我不要打，現在我向皇帝請戰。曹叡就問左右說：這是什麼意思？司馬懿在前線，打不打不是他說了算嗎？怎麼會突然間要請我允許呢？

有個叫辛毗的人跟曹叡說：司馬懿不想打呀，所以千里求戰，其實就是想借主公的命令來壓制底下將士的請求。曹叡一聽也明白了，就給司馬懿下旨說你不能打。這樣司馬懿就沒有出兵，把諸葛亮活活拖死在了五丈原。諸葛亮用的這一計就是種心理戰，但司馬懿沒有上當。

作為戰場上指揮作戰的統帥，一定要保持清醒的頭腦，絕不能被情緒所左右。無論是貪財之心（搶劫敵人財物）、貪功之心（輕率冒進）、恐懼之心、過度愛惜自己的名譽等等，都可能被敵人所利用，並陷入敵人的圈套中。孫子說：「利而誘之，亂而取之，實而備之，強而避之，怒而撓之，卑而驕之，佚而勞之，親而離之。攻其無備，出其不意，此兵家之勝，不可先傳也。」（《始計篇》）現代社會的政治鬥爭，或者商戰中，也經常用心理戰。具體的例子，我們這裏就不舉了。

6、《孫子兵法·用間篇》中的一段話

搜集情報是戰爭勝利必不可少的工作。孫子說「知己知彼，百戰不殆」。而使用間諜就是搜集情報最常見的辦法，這可以大大降低戰爭成本。孫子說：「故用間有五：有鄉間，有內間，有反間，有死間，有生間。五間俱起，莫知其道，是謂神紀，人君之寶也。鄉間者，因其鄉人而用之；內間者，因其官人而用之；反間者，因其敵間而用之；死間者，為誑事於外，令吾間知之，而傳於敵間也；生間者，反報也。」

這五種間諜，我們不去一一解釋了，就舉一個岳飛用間的例子。

北宋亡國後，高宗在南方建立了南宋政權。但北方其實並沒有被金國佔

領，因為金國是北方人，不太適合在中原地區生活，氣候對他們來說太熱了，於是就在中原扶植了一個偽政權，叫做「齊」。偽齊的皇帝叫劉豫。岳飛知道劉豫和金國的關係不太好，於是就設了一計。

有一次金兀術派了一個間諜到岳飛這邊去偵察情報，結果這個間諜被抓住了。岳飛看見他，假裝認錯了人，對這個間諜說：你不是張斌嗎？這是岳飛亂給他起的一個名字。岳飛接著說：前一段時間，我讓你帶一封信給劉豫，要求他配合我，把四太子金兀術引誘到清河，然後我帶兵去把金兀術幹掉。這封信交給你，你怎麼就沒消息了呢？我只好派另一個人送過去了。現在劉豫已經答應我了。現在我再派你去送一次信，約定出兵的日期。

間諜知道岳飛認錯了人，自己也怕死嘛，就將錯就錯，含含糊糊地答應。岳飛說我現在行軍計劃已經做好了，這一次你不要再背叛我啊，一定把行軍計劃交給劉豫。之後就把書信放到了一個蠟丸裡，把士兵大腿上的肉割開，把臘丸塞進去，再把大腿給縫上。這個士兵本來是金兀術派過來蒐集情報的，就回去見金兀術。把這臘丸給金兀術一看，金兀術上當了，就把劉豫給廢掉了。所以我們看到，岳飛用間滅掉了一個國家，幾乎沒費甚麼勁。

7、《孫子兵法》中戰爭的最高境界與更多章句

我們前面講了一些《孫子兵法》中的章句。孫子認為的用兵最高境界，我們有必要再重複一下——「故百戰百勝，非善之善者也，不戰而屈人之兵，善之善者也」。

楚漢戰爭時期，韓信滅掉燕國就是一個「不戰而屈人之兵」的戰例。大漢的江山基本上是韓信一個人打下來的。他最開始「明修棧道、暗渡陳倉」滅掉了三秦，之後滅魏國、滅代國、滅趙國，然後滅燕國。燕國的戰鬥力是比較弱的，但當

時韓信剛剛滅掉趙國，也已經打得筋疲力盡了。以這樣疲憊的軍隊去攻打燕國，勝負之數還是很難料的。當時一個叫李左車的人建議韓信利用最近一段時間的輝煌勝利和震動天下的名聲去脅迫燕國投降。燕國最後不戰而降。

那麼現代國家之間的戰爭，如果真是全面戰爭，甚至動用核武器，那就沒有贏家了，所以兩個核大國之間再發生戰爭的可能性就極小。所以現在大國之間的較量可能很多都是網絡戰、信息戰、金融戰等等。過去打仗的目的是為了搶奪土地、人口、財富，現在不用了，因為這些資源都可以買到。如果我在經濟上、金融上能夠有優勢，甚至也能達到不戰而屈人之兵的目的。

大家知道全球最堅挺的世界貨幣就是美元，全球貿易40%是通過美元來結算的。美元是以美國的國家信用來保證幣值的穩定，所以是主權信用貨幣。大家相信美國的政府信用，相信美元的購買能力，所以美元就成為了世界貨幣，和很多國家的儲備貨幣。

美元因為是美聯儲發行的，所以任何兩個國家之間如果進行美元結算，都需要通過美國。哪怕是比如澳大利亞和日本做生意，如果以美元結算，這筆交易都得經過美國。所以美國通過這種方式就可以去掌握美元在全球的流向。如果美國想制裁某個國家的話，就可以說禁止它使用美元。比如美國制裁伊朗的時候，禁止伊朗跟別的國家做生意，結果華為的創始人任正非的女兒孟晚舟就是跟伊朗做生意。你只要一用美元，美國馬上就知道了，於是就追查這筆錢背後是給誰的，最後發現是華為。所以美國要制裁哪個國家說不讓你用美元，你真的就沒有，你的國際貿易就癱瘓了。美國制裁香港的林鄭月娥這批人，禁止銀行跟你交易，否則我就制裁你這個銀行。所以哪個銀行都沒法跟她交易，否則這個銀行就用不了美元了。所以你看林鄭月娥自己都說我現在信用卡都用不了，發工資的時候只能領現金。

在我們印象中，俄羅斯也是一個大國。2014年，俄羅斯入侵克里米亞後就遭到了美國制裁。2013年入侵克里米亞之前，俄羅斯的GDP一年是2.3萬億美元，結果被美國制裁之後匯率暴跌，到了2016年，GDP只剩下1.285萬億美元，跌掉了將近一半，連韓國和意大利都不如。所以這也是一種不戰而屈人之兵的方法，我沒有跟你直接發生軍事衝突，但是我已經讓你經濟上陷入困境，那麼你可能就不得不讓步了。

貿易禁運也是現代常用的手法。2018年，中興公司也是違反了美國禁令，向伊朗出口通信設備，被美國發現了。2018年4月16號，美國啟動出口禁令，不向中興提供芯片，結果到5月9號的時候，也就是短短三個多星期後，中興就發佈公告，表示受拒絕令影響中興公司主要經營活動已無法進行。也就是說，從美國禁止芯片出口到中興休克經過了不到一個月的時間。這就是美國在技術上、金融上具有的優勢。通過這樣的優勢，它甚至可以達到不戰而屈人之兵的目的。

九、孫子的結局

最後說一下孫子的結局。在《史記》中沒有把孫子的結局寫得很清楚，只說他「西破強楚，入郢，北威齊晉，顯名諸侯，孫子與有力焉」。《東周列國志》裡則說孫子最後是功成身退。

在滅掉了楚國之後孫子他的功業已經達到了頂點了，所以吳王闔閭準備重賞孫武。《東周列國志》上的說法是「孫武不願居官，固請還山」，他不想當官，就希望能夠回到山里隱居起來。「王使伍員留之」，就是闔閭請伍子胥挽留孫子。孫子私下里邊跟伍子胥講了這樣一番話。他說：「子知天道乎？暑往則寒來，春還則秋至，王恃其強盛，四境無虞，驕樂必生。夫功成不退，將有後患，吾非徒自全，並欲全子」。孫子說人世間有四季的輪迴，春夏秋冬；一個國家也有興有衰。不可能一個國家永遠興旺沒有衰落的時候。孫子說：現在吳國已經強大到沒有

敵人了，這時候國君一定會很驕傲，然後會開始享受生活，國家就要開始走下坡路了。這就是咱們講的盛極而衰的道理，走到頂峰的時候就會開始衰落。所以孫子跟伍子胥說這時候如果不走，將來就會遇到麻煩了。我不僅自己要走，也希望你跟我一起走。伍子胥沒有聽，孫子就自己回山了。臨走的時候，吳王送給他很多錢，孫子就沿路把錢財散給百姓，不知所終。孫子的結局也是功成身退。

當時在戰國時候除了孫子留下兵法之外，他的孫子(grandson)孫臏也留了一部兵法，叫《孫臏兵法》。這個在《史記》裡有記載。很多人因為沒有找到這部兵法，就不知道《史記》的記載是真的假的，甚至懷疑《孫子兵法》和《孫臏兵法》是同一本書。後來1972年，在銀雀山漢墓裡出土了《孫子兵法》和《孫臏兵法》，解決了這一爭訟。

關於孫臏的事，我們就不再詳細講了，大家可以看一看《笑談風雲》第一部專門有一集《孫龐鬥智》講述了他的生平和事跡。

關於兵家思想，咱們就介紹到這裡。從下一節課開始，我們來介紹法家的思想。

章節頁圖片：戰國晚期至西漢早期　勾雲紋環　現存於台灣國立故宮博物院

鳴 謝

錢穆先生在《國史大綱》中曾表達過這樣的觀點：一個國家的國民應當對本國的歷史抱有一定的溫情和敬意。這一點，我深以爲然。但僅僅掌握一些歷史知識仍不足以瞭解一個民族的特質，而必須要從歷史中提煉出這個民族的文化精髓。

這本《中華文明史》就是在嘗試論述中華民族與其他民族有何本質不同。這絕非爲了提倡狹隘的民族主義，因本人深信各民族皆為神所創造，理應和睦平等相處。但民族乃是一個文化的概念，因此民族之復興必須以這個民族的獨特文化之復興為前提，否則我們復興的可能就是另一個民族，甚至因缺乏文化的支撐而永遠無法達至民族的復興。

有鑒於此，我們必須回溯中華文明的信仰根源，那是神爲這個民族奠定的文明基石和樹立的文化框架。而這類討論恰恰是目前各類文明史著作中很少見到的。

在中共奪取政權七十餘年間，中華文明遭遇了滅頂之災。幸運的是，有形的器物儘可以毀滅，而無形的精神仍然散落在民間。筆者在法輪大法的修煉中，獲得了重新看待中華文明的獨特視角，並以學術的方式在這本書中呈現出來，希望能在民族文明的重建中做一點拋磚引玉的工作。

中共的統治是人類歷史上最殘暴、野蠻和黑暗的時期，但剝極必復，否極泰來，等我們走過這個時期，我們將面臨著信仰的重建，道德的回升和文化的復興。在這個歷史大變動的時期，能夠順應大勢而出版這本書，是我們的心願，也是我們的幸運。

同時我也相信，不同民族的優秀文化理應相互借鑑。因此，爲了向中國大陸和其他族裔傳播這些理念，我們成立了「天亮聯盟」這一非營利機構，以籌款完成書籍的整理、出版和翻譯工作。過程中，我們得到了眾多社會各界人士的慷慨捐助，讓這項浩大的工程得以完成。在此謹致謝忱！

以下是出資1000美元以上的捐款人鳴謝名單，排名不分先後。

果果 張文芳 Charlene Chen CPA Prof. Corp.
湯正嘉 黃浦 馬來西亞 Mr. Alan Sia
黃玉珍 林松齡 拂曉的彩虹@日本
何雪莉 熔華 宋鎮海和宋沈鈴香
滬李宗華 宇銘 王映鵬和劉美華
林有木 李濱 張福民和張蘇銘
賽夫 戚松合 林風瀟和笑笑
楊巧玲 Guo WX 秦勇健和聂灵犀
林楚華 Tracie Lin 林秀雲和陳琴琴
林楚德 Dr. Jin Li Dong 陳愛琳和陳愛悅
許宏宗 Alex Cheng 伊凡和子凡
黃淑芬 YIFEI 供情網絡 睿廷睿哲
正本清源 Lucas Liu 賓陽蒙祀修和賓陽蒙祀城
趙蓮 Adam Yang 柔佛州竟成園後人
陳美玲 Lucy F
常淑珍 Vincent W S Lo 其他29位匿名捐款人
蔡世榮 Baoliang Chen
項方 Cassandra Hugh
張英嶽 Adrian Chuang
劉益勝 Larry Xie
劉曄 MYH
李振松
劉蘭春 丹麥Martin K. Witt, Cecilie E.Liu Witt及Mikkel R.Liu Witt

CPSIA information can be obtained
at www.ICGtesting.com
Printed in the USA
BVHW092032230722
642868BV00002B/3/J